Kapitel elf

„Der Kommunist kämpft ein Leben lang, doch der Klügere gibt nach."

September 1983 saß er im Expresszug K.-M.-Stadt/Berlin. Der Zug war überfüllt. Aber in Willis Abteil war sogar noch ein Platz frei. Draußen auf dem Gang standen die Leute wie die Heringe und sie würden vier Stunden so stehen. Das Studienjahr 83/84 begann heute und es waren in erster Linie Studenten, die den Zug bevölkerten. Willi hatte die Wahl. Er konnte mit dem normalen „Eilzug" fahren, der hielt ständig, ein ewiges Gezuckel. Ab Riesa war die Strecke elektrifiziert, da wurde die Lock gewechselt, ab Rangsdorf nicht mehr, dann ging es wieder mit Dieselantrieb weiter. Der Expresszug hielt nur in Dresden und es wurde nur einmal umgespannt. Da die Strecke länger war, brauchte der aber auch vier Stunden. Die Züge waren dreckig und vor allem die WCs sollte man tunlichst meiden. Er war jetzt Student der „Hochschule für Musik H.Eisler Berlin", Fach Klarinette, erstes Studienjahr. Immerhin. Bisher hatte er es in seinem Dasein nicht so ideal getroffen und er war vorsichtig. Auch der Besuch der EOS hatte sich als Pleite erwiesen. Damals hatte er sich auch gesagt: Immerhin. Vorsicht war geboten. Vor allem hätte er weniger träumen und sich mehr mit der Tatsache beschäftigen sollen, dass im überfüllten Zug noch ein Platz frei war. Willi saß, ohne es gemerkt zu haben, in der ersten Klasse. Die Strafe folgte bei der Fahrkartenkontrolle. Willi musste nicht nur die Ermäßigung für Studenten nachzahlen, sondern auch den Zuschlag für die erste Klasse und eine Strafe. Er hätte sich vorher beim Schaffner melden sollen. Das fing hübsch an. 210 Mark bekam ein Student normalerweise im Monat, ein hübsches Sümmchen wäre jetzt schon weg. Aber Willi bekam kein Stipendium, sondern weiter sein Gehalt, 700 Mark im Monat, er war kein Student, sondern weiter Polizeiangehöriger, das heißt, er war doch Student, Berufsstudent sozusagen, zum Studium kommandiert mit Gehalt, nicht schlecht. Selbst wenn er vorzeitig fliegen würde, man wusste ja nie, er würde in dieser Zeit ordentlich Geld verdienen und bedeutend mehr als ein Koch. Dennoch ärgerte ihn die Panne. Es schien ihm wie ein böses Omen für die Zukunft. In Berlin angekommen begab er sich direkt in die Hochschule. Das war eine völlig vergammelte, riesengroße mehrstöckige Immobilie. Bereits im Foyer war Hektik. Zwei Studentinnen in FDJ-Hemd, direkt im Eingang sitzend, forderten jeden auf, zwei dickleibige Bände einer Biografie des kommunistischen Arbeiterführers Ernst-Thälmann zu kaufen. Viele Studenten diskutierten, sie wollten diese sinnlose Ausgabe vermeiden. Aber es führte kein Weg vorbei. Ohne Quittung gab's keinen Studentenausweis. Manche sagten, sie hätten die Biografie schon im Laden gekauft. Umsonst, dann würden sie die jetzt zweimal haben, das wäre doch auch mal ein schönes Geschenk. Die Situation war klar. Keiner in der Bevölkerung interessierte sich für die langweiligen, den Kommunismus und seine

Führer glorifizierten Bücher. Das passte aber nicht zur Propaganda, die doch überall berichtete, dass die Bücher den Verkäufern aus den Händen gerissen werden. Also musste nachgeholfen werden. Genauso lügenhaft wie die These:“ Die jungen Männer in der DDR jubeln, wenn sie zum Wehrdienst dürfen.“ Aber Will kaufte ohne Diskussion die sinnlosen Bücher. Es war auch nicht ratsam, die provokatorisch liegen zu lassen oder gleich im Müll zu entsorgen. Es wurde aufgeschrieben, wer kaufte und wer Theater machte. Erst Jahre später getraute sich Willi, die sinnlosen Bücher sorgsam geschreddert zu entsorgen. Er hatte mal kurz in dem Schinken geblättert, einfach furchtbar. Immerhin, bei so viel Zuspruch würde bestimmt bald eine neue Auflage erscheinen. Willi erinnerte sich, dass mal jemand die Schule in Berlin als „Parteihochschule mit erweitertem Musikunterricht“ bezeichnet hatte. Immerhin war neben der Studienzulassung und den Formalitäten nur eine Zuschrift gekommen, die auf das Studium einging. Die Prorektorin für Gesellschaftswissenschaften empfahl dieses und jenes Buch zu erwerben und zu lesen, um sich auf die Vorlesungen im Fach „Marxismus-Leninismus“ vorzubereiten. Hohl hatte das eine und andere Buch gekauft, um es notfalls vorweisen zu können. „Sicher ist sicher.“ Hohl wollte seine Ruhe haben. Mit der Kaufquittung für die Thälmann-Biografie, bekam Hohl seinen Studentenausweis und die Zuweisung fürs Internat. Zehn Mark kostete der Platz im Wohnheim, plus 5 Mark Bettwäsche. Letztere musste man aber nehmen, man konnte seine private Bettwäsche benutzen, aber die 5 Mark waren zu bezahlen. Da blieben den Studenten 195 Mark zum Leben. Davon konnte man durchaus existieren. Willi gönnte sich zehn Mark pro Tag, verschwieg aber tunlichst den anderen, dass er mehr bekam als die meisten, wenn sie später fertig studiert hatten. Lebensmittel waren billig, wenn man nicht gerade Räucherlachs für 25 Mark wollte. In die Theater kamen Studenten für eine Mark, eine Monatskarte für die U-Bahn kostete 6 Mark, die Einzelfahrt 20 Pfennig. Da konnte man schon existieren. Willi hatte, wie alle Polizisten, eine Freifahrkarte für die Nahverkehrsmittel in der gesamten DDR, ein weiteres Privileg. Da konnte man schon mal das Maul halten und die Thälmann Bücher kaufen. Die Fahrt zum Wohnheim dauerte eine Stunde, 16 Haltestellen mit der U-Bahn, umsteigen inklusive und eine mit der Straßenbahn oder laufen. Es war immer dasselbe, lief Willi, überholte ihn die inzwischen gekommene Straßenbahn, wartete er auf sie, waren die zu Fuß gelaufenen schneller. Dann musste man noch ein ziemliches Stück von der Straßenbahnhaltestelle bis zum Wohnheim laufen. Täglich zwei Stunden würde er also in den Verkehrsmitteln verbringen. Das Wohnheim war ein riesiger Neubaublock, in Gesellschaft zweier weiterer Blöcke, ruhig gelegen, die A-Seite, mit Abort, ging auf den Hof hinaus, mit Blick auf den anderen Block, die B-Seite, mit Bad, direkt idyllisch, hatte den Blick auf eine riesige Kleingartenanlage. Damals waren elektrische Rasenmäher, Sensen und Schreddermaschinen noch nicht so üblich, sodass es tatsächlich eine

Freude gewesen wäre, auf der Seite zu wohnen. Wäre, denn Willi wohnte auf der A-Seite. Die B-Seiten Bewohner kamen natürlich ständig rüber gekäst, wenn sie das WC nutzen wollten. Da auch im WC ein Waschbecken war, mussten die A-Seiten Bewohner nur auf die B-Seite, wenn sie baden wollten, das war praktisch nie, da alle am Wochenende nach Hause fuhren. Es gab in jedem Zimmer ein Doppelstockbett und ein einfaches, Willi erwischte das Einfache. Der Zimmerkollege Nummer eins war auch zur MdI (Ministerium des Inneren) -Abteilung, also Polizei gehörend, ein 16-jähriger schmalschulteriger Bursche. Von dem würde sich Willi nicht die Butter vom Brot nehmen lassen. Anwesend waren heute nur die Neueinzüge des ersten Studienjahres. Normalerweise hatten die „Minderjährigen" unter 18 eine eigene Bleibe mit strenger Aufsicht, nach der Leiterin genannt: „Mutter Kinasts Kinderknast." Aber die Kapazität war begrenzt, sodass mitunter auch Minderjährige ins normale Wohnheim kamen, wo man machen konnte was man wollte. Der Mitbewohner rauchte und konnte dies, wenn er wollte, hier auch im Zimmer tun. Im Kinderknast war Rauchverbot, auch mussten sie dort um zehn in den Betten liegen. Nach der Feuerschutzbelehrung und ähnlichem saßen dann die neuen Musikstudenten des ersten Studienjahres zusammen. Die Musikhochschule bewohnte zwei Etagen, im Komplex selbst hausten wohl Studenten aus allen möglichen Berliner Hochschulen. Man beschnupperte sich, erzählte, wo man herkam und was man tun wollte. Willi hätte es gern verheimlicht, aber der andere plauderte munter los, dass sie ins Polizeiorchester gehen würden. Die meisten verzogen das Gesicht und begriffen nicht, wie man so was tun konnte, vermuteten gleich, dass es bei den MdI Studenten von der Leistung nicht weit her war und man deshalb diesen Weg gehen musste, was im Falle Willi auch stimmte, übrigens auch im Fall der meisten anderen, wie sich bald herausstellen würde. Es gab einen Spruch in der Schule. „Klassik ist zu stressig, TUM das schaff ich nie, da mach ich MdI.“ (Vorausgesetzt man hatte keine Westverwandtschaft/TUM=Tanz- und Unterhaltungsmusik). Eigentlich war es peinlich, beim MdI zu sein, Willi hielt sich also zurück, die TUMer prahlten von der fetten Kohle, die sie mal in erstklassigen Bands verdienen würden, die Klassiker diskutierten, ob eine Solostelle in der Staatsoper der im Rundfunksinfonieorchester vorzuziehen sei. Willi wollte nicht gleich als Außenseiter gelten und beteiligte sich am Gespräch, immerhin abonnierte er Theater der Zeit und Musik und Gesellschaft und konnte mithalten, wenn es um fachliches ging. Umlagert, vor allem von den andern MDIer, war eine blonde auffallend hübsche Gesangsstudentin, hübsch, wenigstens was das Gesicht betraf, sonst war sie ganz schön aus dem Leim gegangen. Sie war Abiturientin und stammte von der Küste, zufälligerweise saß sie neben Willi und quatschte auch mit ihm, was dem gar nicht gefiel. Er wollte das Studium genießen und nicht wieder in sowas reinrutschen inkl. der dann unvermeidlichen Folgen... Sie wollte gleich morgen früh nach Hause zurückfahren, aber vorher nochmal in die Schule und fragte ihn, ob er mitfahren würde. Willi sagte ja, obwohl er dort gar nicht hin musste. Er ärgerte sich über sich selbst, fuhr aber mit. Straßenbahn und U-Bahn waren überfüllt, es kam zu keinem Gespräch. Sie hatte eine Stunde zu tun und er musste versprechen, zu warten. Nun ja, warum nicht. Schlecht sah sie ja nicht aus, aber eigentlich geht's ja nach Charakter...Willi musste eine Stunde rumgammeln. Er lief dem Abteilungsleiter MdI in die Arme, den er von der Aufnahmeprüfung her kannte. Der lobte Willi, weil er als einziger gekommen war, wohl um zu üben? Willi sagte nicht, dass dies reiner Zufall war und mit einer Dame zusammenhängt. Der Chef begrüßte ihn herzlich, Willi musste ins Büro kommen und unter anderem sagte er ihm, dass er den FDJ-Sekretär für das erste Studienjahr Bläser machen sollte. Auch das noch, Willi kotzte ab, dieser sicher zeitaufwendige rote Dreck. Das ging gut los. Der Chef quatschte und quatschte und als er fertig war, da war mehr als eine Stunde rum. Immerhin wollte der Chef ihn bevorzugen, wegen des Alters, die anderen waren alle erst 16 und der schon gemachten Erfahrung im Orchester. Das freute Willi. Als er, nach über einer Stunde aus dem Büro raus durfte, war die Blondine schon weg. Sei es drum. Auch er musste nochmal nach Hause, am ersten Wochenende, um ein paar Sachen zu holen. Mit einer ganz anderen Einstellung zum Studium, fuhr er nach Hause. Sonntagmittag fuhr er bereits nach Berlin zurück, ziemlich aufgeregt wegen der Blondine und dieses Gefühl gefiel ihm gar nicht, aber er konnte nix dagegen tun, wieder mal: „Man ist nicht Herr im eigenen Haus.“ Leider konnte er sich im Zimmer nicht in Ruhe auf sein eventuelles Date vorbereiten, denn der dritte Zimmerkollege war da. Ein Geiger, der direkt aus der Spezialschule in die Hochschule übergewechselt war. Er verstand sich, wie Willi, nicht mit seinen Eltern und fuhr an den Wochenenden nie nach Hause, sodass Willi, der das auch nicht tat, nie die Ruhe eines Einzelzimmers genießen konnte. Der andere hatte kein Problem damit, dass Willi in der SED war, auch so ein Makel, FDJ-Sekretär werden musste und in der MDI-Abteilung studierte. Er beeilte sich, Willi zu versichern, dass er auch für den Staat war. In der Regel waren die Studenten nicht begeistert von der DDR, viele kamen aus kirchlichen Kreisen. Willis Zimmerkollege, Kaiser mit Namen, versuchte es anders. Er war ein sehr guter Geiger, aber nicht gut genug, um in die Meisterklasse eines weltberühmten Prof., auch ein Parteimitglied, zu kommen. Die Parteimitgliedschaft: “Wir Genossen müssen zusammenhalten“, öffnete ihm dann aber doch die Tür des Prof. und der holte natürlich musikalisch mehr aus ihm heraus als die anderen das gekonnt hätten. Kaiser wurde zwar kein weltberühmter Solist, aber Konzertmeister eines mittleren Theaterorchesters. Bei den anderen Spezialschülern seines Lehrganges war Kaiser nicht beliebt, nicht nur wegen seiner roten Einstellung, sondern weil er gegen alle und jeden schoss, die ihm leistungsmäßig zu nahekommen könnten. Dennoch kam Willi gut mit ihm aus, musste er ja auch. Später, dann Ende des ersten Studienjahres, bekam Kaiser eine Hochschulwohnung. Willi war mal dort. Ein stinkiger Altbau mit Plumpsklo im Treppenhaus. Das einzige Zimmer der Wohnung, mit Kohleherd, so winzig, dass Kaiser, wenn er üben wollte, den Tisch hochklappen musste. Das Bett hing quer, etwa zwei Meter hoch von Wand zu Wand, quasi als doppelter Boden. Da war das Wohnheim Gold dagegen. Aber Kaiser wollte vor allem in Ruhe üben und das musste er auch, wenn der Prof. ihn behalten sollte. Überhaupt üben. Im Keller des Wohnheimes waren, zur Freude der Bewohner des ersten Geschosses, das waren pikanterweise keine Musikstudenten, ca. 20 Übungsräume, jeweils sogar mit Klavier. Der Schlüssel war beim Pförtner, man konnte ihn holen und zwei Stunden üben. Natürlich hielt sich keiner dran, denn welcher Student des ersten Studienjahres würde einen aus dem dritten vertreiben wollen. Auch ein Student des 1. Jahres ließ sich übrigens nicht vertreiben. Der sagte einfach, er habe den Schlüssel vor fünf Minuten vom Kollegen übernommen. Viele holten, wenn sie aus der Schule kamen, einen Schlüssel und aßen dann erst mal. Das war ärgerlich, denn sie blockierten den Raum, ohne ihn zu nutzen. Auf dem Zimmer üben war streng verboten und die Heimleitung kontrollierte das auch. Dennoch wurde es gemacht, mitunter beschwerten sich die obere bzw. untere Etage, dort waren keine Musikstudenten und die wollten in Ruhe lernen. Wollte man Klavier üben, war man auf die Räume angewiesen, hatte ein Trompeter einen ergattert, konnte man nicht sagen: „Du kannst auch in die Hochschule fahren und dort üben, das sind hin und zurück gerade mal zwei Stunden." Tatsächlich standen die meisten Bläser auf den halligen Gängen der Hochschule und übten dort. Willi konzentrierte sein Üben auf das Wochenende, da war kaum jemand im Wohnheim und Übungsräume waren immer zu bekommen. Blöd war nur, dass ausgerechnet unter dem Zimmer, in dem Willi wohnte, auch jemand am Wochenende nicht nach Hause fuhr. Die hörte vor allem nachts Orgelmusik in einer Lautstärke, dass selbst Ohrstöpsel nichts nutzten. Das ganze Haus war leer, ausgerechnet unter Willi musste die Alte wohnen. Willi ging runter und klopfte. Sie machte leiser, fünf Minuten später war die alte Lautstärke wieder erreicht. Es nutzte nichts, die Alte saß am längeren Hebel, Willi musste mit seiner Nachtruhe warten, bis die gedachte, ihre Konzertnacht zu beenden. Am Sonntag des ersten Wochenendes hatte Willi andere Sorgen. Er freute sich, aber er ärgerte sich auch. Wieder hatte er sich wegen eines Weibsbildes unter Druck gesetzt. Dann endlich kam die Blondine. Die Unterhaltung mit ihr war ganz gut, aber sie war erst kurz vor 22.00 Uhr mit dem letztmöglichen Zug gekommen und war müde. Dann begann die erste Studienwoche mit Russischintensivkurs. Früh und nachmittags je drei Stunden Russisch. Sie waren 15 Mann in der Klasse. Willi sah keinen Stich. Die anderen waren sämtlichst direkt nach der zehnten Klasse gekommen, die waren noch in Form, aber Willi hatte vier Jahre kein Russisch gehabt. Er wusste eigentlich nichts mehr. Russisch war ein heimliches Hauptfach in der Schule. In kaum einem Fach gab es so viele Prüfungen, die bei

Nichtbestehen das vorzeitige Ende bedeuteten. „Wenn uns 45 die Türken befreit hätten, hätten wir jetzt Türkischseminar." Das hatte ein Student der TUM-Abteilung unter seine Arbeit geschrieben. Der wurde sofort exmatrikuliert. Die Russischlehrerin, eine noch jüngere, aber stark verlebte Dame mit dem Namen Apfelstrauch, machte von Anfang an klar, welch hohen Stellenwert ihr Fach hatte. Neben Willi war noch ein zweiter Student, er hieß Wehrmann, der auch durch nicht vorhandene Leistung glänzte. Schon in der ersten Woche machte die Apfelstrauch den beiden klar: „Geben Sie auf, Sie schaffen es nicht, suchen Sie sich eine andere Arbeit, werden Sie Straßenbahnfahrer oder Bäcker, Sie haben keine Chance." Also: „Wenn Sie kein Russisch bringen, dürfen Sie kein Musiker werden, sondern müssen als Straßenbahnfahrer arbeiten." Eine entwaffnende Logik. Die Apfelstrauch erinnerte Willi an seinen Freund, den Englischlehrer Hohl. Der hatte Willi bekanntlich damals vor sechs Jahren auch einen schnellen Abgang von der EOS prophezeit und er hatte Recht behalten. Sollte sich das jetzt wiederholen? Willis Stimmung sackte in den Keller. Warum nur hatte er sich auf das Direktstudium eingelassen. Ein Fernstudent hatte nämlich kein Russisch. Die Apfelstrauch ließ gleich durchblicken, dass sie nicht gewillt war, Gnade walten zu lassen. Auch Parteinähe brachte keinerlei Schutz. Aus Sicht der DDR waren Russischkenntnisse für Direktstudenten das A und O. Wer hier schlecht war, egal ob aus Faul- oder Dummheit, das wurde nicht akzeptiert, der war politisch höchst fragwürdig. Wer in Russisch schlecht war, der provozierte in jedem Fall. Für Willi ein Trost, er war Berufsstudent und wenn er nach einem Jahr würde gehen müssen. Er hatte sein Gehalt bekommen fürs Studieren. Es war wie verhext, kaum vier Monate die Wehrpflicht beendet und schon zeichnete sich eine neue Talsohle ab.

Seine Annäherungen an die Blondine stagnierten, was wollte er mit der, wenn er bald nicht mehr da war. In der zweiten Studienwoche waren dann auch die höheren Jahrgänge da und da gab es natürlich auch welche, die sich auf das Girl stürzten und versuchten, anzubändeln. Aber eines Tages kam diese zu Willi: Sie wollte sich polizeilich melden, sie wüsste nicht, wo das ist, ob er nicht mitkommen könnte. Willis Herz schlug bis in den Hals. Wenn das nichts war. Warum fragte sie ihn, jeder der höheren Studienjahre hatte sich schon angemeldet und könnte mitgehen, aber sie fragte ihn, ihn! Das war kein Zufall. Russisch, erst mal egal, alles würde gut werden. Als er mit der Blondine zurückkam, wartete bereits ein älterer Student, 3. Studienjahr, um: „mit ihr Musik zu hören". Die Blondine bedankte sich artig bei Willi und ging mit dem anderem in dessen Zimmer. Was sollte das schon wieder? Am gleichen Tag fuhr er noch mal mit der U-Bahn in die Hochschule und da traf er sie, diesmal wirklich durch Zufall. Er setzte sich neben sie und dann kam eine Ansage: „Mach dir hier keine Hoffnungen, du hast keine Chance, jetzt nicht und auch nicht später. Das war eine klare Ansage. Aber warum? Er hatte sich nicht neben sie gesetzt am ersten Tag, sie wollte, dass er am zweiten Tag mit ihr in die Hochschule fuhr und

sie hatte ihn gefragt, ob er mit zur Meldestelle geht. Und jetzt hatte die ihm sicherheitshalber einen Korb gegeben, obwohl er ihr gar nicht hinterher gestiegen war. Hatten die Weiber überhaupt einen Plan? Was sollte das? Nun ja, er stieg die nächste Haltestelle vorzeitig aus, um das unangenehme Gespräch zu beenden, wartete zehn Minuten, um dann die nächste Bahn zu nehmen. Er hatte nach dieser Unterhaltung nie wieder mit ihr zu tun. Einen einzigen Wortwechsel gab es noch mit ihr und das war dann schon vier Wochen später. „Kannst du nicht grüßen", schnauzte sie ihn an, als er ihren Gruß nur mit einem Kopfnicken erwidert hatte. „Ich habe gegrüßt", erwiderte er und ging weiter. Bereits acht Wochen später verließ sie das Wohnheim und zog zu ihrem Freund, einem Studenten, der in Berlin wohnte. Noch bevor das erste Semester vorbei war, wurde sie schwanger und brach später das Studium ab. Da war der Urheber der Schwangerschaft schon nicht mehr aktuell. Sie hatte das Trippel geschafft: Schwanger, Studienabbruch und der Zeuger schon vor der Geburt über alle Berge. Bravo, 100 Punkte. Nun ja, nicht sein Problem. Da wurde nun nichts mehr aus einer Tätigkeit als Gesangslehrerin an einer Musikschule. Was wohl aus der Blondine geworden ist? Jedenfalls war sie eine zwar kurze, aber unangenehme Bekanntschaft. Wenn Willi ihr hinterhergerannt wäre: Korb ok, er hätte es sich dann selbst zuzuschreiben, aber so, nicht nachvollziehbar.
Die dritte Woche an der Hochschule war die so genannte „Rote Woche". Täglich, früh und

nachmittags, ein Forum zu politischen Themen. Willi lernte Unterschiede kennen: „Spielt das Ostberliner Sinfonieorchester Beethovens 9. Sinfonie mit der „Ode an die Freude“, ist es echt: Es spiegelt den Friedenswillen des Sozialismus wider. Spielt die „Westdeutsche Berliner Philharmonie“ das Stück, ist es Heuchelei, denn der Kapitalismus braucht den Krieg, er gehört zu seinem Wesen. Er erzieht seine Bürger zu Feinden des Sozialismus und damit des Friedens. Deshalb ist die sozialistische Wehrbereitschaft so wichtig. Alle Männer sind stolz, dass sie in der NVA dienen dürfen. Diese Ehre zieht auch eine Pflicht nach sich, die seit Jahren mit Freuden erfüllt wird. Sehnsüchtig hat die Bevölkerung der DDR auf die Einführung der Wehrpflicht gewartet, endlich konnten sie den kapitalistischen Kriegstreibern bei der Bundeswehr was entgegensetzen. Nicht nur Willi verzog das Gesicht. Gerade für Musiker war die Wehrpflicht eine besondere Plage. Wer übt schon gern jahrelang Geige, um dann nach einer 18-monatigen Pause vieles wieder zu verlernen, von dem ständigen Risiko durch einen Unfall, die Spielfähigkeit zu verlieren, ganz zu schweigen. Besonders ein Dozent fiel mit besonders markigen Sprüchen auf. Pikanterweise blieb der Wochen später bei einer Dienstreise nach Wien im Westen. Willi war sicher, die meisten der künstlerischen Angestellten heuchelten, redeten diesen Unsinn, um ihren Posten zu halten. Sicher die vielen Tagediebe, die gut dotiert „Marxismus –Leninismus“ lehrten, was absolut niemanden interessierte, mussten wegen des Berufs diesen Mist glauben.

Willi freundete sich mit Wehrmann an. Er war ein großer ungehobelter Primitivling, das ganze Gesicht voll Pusteln und Pickeln, mit flacher Stirn und wulstigen Lippen. Sein Spitzname war Bauer oder Tölpel. Er hatte die zehnte Klasse so miserabel abgeschlossen, dass sie ihn trotz bester musikalischer Leistungen, er war Tubist, nicht zum Studium angenommen hatten. Er begann eine Lehre als Fleischer und lief dem MDI übern Weg. Die suchten Leute und sorgten dafür, dass er in der MDI-Abteilung studieren konnte. Er brach die Lehre ab, verkaufte Straßenbahnkarten und war jetzt hier. Auch Wehrmann war in Russisch eine Null. „Wenn die schon A sagten, konnten sie auch B sagen und dafür sorgen, dass man in Russisch ein Auge zudrückt.“, sagte er und das war die Hoffnung von Wehrmann und Hohl. Im Gegensatz zu Willi war Wehrmann ein Spitzenmusikant, der nicht nur an der Hochschule ganz vorn lag, sondern auch in allen möglichen Berufsformationen aushalf und schon damals ein Schweinegeld verdiente. Willi war ja nun auch nicht ohne Mittel und so saßen sie öfter im Kaffee unter den Linden oder gingen in edle Restaurants essen, rauchten teure Zigarren und tranken abends ihr Bier. Bald hatte Willi keine Kopfschmerzen mehr, wenn er das tat. Wehrmann hatte noch nie eine Alte gehabt und er war sich sicher, dass dies wohl nicht einfach sein würde. Willi tat so, als ob er auf diesem Gebiet schon gewisse Erfahrungen hatte, er war immerhin schon 20. Sie fuhren abends nochmal in die Hochschule, um drei Stunden zu üben. Es war nicht so, dass sie nichts taten, um das Studium zu einem Erfolg werden zu lassen. Aber sie waren sich bewusst, dass zwei Punkte die Beendigung des Studiums verhindern würden. Russisch und ein sicher kommender 3. Weltkrieg. „Atomfutter“ nannten sie die Kleinstkinder, die ihnen im Weg standen, wenn sie die Treppe runterhetzten, um die gerade zur Abfahrt bereitstehende U-Bahn zu erwischen. Immerhin stumpfte die ständige Kriegsangst, die schon Guth in seinem Zirkel geschürt hatte ab: „Wie es kommt, kommt es.“

Dann in der dritten Woche begann der normale Hochschulbetrieb. Jeder musste sich selbst kümmern, wann wo welcher Unterricht war. Es gab keine zentrale Wandzeitung, sondern in jeder Abteilung waren andere Infos. Niemand sagte einem, wo was steht und so mancher Student flog wieder raus, weil er drei Monate nicht in Tonsatz war. Da war das instrumentale Hauptfach. Manche Lehrer hingen Listen raus: Klasse Meier, Stundeneinteilung dann und dann oder Herr Müller Telefonnummer, die und die. Das waren aber Ausnahmen. Manche warteten wochenlang, ohne zu wissen, dass man in der Regel im Büro für Studienangelegenheiten seinen Lehrer erfragen musste. Die MDI-Leute hatten ihren Führer, sodass Pannen nicht passieren konnten, die Klassiker waren auf sich selbst gestellt. Willi erfuhr, sein Lehrer heißt Hafer. Eine Telefonnummer hatten die in der Schule nicht, aber sie wussten, dass er in der „Komischen Oper“ arbeitet. Also ging Willi dort hin, die gaben ihm Adresse und Telefonnummer, nicht jeder hatte ein Telefon. In der Hochschule gab es für über 200 Studenten zwei öffentliche Telefone. Sich da anzustellen, war sinnlos. Aber der Lehrer von Wehrmann war auch in der „Komischen Oper“ und über ihn bekam Willi einen Zettel: „Erster Unterricht Musikschule Friedrichshain 9.00 Uhr.“ Am Montag war dann die erste Probe des Hochschulblasorchesters, welches ausschließlich aus MDI-Studenten bestand. Willi verzog sich sofort an die 3. Stimme, um nicht aufdringlich zu wirken, immerhin waren hier Studenten des dritten Studienjahres dabei. Wäre Willi, wie eigentlich geplant, nach der Lehre hierhergekommen, wäre er jetzt auch im dritten Jahr oder schon geflogen, wegen Russisch. Man spielte Polka und Marsch, nichts Besonderes. Immer am Montag vor der Probe war auch ein „Politisches Gespräch“, was ähnlich blutleer ablief wie im Polizeiorchester. Montag am Nachmittag war Gehörbildung und Tonsatz. Das machte sich gut, denn am Montagnachmittag war auch immer Parteiversammlung. Waren diese Veranstaltungen in Lehre und Armee von Vorteil, im Orchester dann nicht wirklich störend, dort einmal im Monat, so wurde die Parteimitgliedschaft an der Musikhochschule zum richtigen Ärgernis. Drei Montage im Monat war was: Einmal Parteigruppenversammlung, einmal tagten alle Parteigruppen der Hochschule zusammen und einmal gab es ein Forum zu politischen Themen. Am vierten Montag war dann noch FDJ-Versammlung. Im ersten Jahr konnte sich Willi, durch den parallel stattfindenden Tonsatz Unterricht, schön drücken. Aber im zweiten und dritten Studienjahr musste er teilnehmen. Belastend war, dass die Probe des Orchesters 13.00

Uhr ca. zu Ende war, die drei Stunden bis zur Parteiversammlung waren zum ins Wohnheim fahren zu kurz, zum Bleiben in der Schule aber eigentlich zu lang. Die kleine Parteigruppe bestand aus Orchestermusikern, Lehrern wie Studenten und den Lehrern für Marxismus-Leninismus. Alles Doktoren und Professoren. Was diese Tagediebe den Staat für Geld kostete, sie schafften nichts Nützliches, sie stahlen Studenten die Zeit und zwangen sie, irgendeinen Mist zu lernen, für den sich niemand interessierte, nicht mal die Arbeiterklasse selbst. Pikanterweise für die eigentlichen herrschenden, die Arbeiter, war das Fach in der Berufsausbildung gar nicht vorgesehen. Das hätte denen auch gerade noch gefehlt. Leiter der Parteigruppe war jener Herr Dr. phil. Matz, von dem Mal der Vers an der Hauswand stand: „Alle fahren Trabant, nur der Matz fährt mit dem Golf übern Platz.“. Matz war ein kleines dürres Menschlein, der mit brüchiger Stimme versuchte, alle Abweichler von der Lehre des Kommunismus zum Schweigen zu bringen. Er lud Willi gleich in der ersten Woche zu sich nach Hause zum Abendessen ein. Er wohnte in einer schönen Neubauwohnung direkt an der Staatsgrenze, dem Klassenfeind quasi jederzeit ins Auge blickend. Sein Sohn hatte gerade ein Studium begonnen. Er wollte Pionierleiter werden. 1988 würde er fertig werden. Nun nach der Wende war das Berufsbild nicht mehr gefragt, aber solche Typen fielen immer weich…Wolfrum erläuterte Willi die Wichtigkeit der FDJ-Arbeit. „Er ist der einzige, der FDJ-Arbeit machen will“, sagte er zu einer Frau. Willi hatte nur zu bedenken gegeben, dass niemand begeistert ist von besagter Arbeit. Aber sollte der Matz seinen Glauben behalten. Er machte FDJ-Sekretär, was niemand machen wollte, die sollten ihm dann gefälligst auch in Russisch helfen. Auch Willi war der Meinung, die sollten die Leute einfach in Ruhe studieren lassen, niemand wollte die FDJ und keiner brauchte sie. Die großen Parteiversammlungen und die Kolloquien zu politischen Themen fanden im Saal der Schule statt. Es wurde eine Anwesenheitsliste geführt. Gar nicht mal selten trug er sich ein und verschwand dann wieder. Parteisekretär und Lehrer für „Sozialistische Kulturpolitik“ war ein gewisser Hartholz, ein treuer Diener der Partei, der mit eleganter Vornehmheit die gewohnt langweiligen Vorträge und Referate hielt. Er sprach immer von Konni Naumann, ein großes Tier in der Regierung, dem er in Briefen von der erfolgreichen sozialistischen Aufbauarbeit der Hochschule berichtete. Sehr unwahrscheinlich, dass der olle Saufkopp das Pamphlet jemals las. Immerhin ist Konrad Naumann damals aus dem Politbüro geflogen, muss wohl im Suff ein paar Wahrheiten gesagt haben. Hartholz kam ins Schleudern, sein unfehlbarer Herr, auf dessen Bekanntschaft er so stolz war, existierte nicht mehr im politischen Leben. Hartholz kannte Konni persönlich, ein Mitglied des Politbüros, nicht zu fassen und er durfte ihn Konni nennen. Er stotterte rum: „Konrad Naumann trat aus gesundheitlichen Gründen zurück.“ Das akzeptierten aber vor allem die Studenten unter den Genossen nicht. Hartholz ergänzte: „Man muss schon sehr krank sein, wenn

man die Erfolge des Sozialismus leugnet."
Überhaupt Erfolge. Immer wieder musste man sagen, dass man stolz war, DDR-Bürger zu sein, dass es sich gut lebt und dass es erstaunlich ist, wie sich die DDR entwickelt hat, das hörten Matz und Hartholz gern. Wobei die in der Parteiversammlung verdammt offen waren. Der Lehrer für politische Ökonomie beschrieb die schwierige Lage beim zurückzahlen der Schulden, um den Offenbarungseid zu vermeiden: „In letzter Minute bringt oft ein Kurier der Westbank die letzte Mark Schulden symbolisch auf einem Tablett."
Wenn nach der Wende alle sagten, niemand wusste von der Schuldenlast der DDR, zumindest die Mitglieder seiner Parteigruppe haben es gewusst, aber das Ganze nicht als eine tatsächliche Bedrohung für die DDR gesehen. Die schwierige ökonomische Situation wurde nicht beschönigt. Was man nicht wusste: Ein Offenbarungseid ist kein Spaß und es ist nur eine Frage der Zeit. Eines Tages kann die DDR die Kredite nicht mehr bedienen.
Insgesamt empfand Willi die Parteiarbeit als langweilig, reine Zeitvergeudung, eine ganz ärgerliche Sache. Erstaunlich, dass viele berühmte Professoren drin waren. Warum? Hatten die das nötig? Wie viel Zeit mussten die auch absitzen. Oder waren die nur dankbar. Sie konnten die sozialen Sicherheiten des Ostens mit den Annehmlichkeiten des Westens verbinden. Sicher hatten viele Reisepässe und Westwagen wie Volvo, VW oder Citroen hatten die alle. Oder bekam man den Reisepass nur als Genosse, war es einfacher als

Genosse in der DDR oder hatten sie am Ende im 3. Reich Erfahrungen gemacht, die die DDR doch als bessere Alternative zum Westen darstellte? Aber wenn die DDR die Zukunft der Menschheit sein sollte, dann gute Nacht. Willi wusste von Götz, dass es Lebensmittelmarken in Rumänien gab, dass im kommunistischen Kambodscha Millionen ermordet wurden, er hatte erzählt von den Toten in China, Stalins Straflagern und Willi blieb bei seiner Theorie: „Wenn die beim Bund die Leute so drangsalierten wie in der NVA oder der Roten Armee, würden im Westen alle Zivildienst machen." Dann die ständige Verlogenheit auf Schritt und Tritt oder war Willi nur zu dumm, die Mechanismen der Menschheit zu begreifen, zusammen mit Wehrmann, der die gleiche Meinung hatte wie Willi. Am Dienstag war Hochschulsport. Man konnte Fußball spielen, Tischtennis oder Schwimmen. Willi und Wehrmann entschieden sich für Schwimmen. Das war gar nicht schlecht, jede Woche eine Stunde kostenlos ins Schwimmbad. Eine gute Idee. Allerdings war der Hochschulsport Pflicht. Wer so und so viel Mal fehlte, der musste das gesamte Jahr nachmachen. Es gab Studenten, die im vierten Studienjahr dreimal die Woche zum Hochschulsport gingen, um das versäumte aufzuholen. Die Tatsache, dass zwei Studenten des MDI das nicht mussten, konnten sie auch nicht als Fernstudent im vierten Jahr, und dennoch ihren Abschluss bekamen, gab Willi Hoffnung. Vielleicht war doch was zu machen mit Russisch. Er musste nur rot genug quatschen. Nach dem Sport ging es im Eiltempo in die Schule zu den

Musikwissenschaften. Zwischendurch aßen sie in der Kantine. Der Fraß dort war nicht zu beschreiben. Sicher, die hungernden Neger wären froh über das Essen. Der permanente Arbeitskräftemangel machte auch vor der Hochschule nicht halt. Die einzige Bedienung war völlig überfordert. Aufwaschen mussten die Studenten selbst, es gab eine Art Küchenkommando, da drückte sich jeder, wo er nur konnte. Das Mittagessen war schon vom Ansehen her ungenießbar, die Buletten, Bremsklötze genannt, gab es ohne Teller in Butterbrotpapier. Haupthindernis war die ewig lange Schlange. Lieber gingen Hohl und Wehrmann in ihr Kaffee „Unter den Linden“, die hatte umwerfende zwei Gerichte zur Auswahl: Salamiplatte und Käseplatte. Da beide über Geld verfügten, konnten sie es sich leisten. Mittwoch früh hatte Willi Klavierunterricht. Pflichtfach. Er wusste, viele standen mit dem Fach auf Kriegsfuß, so auch Wehrmann, der zwar als Tubist Weltspitze werden sollte, aber mit dessen pianistischen Fähigkeiten war es nicht weit her. Die Klavierlehrer im Fach Pflichtfach gaben so viel Gas wie der Schüler nahm. Willi stellte sich absichtlich schwerfällig und dumm an, sodass er Stücke aufbekam, die er nie üben musste. Die Klavierlehrerin selbst, eine Bulgarin, liebte es ruhig. Nie ging der Unterricht 45 Minuten, höchstens 25, 30, dann ging sie Kaffee trinken. Kurz vor der Prüfung im dritten Jahr gab Willi Gas, zum Erstaunen der Ehrhard. Er spielte sein Prüfungsprogramm auswendig, keine Pflicht bei Pflichtfächern, nichts Schweres. Stücke von Eisler, die Träumerei von Schuhmann, die Eccosaisen von Beethoven und eine leichte Bach-Invention, die er schon in der Musikschule zur Prüfung gespielt hatte. Er hatte einen guten Tag und verspielte sich auch nicht. Die Zensur war ihm egal, Hauptsache einen Abschluss. Die Prüfungsjury wollte sich einen Spaß machen: „Sie sind doch MDI, können Sie da einen Marsch spielen." Da war Willi in Hochform. Natürlich konnte er. Er spielte die „Alten Kameraden", dass es nur so krachte mit Oktavierungen beim Basssolo und dynamisch fein abgestuft. Das brachte ihn spontanen Beifall ein, die Jury sah sich an und verkündete ein „Sehr gut". Besonders lobte die Erhard seine Entwicklung von „fast nichts bringen" bis zu dieser Leistung: „Eine fünf ist im Pflichtfach Klavier nicht selten, eine vier die Regel, eine drei kommt selten vor, eine zwei fast nie und eine eins ist außergewöhnlich." Das war das größte musikalische Lob in Willis Leben.

Dann war der Tag des ersten Hauptfachunterrichtes bei Lehrer Hafer in der Musikschule Friedrichshain, nicht weit vom Internat. Willi war pünktlich dort, er war sogar schon eine halbe Stunde vorher dort. Alles zu, nichts los hier. Der Hausmeister kannte Hafer und schloss auf. Kein Hafer kam, es wurde immer später. Was tun, ging er telefonieren, er hatte die Schlange vor der Zelle gesehen, kam der vielleicht gerade in der Zeit. Was soll's: Willi hatte den Zettel mit der Zeit, da stand schwarz auf weiß: 09.00 Uhr. Und wenn Hafer krank war und auf einen Anruf wartete? Zu dumm, dass gleich am ersten Tag was schief gehen musste. Er durfte es sich mit dem Mann nicht gleich am ersten Tag versauen. Dann mit 45 Minuten Verspätung kam Hafer. Keine Entschuldigung, nichts. Alles schien in bester Ordnung. 45 Minuten Verspätung, nicht der Rede wert. Sicher war Willi kein Traumschüler, MDI da war nicht viel zu erwarten. Sicher war Haberland kein Spitzenpädagoge, sonst würde er nicht die MDI Studenten bekommen. Gleich am ersten Tag mokierte er sein Mundstück. Er musste zu einer Adresse, einen neuen Rohling holen, zu einer zweiten das Ding abdrehen lassen, dann wieder zur ersten für die Feinarbeit. Gesagt getan. Telefon gab es nicht, also hinfahren, niemand da, Nachbarn fragen: „Die kommen morgen aus dem Urlaub", am nächsten Tag wieder hin, niemand da: "Der ist zu seiner Tochter, kommt heute Abend." „Der ist noch mal einkaufen, kommt erst spät, kommen Sie morgen." „Der ist nicht da, wir wissen nicht, wann er kommt." Dann das gleiche noch mal bei der zweiten Adresse. Willi hasste so was wie die Pest, er wusste von Götz, dass in der BRD jeder ein Telefon hatte, auch in den USA, auch in Frankreich, natürlich nicht in der mächtigen fortschrittlichen SU. Und immer eine Stunde Fahrt, der eine wohnte in Pankow, der andere beim Stadion der Weltjugend. Lehrer Hafer machte es sich leicht. Aber, Willi musste froh sein, dass die Handwerker überhaupt etwas für ihn taten, nur weil Hafer die immer mit Westgeld schmierte, waren sie bereit, sofort zu arbeiten. Einen Fremden hätten sie weggeschickt. Hafer war Es-Klarinettist, das war eine kleine hoch klingende Klarinette, an der Komischen Oper, spielte aber auch alle anderen tiefen Klarinetten und Saxofone. Er unterrichtete montags an der Weimarer Musikhochschule und hatte in Berlin noch drei Schüler über die Woche verteilt. Er war immer unterwegs, auch in der Begleitband der Chansonette Gisela May. Er musste eine Menge Kohle haben, aber die brauchte er auch. Er war Witwer, hatte vier Kinder aus erster Ehe und mit 50 mit einer 25 Jahre jüngeren noch mal ein Kind gemacht. Die Wohnung war voll mit teurer Unterhaltungselektronik und er fuhr einen VW Golf. Später fand der Unterricht dann immer in der Wohnung statt, entweder früh oder am Nachmittag. Mit Frühstück und Mittag oder Kaffee und Abendbrot. Ob Hafer das auch bei seinen anderen Schülern so machte, bei Willi jedenfalls tat er es. Auch die Frau war nett. Später hatte dann Hafer Parkinson und musste in der Oper aufhören, er verfiel körperlich immer mehr, lief gebeugt und wurde immer schmaler. Aber die wesentlich jüngere Frau hielt zu ihm, obwohl er sicher vielen ehelichen Verpflichtungen nicht mehr nachkommen konnte. Kurz vor der Silberhochzeit mit der zweiten Frau verstarb Hafer mit 76 Jahren. Dabei war er bescheiden und nie arrogant. Er akzeptierte Willis musikalische Grenzen, holte das maximale raus, ohne ihn zu überfordern. Am Freitag war dann noch Marxistisch-Leninistische Philosophie und Russisch und dann bimm. Insgesamt machte sich ein Musikstudent nicht tot, was Vorlesungen und Seminare betraf, aber er sollte ja auch viel üben.

Die vierte Studienwoche sollte ätzend werden. Willi musste zu einem fünftägigen Lehrgang für FDJ-Sekretäre nach Malchin. Er kotzte total ab. Er hasst Massenunterkünfte wie die Pest. Eine Woche war er vom Studium befreit, er pfiff auf die Befreiung, Hauptsache er bekam dann auch seine Unterstützung in Russisch. Jetzt hieß es Augen zu und durch. Mit Bus und Bahn ging es gegen Norden. Willi kannte niemanden. Einer war auch beim MDI, ein Studienjahr höher, er hieß Vogel und mit dem gab sich Willi ab. Der spielte gar nicht schlecht Posaune und war aktiv in der FDJ-Leitung, warum auch immer. Sie landeten in einem Pionierlager, was jetzt, außerhalb der Ferien, leer stand. Es gab ein Hauptgebäude und ein paar große unpersönlich eingerichtete Bungalows mit Doppelstockbetten, eines für die Männer, eines für die Frauen. Sanitäre Einrichtungen waren im Hauptgebäude. Wenn er nur erst wieder weg wäre. Der hauptamtliche FDJ-Sekretär, wie konnte man nur so einen Job annehmen, war 32 und ständig am Telefonieren mit seinen Mäuschen. Bei jeder Telefonzelle blieb er hängen und das Telefon im Hauptgebäude hatte er ständig beim Wickel. Er hielt eine Eröffnungsrede und fragte ausgerechnet Willi beim Mittagessen, wie sie ihm gefallen hatte. „Gut“, sagte Willi spontan, „weil sie anders war, als sonst solche Reden.“ Was da anders war, freilich das konnte Willi nicht sagen. Im Prinzip war es das gleiche hirnlose Gesülze, was niemanden interessierte, wie immer bei solchen Anlässen, Willi hatte gar nicht richtig zugehört, aber das, was er gehört hatte, reichte vollkommen. „Reale Kriegsgefahr, FDJ als treuer Verbündeter der Partei, immer präsent, kampfbereit, Dank an die Partei für die Linie, der Sozialismus auf den Weg zum weltweiten Sieg, starke DDR-Wirtschaft gute Basis für Friedenskampf. Besonderer Höhepunkt im zweiten Studienjahr, das Wehrlager, für die „Ungedienten“ die vormilitärische Ausbildung.“ Einfach furchtbar langweilig, immer der gleiche Mist immer wieder anders variiert. An den nächsten Tagen waren Vorträge zu verschiedenen Themen, gehalten von Gastdozenten, so z.B. immerhin vom Staatssekretär für Kirchenfragen. Willi bemühte sich, im Hinblick auf sein Russischproblem, immer interessiert zu schauen und auch ab und zu ein paar unverfängliche Fragen zu stellen. Der Vortrag des Kirchenfritzen war gar nicht mal uninteressant, am Ende war man sich aber einig. „Die Kirche ist Opium für das Volk, die immer im Dorf lassen, sie verführt und verleitet zum Stillschweigen, statt die angeblich gottgewollten Obrigkeiten aus dem Sattel zu heben und den Sozialismus wie in der DDR, auch in der BRD aufzubauen.“ Um Gottes Willen, nur das nicht, die armen BRD-Bürger. Ruhig bleiben, immer schön nicken und applaudieren. Und dann: „Die Zeugen Jehovas lehnen den Wehrdienst ab, das geht nun gar nicht.“ Die anderen Vorträge über die Freundschaft zur Sowjetunion und die Wichtigkeit der Landesverteidigung etwa waren völlig uninteressant. Abends machte man Spaziergänge und grillte. Beim Grillen holte einer der Gruppensekretäre, ein Gesangsstudent, seine Gitarre raus und sang tatsächlich rote Lieder. „Ich trage eine Fahne“, ein sowjetisches Partisanenlied und „Spaniens Himmel.“ Es war nicht zu fassen und der Kerl war noch nicht mal besoffen. Paar Wochen später wurde der hauptamtliche FDJ-

Sekretär in den Zentralrat berufen und der Sänger unterbrach sein Studium und wurde für zwei Jahre hauptamtlicher FDJ-Sekretär. Gelohnt hat es sich schon, denn nach Beendigung des dann wieder aufgenommenen Studiums, kam er in den Chor eines führenden Musiktheaters. Sicher konnte er auch gut singen, aber wenn viele gleich gute Bewerber da sind.... So ein Vorsingen ist immer auch ein Lotteriespiel. Willi dachte dabei auch immer an sein Russisch. Es wurde kalt draußen, wenn es dunkle wurde. Man holte Decken und hochprozentiges und eine der jungen Damen legte den Arm um seine Schulter, und schmiegte sich dumm kichernd an ihn. Naja, warum nicht... Am nächsten Tag, sie war wieder nüchtern, hatte die wohl alles vergessen, es kam zu keinerlei Kontaktierung mehr. Die Dame wurde nach dem Lehrgang von ihrem Freund abgeholt, der sie mit Kuss begrüßte und einer der Lehrgangsteilnehmer sorgte dafür, dass jeder beim MDI von der Geschichte erfuhr, in dessen Auslegung: „Der Hohl hat sich an die ran gemacht und ist abgeblitzt." Der Hohl hatte gar nix gemacht, immerhin Spötter gab es genug. Natürlich hatten die auch das mit der Blondine am Anfang des Studiums mitbekommen. Eigentlich wurde nicht wirklich gelästert, es gab nur punktuelle Stichelein und hämische Bemerkungen, mehr spaßig, aber für ihn immer peinlich.
Dann ein paar Tage später war die FDJ-Versammlung der Bläser des ersten Studienjahres. Willi musste sie leiten, aber der MDI-Chef war mit da und nickte ihm aufmunternd zu, seine Anwesenheit gewährte sowas wie Ruhe. Willi

schaute in die gelangweilten Gesichter, jeder wollte so schnell wie möglich fort. Wenn jemand aber ein Leistungsstipendium haben wolle, musste er neben musikalischer Leistung auch gesellschaftliche Aktivität nachweisen. Eine Anwesenheit bei der Wahl des FDJ Sekretärs war das mindeste. Immerhin waren alle von ihrer Qualität und Eignung für ein Leistungsstipendium überzeugt. Noch! Hohl wurde einstimmig gewählt, es gab keinen Gegenkandidaten. Keiner sehnte sich nach so einem Posten. Die Arbeit der FDJ-Gruppe war an sich geschickt verpackt. Jede sollte ein Friedensprogramm, mit roten Liedern, Instrumentalstücken und Gedichten erarbeiten. Die sollten im Haus der „Deutsch Sowjetischen Freundschaft“ vorgestellt werden und dann in die Betriebe gehen. Die Betriebe würden sich schön bedanken. Anderseits war so ein Konzert zur Parteiversammlung besser und kürzer als ein Vortrag über den Frieden mit vorbereiteten Diskussionsbeiträgen (Oder die Programme wurden in der Arbeitszeit gezeigt, dann war der Beifall sicher). Da sechs MDI-Studenten des ersten Jahres sowieso mit dem Blasorchester ein Friedensprogramm erarbeiteten, konnte man das gleich mit als das der FDJ-Gruppe verkaufen. Die Freundin des MDI-Oboisten und wiederum eine Freundin von der wurden für Ansage und Gesang engagiert und auch die hatten ihr Friedensprogramm und die anderen Sänger ihre Ruhe. So ging FDJ-Arbeit schnell. Die dämlichen Friedensprogramme hätte man auch ohne den Deckmantel „FDJ“ erarbeiten können.

So waren alle zufrieden. Ein einziges Mal wurde dann besagtes Programm aufgeführt, im „Haus der DSF", Zuschauer waren diejenigen Studenten, die hinterher ihr Programm zeigten. Wo waren die Vertreter Berliner Betriebe, die die Programme für ihre Veranstaltungen orten sollten? Fehlanzeige. Man hätte die Vertreter verpflichten müssen, möglichst in der Arbeitszeit. Freiwillig kam hier keiner, noch dazu in der Freizeit. Willi erinnerte sich an den Hilferuf des Direktors der Stadthalle K.-M.-St., an den Chef der Bereitschaft, zu der Zeit, als er Wehrpflichtiger war. Für die Revue „Abends in Moskau" war keine Karte verkauft worden. Abends war der Saal dann ausverkauft, wenn auch nur von Wehrpflichtigen und Willi hatte schön geschlafen. So wird politische Arbeit gemacht, in Berlin war man wohl noch nicht so weit. Ein Zug Wehrpflichtiger aus einer Berliner Kaserne wäre doch machbar gewesen und dort hätte man auch die Programme noch mal zeigen können. Immerhin war das dann ein Kritikpunkt bei der FDJ-Vollversammlung. „Die wunderbaren parteilichen Programme fanden leider keine Resonanz bei der Berliner Bevölkerung." Das war die FDJ-Arbeit der Seminargruppe Holzbläser erstes Studienjahr, geleitet von Willi Hohl. Gute parteiliche Arbeit und da war dann noch sein Russischproblem...

Anfang Oktober war dann ein nächster Ausbildungshöhepunkt der Musikhochschule: Das Erntelager. Ungeliebt und verhasst war es und nur wenigen war es gegeben, es abzustinken, nämlich denjenigen, die in einem Film über die Hochschule mitwirken sollten. Der wurde gerade in der Zeit des

Erntelagers gedreht. Für alle anderen hieß es am Sonntagabend, sich mit Zug und Bus in ein Lager, in der Nähe von Werder bei Potsdam, zu begeben. Die Baracken mit jeweils zehn Doppelstockbetten waren ähnlich unpersönlich, wie die bei Malchin zur FDJ Schulung. Problematisch für Willi war, dass einer der Mitstudenten einen Kassettenrekorder mithatte, der den ganzen Tag, über die Nachtruhe raus, dudelte und zwar ausschließlich Musik von Udo Lindenberg. War eine Kassette abgelaufen und der Besitzer derselben schlief schon, war es gut, wenn nicht, legte er eine neue ein. Dann hieß es weiter warten mit der Nachtruhe. Hatte der Lindenbergfan schon vor dem „Wecken" seine Nachtruhe beendet, konnte die ganze Bude schon früh den Songs lauschen. Willi kotze das an, er getraute sich aber nicht, etwas zu sagen. Die anderen schien es nicht zu stören. Wie in der Armeezeit hieß es auf Nachtruhe verzichten und ständig übermüdet wie Falschgeld herumrennen. Sie wurden nach dem Frühstück auf Apfelplantagen gefahren. Sie bekamen Eimer und dann hieß es Äpfel pflücken, eine furchtbar langweilige Arbeit. Die Zeit tropfte, als Aufpasser waren festangestellte Hochschullehrer der niedrigeren Kategorie mit, also keine Professoren und internationale Stars. Die Aufpasser kotzten genauso ab. Zwischen den Baumreihen standen große Container, in denen man die vollen Eimer entleerte. Sie wurden von Traktoren gezogen. Diese warteten mit laufendem Motor, bis der Container voll war. Ein Musterbeispiel kommunistischer Wirtschaft. Nicht nur, dass kostbarer Sprit vergeudet wurde, auch die

Fahrer saßen sinnlos in ihrer Kanzel rum. Die hätten doch aussteigen können, um mitzupflücken. Außerdem wurde die Luft von den Abgasen verpestet. Ob das die Qualität der Äpfel verbesserte? Aber vielleicht war der Anlasser das kostbarste Teil der Traktoren und musste geschont werden. Nicht nur die Studenten, auch die Aufpasser beschwerten sich, freilich ohne Erfolg. „Wir machen das wie bei jeder Ernte", sagte der Traktorist und gaffte bis der Container voll war die 20 Minuten weiter vor sich hin, mit angewiderten Blick auf die Studenten, die sich auf Kosten der Arbeiterklasse ein Leben lang ausruhen wollten. Schadet denen nicht, dass sie wenigstens mal 14 Tage Arbeiterluft schnuppern. Wer ist die herrschende Klasse im Sozialismus? Willi konnte Äpfel weder sehen noch riechen, gleich gar nicht schmecken. Nach dem Arbeitstag ging es mit Bussen ins Quartier. Willi beneidete die Bus- und Traktorfahrer. Die konnten nach Hause, statt dem lauwarmen Tee eine eiskalte Cola trinken und ins Bett gehen, wann sie wollten, ohne auf die Hörgewohnheiten von Anderen Rücksicht nehmen zu müssen. Besonders früh war es schon ziemlich kalt und die Busfahrer konnten in ihren warmen Fahrzeugen bleiben. Am Abend war dann Disco. Willi ging hin und forderte auch mal zwei Weiber zum Tanz auf, freilich ohne Erfolg. Wehrmann mit seinem Pickelgesicht hatte Willi gleich gewarnt, er blieb im Quartier und kaufte sich eine Flasche Schnaps. Das sollte was heißen. Er trank viel, Willi wenig und Wehrmann war bald richtig schön besoffen. Die Tage waren lang und langweilig, die Abende kurz, aber nicht kurzweilig. Willi spielte mit

zwei anderen Skat, um die „Ganzen". Willi sagte ok., ohne zu wissen, dass es da um ganz schöne Summen ging. Er machte auch Schmu und mischte sich ab und zu Buben unten ran, ohne sich viel Mühe zu geben oder nachzudenken, es ging ja um nichts, dachte er. Nach dem ersten Spielabend erfuhr er, dass er 40 Mark gewonnen hatte, eine riesige Summe. Jetzt machte er keinen Beschiss mehr, denn das wäre bei den Geldbeträgen dann schon reiner Betrug. Immerhin hatte er am Ende des Erntelagers 240 Mark gewonnen, das meiste von denen August, der mit dem Kassettenrekorder. Erstaunlich, dass der auch noch zahlte, das hätte Willi nie gefordert. Ein kleiner Ausgleich für den gestohlenen Nachtschlaf.
Wehrmann hatte es gut, der war aus Potsdam und sein Vater holte ihn Samstag am Abend ab, um ihn montags am Vormittag wieder zu bringen. Die meisten waren auswärtig und mussten auch am freien Sonntag in dem Lager bleiben. Bis zum nächsten öffentlichen Verkehrsmittel waren es 20 Kilometer und natürlich fuhr dahin kein Extrabus, wegen „Sprit sparen." Der freie Sonntag war genauso frustrierend. Schlafen war nicht, wegen des Krachs aus dem Rekorder. Manche hatten ihre Instrumente mit und übten. Willi nicht, er spielte Skat. Die Blondine war auch mit, aber mit der hatte er schon keinen Kontakt mehr. Er war sich mit Wehrmann einig. Die Versuche, mit so einem Weibsbild anzubändeln, waren vergeudete Zeit, sie hatten einfach nicht das notwendige „Äußere" dazu. Das Fressen im Lager war miserabel und noch sechs belastende Erntetage standen vor ihnen, zwei

Wochen Montag bis Samstag. Man konnte sich auch nicht von der Arbeit abseilen und wenn, was sollte man da tun und vor allem wohin gehen, außerdem war es frisch und das Gelände übersichtlich. Man konnte nicht in irgendeiner Mulde schlafen oder Skat spielen, bei der Kälte. Endlich war der letzte Arbeitstag, man brachte sie mit dem Bus zurück und dann ging es mit Zug, S-Bahn und Straßenbahn zurück ins Internat. Gegen 23.00 Uhr waren sie dort. Die Läden und Kneipen waren zu, wer nichts zu Fressen im Wohnheim hatte, Pech gehabt, es gab keine Tankstellen, wo man noch etwas kaufen konnte. Manche fuhren am nächsten Vormittag nach Hause, um am gleichen Abend zurück zu kommen. Seine Zimmergenossen aber leider nicht. Also wieder keine Ruhe, zumal im Zimmer gegenüber auch noch eine Party gefeiert wurde, alle paar Minuten kam einer rüber, um das WC zu nutzen.
Nun, Mitte Oktober, ging das eigentliche Studium los. Sechs Wochen lang hatte Willi im Prinzip nichts mit Musik zu tun gehabt. In knapp drei Wochen war das erste Vorspiel. Zu kurz, um sich ordentlich vorzubereiten, aber das ging jedem so. Normalerweise hatte jeder Student pro Woche 45 Minuten Korrepetition, also üben mit Klavierbegleitung. Die MDI Studenten nur alle zwei Wochen, das erschwerte die Sache. Willi bekam bald mit: Die nahmen tatsächlich alles beim MDI, er hätte zur Aufnahmeprüfung zehnmal schlechter sein können, die hätten ihn in jedem Fall genommen. Im Prinzip war auch bei den Klassikern beim Musikstudium das wichtigste die

Aufnahmeprüfung, Wer die schaffte, hatte auch den Abschluss in der Tasche. Ein Arbeitsplatz war sowieso jedem sicher, die Frage war nur wo. Im Gewandhaus oder in Annaberg, in der Semperoper oder in Pirna. Entscheidend war natürlich auch das gespielte Instrument. Flötisten gab es genug, da musste man schon außerordentlich gut sein, um eine Aufnahmeprüfung zu bestehen, bei Klarinettisten war es ähnlich. Willi war sich im Klaren, er hätte im ganzen Leben keine Aufnahmeprüfung im zivilen Bereich geschafft. Anders war es bei Waldhornisten und Posaunisten, da gab es in der DDR extrem viele Fehlstellen, auch bei Streichern. Da wurde im Prinzip jeder genommen, auch das ein Widerspruch in sich. Die besten Leute gingen ins Gewandhaus, da saßen dann 15 erste Geigen der Spitzenklasse, die schlechten gingen nach Bernburg, da waren dann sechs erste Violinen und die Qualitätsunterschiede waren wirklich extrem. Aber die Bernburger waren wohl Bürger minderer Klasse und hatten nicht das gleiche Recht auf Qualität wie ein Leipziger.
Das Bewertungssystem an den Musikhochschulen war leicht. Die Vorträge wurden mit bis zu 25 Punkten bewertet. Ab sechs Punkte hatte man die Zensur vier, ab elf eine drei, ab 16 eine zwei ab 21 sehr gut. Wer aber weniger als zehn Punkte haben wollte, musste schon extrem schlecht sein, das Stück überhaupt nicht beherrschen, stecken bleiben, quietschen und sich vergreifen. Es gab extremste schlechte Vorträge, aber sechs Punkte wurden das dann doch und der Mann hatte einen Abschluss. Es gab da einen Fagottisten beim MDI,

der hatte mal sechs Punkte, aber der bekam seinen Hochschulabschluss dann auch. Reichte es selbst für das bescheidenste Berufsorchester nicht, konnte so ein Mann immer noch an eine Musikschule der DDR. Da waren keine Vorspiele mehr erforderlich, um eingestellt zu werden. Waren nicht genug Schüler, zum Beispiel im Fach Trompete da, konnte er ja auch noch Musiktheorie geben. Vielleicht wurde so einer dann sogar Direktor, weil er der einzige Bewerber war. In so einem Fall war eine Mitgliedschaft in der SED nicht von Schaden. Im Prinzip war es so: „Wer als Fahrer nicht geeignet war, wurde Fahrlehrer." Eine komplett verkehrte Welt, eine sozialistische, fortschrittliche eben... Aber nicht nur MDI-Studenten brachten schlechte Leistungen, auch Klassiker glänzten zum Teil mit miserablen Vorträgen, besonders auch bei Streichern und Posaunisten und gingen mit elf Punkten aus dem Vorspiel. Das System war krank, ermöglichte aber auch Leuten wie Willi, mit wenig Talent und viel Energie Berufsmusiker zu werden. Für Willi war es als Musiker allemal besser als in der BRD. Dort bildeten viel zu viele Musikhochschulen Unmengen von Studenten aus, für einen Bedarf, der schlichtweg nicht vorhanden war. Da bewarben sich, wie nach der Wende auch in der dann ehemaligen DDR, 100 Mann um eine Stelle, es wurden Leistungen in so einem Probespiel verlangt, die mit der alltäglichen Orchesterarbeit dann nichts mehr zu tun hatten. Niemand getraute sich aber mal so eine sinnlose, Steuergelder vergeudende, Musikhochschule abzuschaffen. Die Lehrer behaupteten dann schnell: „Das

musikalische Leben der Region würde verarmen, wenn die Musikhochschule nicht mehr existieren würde.“ Sie hatten gute Beziehungen zu den Politikern und die mussten vom Abwasserzweckverband über den Bauhof und den Nahverkehr über ein Spektrum entscheiden, welches sie im Detail nicht kennen konnten. Und die Lehrer der Hochschule redeten dann den Studenten ein: „Keine Stelle bekommen die anderen.“ Sie wollten ja ihren Posten nicht verlieren. Besser wäre es, das Geld in normale Musikschulen zu investieren, statt in Hochschulen, die hochqualifizierte Spezialisten ausbilden, die niemand braucht. Willi wusste viel von Götz und war „diesbezüglich“ froh, dass er in der DDR lebte. Er wusste, er konnte so gut Klarinette spielen, dass es für das Polizeiorchester reicht. Er wusste auch, eigentlich war das Studium sinnlos, noch ein paar Jahre im Orchester und er hatte genug Routine, um auch eine 1. Stimme zu blasen, in K.-M.-St. auf jeden Fall. Was hatte er denn sich und seinen musikalischen Fähigkeiten „Gutes“ getan in den ersten zwei Monaten des Studiums. Nichts. FDJ-Lager, Erntelager, „Rote Woche“, „Russischintensivkurs“ und ein bisschen Unterricht, ach Gott ja.
Seinen musikalischen Einstand, im Rahmen des ersten Vorspieles, bekam Willi sauber hin. Er schaffte das Kunststück, mit 15 Punkten im ersten Vorspiel nicht nur der schlechteste bei den Klarinettisten zu sein, sondern bei allen Bläsern seines Studienjahres. Eine reife und peinliche Leistung, zumal die Vorspielergebnisse per Aushang

jeder zur Kenntnis nehmen konnte. Da hatte man keine Chance mehr bei den weiblichen Musikstudentinnen. Das Ansehen eines MDI-Studenten war sowieso im Keller und er war zusätzlich noch leistungsmäßig hinten dran. Das heißt so ganz stimmte diese Theorie nicht. Andere vom MDI, aus anderen Studienjahren oder Bereichen, wie der Schlagzeuger aus seinem Zimmer, waren mit zwölf Punkten noch schlechter und die hatten Freundinnen. Allerdings war ihr Äußeres wohl ansprechender, das war wohl der entscheidende Punkt... Oder sie hatten keinen Anspruch: Das Mäuschen des Schlagzeugers aus dem Zimmer wurde jedenfalls „Ofenrohr" genannt... Oder ging es etwa nach Charakter. Als das Ofenrohr ihr Studium abbrach, aus dem gleichen Gründen wie „Willis Blondine", hatte der Schlagzeuger längst eine andere. Zahlen musste er dennoch...
Ende 1983 hatte Willi vor allem eine Sorge und das war Russisch. Mehrere Male forderte die Apfelstrauch Wehrmann und ihn auf, den Unterricht zu verlassen. Auslöser waren nicht gebrachte Leistungen und falsche Antworten. Schließlich drohte sie: „Ich setze den Unterricht mit den anderen erst fort, wenn Sie den Raum verlassen, holen Sie sich Ihre Exmatrikulation, Sie schaffen es nie." Wehrmann verließ mit Hohl den Raum, sie gingen natürlich nicht sich die Exmatrikulation holen, die würden sie noch zeitig genug bekommen, sondern in ein Kaffee, waren froh, dem Unterricht erst mal entkommen zu sein. Natürlich machte die Birnbaum Meldung: „Die haben einfach den Unterricht verlassen." Das war

natürlich nicht ganz der Wahrheit entsprechend, aber was wollten sie machen. Wehrmann und Hohl saßen da an dem bedeutend kürzeren Hebel. Der Chef der MDI-Abteilung war inzwischen wegen eines Herzinfarktes ausgeschieden und der Inspizient der Polizeiorchester der DDR, ein hohes Tier, der Vorgesetzte aller Musiker beim MdI, der im Ministerium des Nachbarhauses seinen Sitz hatte, Willi war ihm noch von Leipzig und der Affäre mit den hochgekrempelten Ärmeln ein Begriff, nahm die Sache selbst in die Hand. Sogar den Polizeiorchesterchef aus Karl-Marx-Stadt hatte er zum Gespräch mit eingeladen. Da saßen sie also zu dritt, zwei, die es zu was gebracht hatten und der Unterwachtmeister der VP Hohl, ein widerspenstiger fauler Student, der nicht fähig war, die Weltsprache der Zukunft zu lernen. Willi eierte rum, dass er vier Jahre raus war aus dem Schulbetrieb und dass er sich auch vorstellen könne, auf ein Fernstudium umzusteigen. Die beiden Herren zogen ihr strengstes Gesicht. Kein halbes Jahr vorbei, nach Leipzig und schon sitzen sie wieder hier. Sowas hatte der allmächtige lebenserfahrene Inspizient noch nicht erlebt. „Es gnade Ihnen Marx, wenn Sie in Russisch durch eine der Prüfungen fallen, dann sind Sie draußen, raus aus der Polizei für alle Zeiten. Wir wissen, warum Sie das Fernstudium machen wollen, um sich vor Russisch zu drücken, da wird nichts draus. Und auf dem Instrument sind Sie auch alles andere als eine Leuchte. Solche Leute wie Sie können wir nicht gebrauchen.“ Nun hätte Willi sagen können, dass er im Orchester durchaus zur Zufriedenheit gespielt hat. Er hätte fragen können, was Russisch mit dem Orchesterdienst zu tun hat und ob die vielen, die Fernstudium gemacht hatten, schlechtere Musiker oder Kommunisten sind und er hätte sagen können, dass er eine Brücke bauen wolle mit dem Fernstudium, die brauchten doch Leute. Hätte er damals die Aufnahmeprüfung nicht geschafft, wegen Faulheit, wäre er jetzt Fernstudent und fein raus. Dumm gelaufen. Aber Willi zog es vor, demütig nach unten zu schauen und Reue zu zeigen, wohl wissend, dass es nichts nutzen würde, denn dass die es ernst meinten, zeigte das vor kurzem erfolgte Rausschmeißen eines Waldhornisten, was der Genosse Inspizient auch noch mal betonte. Seinen eigenen Sohn hatten sie vor kurzem auch wegen eines Deliktes, hatte Geld geklaut, aus der Polizei geschmissen. Warum sollte es dem Hohl besser ergehen. Der Inspizient war verbittert. Das war also die Situation Ende 83. Wieder einmal, wie schon so oft, war die Karre im Dreck. Er vertraute sich Lehrer Hafer an. Der minimierte das Problem. Klarinettisten würden überall gesucht, in kleinen zivilen Orchestern kräht kein Hahn nach einem Abschluss. Das Studium könne er nach einem Jahr Pause als Fernstudent beenden. Er selbst hat gute Beziehungen zum Theaterorchester Senftenberg, die suchen schon seit Jahren eine 2. Klarinette, da könnte Willi jederzeit anfangen, auch ohne Probespiel, das Wort von ihm würde reichen. Das war Zuckerwasser für Willis Seele, Hoffentlich stand das Angebot auch in einem Jahr noch. Nun, sagte Hafer, ein Problem sähe er nicht. Am liebsten hätte Willi gleich bei Polizei und Studium in den Sack gehauen, lieber den Spatz in der Hand, als die Taube auf dem Dach. Die erste Russischprüfung war Ende des ersten Studienjahres, die erste Nachprüfung auch, die zweite aber erst Anfang des zweiten Studienjahres, also nach dem obligatorischen Armeelager. Bisher hatte Willi gedacht, das könne er im Orchester abdienen. Was sollte er, ein Angehöriger der Polizei, beim Reservedienst der Armee. Aber er vermutete und so kam es dann auch, dass sie ihn, sozusagen als Strafmaßnahme, dort hinschicken würden. Wenn er gleich abhauen würde, dann käme er um die Armee, immerhin fünf Wochen, drum rum. Natürlich war damit zu rechnen, dass sie ihm die zweite Nachprüfung, da musste ein Antrag gestellt werden, nicht genehmigen würden, aber geext werden würde er erst nach dem Armeelager, da waren sie eisern, das war bekannt. Es gab da das Beispiel eines Direktstudenten im Fach Fagott, der hatte in einer bekannten Rockgruppe Fuß gefasst und wollte ab dem zweiten Studienjahr umsteigen auf Klavier Tanzmusik Fernstudium. Das wurde genehmigt, aber sie schickten ihn gehässigerweise noch Anfang des zweiten Studienjahres ins Armeelager, eigentlich nur für Direktstudenten verbindlich. Willi verdiente natürlich auch ganz gut als Student, zudem spielte er ab November im „Zentralen Blasorchester der Berliner Bauarbeiter“ mit. Das war zwar ein Amateurorchester, aber die Probe wurde mit zehn Mark bezahlt, für eine Stunde Konzert gab es 30 Mark, für jede weitere zehn Mark dazu. Da er solistisch den Klarinettenmuckel spielte, gab es nochmal zehn Mark extra. Viel Geld damals. So verdiente Willi insgesamt so im Schnitt um die 1000 Mark im Monat und das war schon sehr viel Kohle. Trotz des Verdienstes spielten nur ganz wenige Studenten hier mit, bei den Klarinetten nur einer ab und zu. Zu groß war die Abneigung der Klassiker gegen Blasmusik. Pikanterweise war aber auch von den MDI-Klarinettisten keiner an einem Zubrot interessiert. Klar, die Konzerte waren am Wochenende und da wollten die alle nach Hause. Willi packte die 1. Stimme mit links. Obwohl das Orchester nichts zu bieten hatte, war der Terminkalender voll. Man spielte Polka, Marsch und Walzer und ein paar Schlager, alles ohne Gesang und ohne Ansager. Die ersten Veranstaltungen, die Willi mitmachte, waren zum Bockbierfest in Betrieb Elektrokohle Lichtenberg. Sie spielten abwechselnd mit einer Disco zum Tanz und als der Dirigent zum Schluss das Publikum fragte: „Wollen Sie noch eine Polka oder einen Walzer“, sagte das: „Lass deine Truppe einpacken Opi.“ Der Dirigent war ein ehemaliger Klarinettist des Berliner Polizeiorchesters, schon Rentner. Ein Drittel der Musiker rekrutierte sich aus Rentnern von Berliner Militärorchestern. Ein Drittel waren noch aktive Militärmusiker und ein Drittel bestand aus Laien und Studenten. Je nach Besetzung war die Qualität zwischen „geht so“ und „äußerst bescheiden“. Die Uraltmusikanten waren zum Teil nicht mehr die besten, weil schon über 70, ja 80 und lange raus aus dem aktiven Dienst. Einfach jammervoll war das drum herum. Es war Sommerfest auf dem Arkonaplatz. Das Orchester setzte sich hin und spielte ab und zu mal einen Titel. Keine Ansage, kein Gesang. Anstatt hintereinander weg zu musizieren, quatschte der Dirigent rum und stellte die Besetzung für den nächsten Einsatz zusammen. Natürlich wurden bei einem zweistündigen Konzert zwei längere ausführliche Pausen gemacht. Furchtbar. Aber Geld für Musik stand den Veranstaltern zur Verfügung, Musik wurde immer gebraucht und eh die Kohle verfiel, die möglicherweise nur für musikalische Darbietungen ausgegeben werden durfte, da nahm man eben das Bauorchester. Der Bedarf an Musik war riesig, das Orchester hatte immer zu tun. Zwei der Musiker lebten vom Orchester. Ein Posaunist von jammervollster Qualität, hatte sich irgendwie einen Berufsausweis besorgt und die 200-300 Mark, die das Orchester brachte, reichten ihm. Ein normaler Rentner oder eine Verkäuferin mussten ja auch davon leben. Die Besetzungspolitik des Dirigenten war haarsträubend. Hatte er eine gute Besetzung zur Probe zusammen, lud er die Hälfte wieder aus: „Der Betrieb kann das nicht bezahlen." Dann überlegte er es sich anders und versuchte, Aushilfen aus seinem ehemaligen MDI-Orchester Berlin zu engagieren: „Ich brauche Berufsmusiker." Die Ausgeladenen kamen dann natürlich nicht mehr und die Probenqualität war entsprechend, von der Polizei kam niemand für zehn Mark zur Probe, zu den Auftritten wo es mehr gab schon. Konnten dann mal die Polizeimusiker nicht, weil sie was „Besseres" hatten oder selbst Dienst, war die Besetzung entsprechend peinlich. Man holte jetzt die anderen Nichtberufsmusiker und da die paar Wochen nicht zur Probe waren, klang es entsprechend. Der Dirigent bat dann die Amateure, doch wieder zur Probe zu kommen und alles ging von vorn los. Willi musste natürlich, wenn die Lieblinge, die Berufsmusiker, vom Polizeiorchester kamen, die 3. untergeordnete Klarinettenstimme spielen. Der Posaunist, der von der Musik lebte, bekam dann nur das halbe Geld, wenn er mitmachen wollte. Fest angestellt war nur der organisatorische Leiter Günti mit Namen, der bekam 400 Mark Grundgehalt und die Auftritte extra bezahlt, zu den Konditionen wie die anderen auch. Er verdiente immerhin mehr Kohle als ein Koch. Dafür musste er die Verträge machen, er hatte Telefon zu Hause und ein Büro im Betrieb und war zur Probe in der Wallstraße je vorher und hinterher eine Stunde länger da, legte Teilnehmerlisten aus und kümmerte sich um die Finanzen. Er blies als einziger Saxofon im Orchester, jammervoll aber unauffällig, war angeblich früher Pauker im Metropoltheater und hatte es jetzt mit dem Kreuz und dem Herz. Ein netter gesprächiger, sehr exakter penibler Mensch. Willi war sogar als einziger zu seinem 50. Geburtstag eingeladen. Seine sehr attraktive Frau war 15 Jahre jünger. Sie hatten eine top Neubauwohnung und keine Kinder. Warum ausgerechnet Willi eingeladen war, kein weiterer Verwandter, Freund oder Bekannter anwesend war, das hat er nie begriffen. So war er also der einzige, der von 16.00 Uhr bis früh 03.00 Uhr zu Gast geladen war. Sie unterhielten sich, so wie Willi sich früher mit Götz unterhalten hatte und es war sehr angenehm.

Immerhin war das Orchester die einzige Möglichkeit für Willi, musikalisch aktiv zu sein und er brauchte auch das Geld, denn Oktober 84 hoffte er ja nach Senftenberg umziehen zu dürfen, eigentlich musste er es. Der Kontakt zu den Erzeugern würde dann, das freute Willi, endgültig abbrechen, denn wenn er exmatrikuliert werden würde, vorzeitig, diese Peinlichkeit wäre nicht zu verzeihen. Willi hatte auch wenig Lust, sich dann in der Verwandtschaft vorführen zu lassen. Die Problematik Umzug, was ist mit einer Wohnung, stand also an. Willi hatte schon recherchiert, dass Wohnraum nicht zu bekommen war, maximal eine Wohngemeinschaft mit anderen ledigen Mitarbeitern des Theaters. Man würde sehen.
Das war also die Perspektive Ende 1983. Wehrmann hatte die Probleme nicht, er hatte weder ein Gespräch mit den Inspizienten gehabt noch war ihm ein Rausschmiss so direkt angekündigt wurden. Er spielte bei seinem Vater, einem Berufsmusiker, in der Mugge mit und dort verdiente er mehr Kohle als Willi. Sein Vater würde ihm einen Berufsausweis besorgen und dann wäre der Sohn eben freiberuflich. Natürlich wollte Wehrmann auch den Abschluss machen, denn er wollte nach der Polizei in ein Spitzenorchester, etwa ins Leipziger Gewandhausorchester und da brauchte er den Hochschulabschluss. Die richtige Einstellung für so eine Karriere hatte er. Er war maßlos von sich selbst überzeugt, bezeichnete sich als weltspitze und wurde von seinem Vater noch darin bestärkt. Der war 2. Trompeter im Potsdamer Theaterorchester, ein fehlender

Hochschulabschluss hatte seine Einstellung als Solo-Trompeter an der Berliner Staatsoper verhindert, obwohl er im Probespiel der beste war und die ihn haben wollten, angeblich. Dass so ein eitler Kerl wie er freiwillig von der zehn Jahre in allerbester Qualität geblasenen Solotrompete in Potsdam zurücktrat, erklärte er so: „Ich wollte den anderen mal zeigen, dass sie nichts drauf haben. Ich habe in meinem ganzen Leben noch nicht so viele falsche Töne geblasen, wie der jetzige Solotrompeter in einem Konzert." Generell waren die anderen auch die Mitspieler in seiner Blasmusik, er leitete eine eigene Formation, bis auf Sohnemann Nichtskönner und blutige Amateure, aber er war eben gezwungen, mit diesen Laien zusammenzuarbeiten, weil die eben pünktlich waren und zuverlässig. Wehrmanns Vater war dennoch ein cleveres Bürschlein, der überall hin gute Beziehungen hatte, sich dumm und dämlich verdiente und: Gewusst wie. Willi hoffte, dass er ihn nach seiner Exmatrikulation vielleicht pro Forma in seine Kapelle aufnehmen könne und er auf diese Art und Weise zu einem Berufsausweis kommen könne. Der Vater wollte zusätzlich noch eine „Oberkrainertruppe" gründen, für kleinere Geschäfte, also eine Besetzung mit Akkordeon, Tuba, Klarinette, Schlagzeug, statt Gitarre und Trompete. Es fand sogar eine Probe im Theater Potsdam statt. Willi spielte Akkordeon und er machte sich gut im Kreis der gestandenen Theaterprofis. Ab und zu war sogar mal ein kleiner Auftritt. 80 Euro netto bekam Willi pro Konzert. Eine Menge Kohle. Ab und zu waren noch andere

Aushilfen, so spielte er mal im Postorchester, was ähnlich wie das Bauorchester arbeitete, auch mal im Interflugorchester als Aushilfe. Letzteres spielte im Palast der Republik als Einlage in der Fernsehsendung: „Ein Kessel Buntes." Die Möglichkeit, das Entstehen einer solchen Produktion mal hautnah zu erleben, war schon interessant, diese Erfahrung hätte er nun als Fernstudent nicht machen können. Ein paar Mal spielte er auch zum Mumientanz in der Combo des Volkshauses Bonsdorf. Besetzung: vier Saxofone, Bass, Schlagzeug und Klavier. Willi spielte Klavier, alles vom Blatt ohne Probe und es schmeichelte ihm, dass die anderen, alles alte Hasen die, jetzt Rentner, ein Leben lang Tanzmusik gespielt hatten, ihn immer wieder bestellten, scheinbar zufrieden waren. Willi machte es Riesenspaß, drei Stunden war so ein Tanztee für Senioren, leider nur drei Stunden, Willi hätte mit Freuden auch fünf Stunden gespielt. Einmal hatte man ihn für ein buntes Programm engagiert, er sollte einen Tenor, immerhin von der „Komischen Oper", begleiten. Nur drei Arien aus Verdiopern, die Noten würde der Tenor abends mitbringen. Das war Willi doch zu heiß. Er war scharf auf die Kohle, aber ängstlich. Er holte sich die Klavierauszüge der Opern aus der Hochschulbibliothek, die waren auch erhältlich und das war gut so. Ein Wochenende übte Willi durchgehend, das Zeug war sauschwer. Dann zur Veranstaltung nahm Willi die Noten des Sängers pfeifend entgegen und spielte quasi „vom Blatt". Das festigte seinen Ruf als guter Pianist, der er ja eigentlich nicht war. Aber ein klassischer

Klavierspieler würde sich niemals herablassen, um in der Combo des Volkshauses Bonsdorf die „Fischerin vom Bodensee“ zum Mumientanz zu spielen. Willi war telefonisch nicht erreichbar, aber über Günti und Hafer, die er regelmäßig sah, kamen die Geschäfte. Auf die Art und Weise lernte Willi ganz Berlin kennen. Er spielte in Pankow und in Köpenick, in Lichtenberg und in Basdorf, in Straußberg, in fast allen Stadteilen von Berlin und allen Vororten. Das war schon ein Gewinn an Lebensqualität. Bis Potsdam und Brandenburg reichte sein musikalischer Radius. 400 Mark würde Willi als Freiberufler immer zusammenbekommen, damit konnte man gut leben. Er brauchte kein Auto, alles war mit öffentlichen Verkehrsmitteln gut zu erreichen. Allerdings war Senftenberg Berlin doch vorzuziehen, denn eine Wohnung war in Berlin überhaupt nicht zu bekommen. Nicht mal die allererbärmlichste, auch kein Platz in einem Wohnheim, da hausten die Bauarbeiter, die aus der Provinz abgezogen wurden, um die Hauptstadt als Aushängeschild, schon für das Berlinjubiläum 1987, auf Vordermann zu bringen. Natürlich hatte Willi Angst vor der Polizei, denn die konnten dafür sorgen, dass er nach seiner unehrenhaften Entlassung keinen Berufsausweis bekam und auch keine Anstellung als Musiker: Bewährung in der Produktion, schon wäre er wieder Koch. Die anderen Exmatrikulierten hatten einen Vorteil: Sie hatten nichts gelernt, sie waren nach der zehnten Klasse zur Musikhochschule gegangen und ihre einzige Qualifikation waren ein paar Semester Musikstudium. Willi würde abwarten müssen. Am meisten kotzte ihn das Reservearmeelager September 84 an. Das würde er mitmachen müssen, das hatte ihm der Inspizient inzwischen schon mitgeteilt, danach würde er fliegen. Willis Erzeuger wussten nichts von alldem. Das war gut, so hatte er zu den Feiertagen Ende 83 seine Ruhe. Zu Hause war Willi im Studienjahr 83/84 nur zweimal, zu Weihnachten/Silvester und März 84, da spielte er als Aushilfe im Polizeiorchester Karl-Marx-Stadt mit zum 35-jährigen Bestehen. Sie hatten ihn angefordert, aber schon vor den Vorkommnissen im Dezember 83. Jetzt war er da und fast schien es, dass sie ihn wieder wegschicken wollten, sie hatten gar nicht mehr mit ihm gerechnet. Willi macht nur die Generalprobe und die zwei Konzerte mit. Die anderen Musiker waren informiert über Willi, aber nicht so richtig und fragten neugierig nach, was denn los sei, man hatte gehört, er kommt nicht wieder und so weiter, man erzählte von Vorkommnissen in Berlin, was für welche sind das? Andere waren zynisch: „Wann ist denn Abgabe der Uniform“ oder: „Da sehen wir uns heute wohl das letzte Mal.“ Willi gab keine Auskunft. Er wollte zurück nach Berlin. Das Polizeiorchester war Vergangenheit, immer auch verbunden mit unangenehmen Erinnerungen von der Bereitschaft. Die ganze Stadt war schlimm: Schule, EOS, Lehre, alles unangenehme Erinnerungen. Nur fort. Willi musste an einem Appell mit dem Inspizienten und dem Orchester anlässlich des Jubiläums teilnehmen und befürchtete schon, dass Willi als negatives Beispiel vor musste zu einem Tadel vor der Front sozusagen. Aber nichts geschah, für

Inspizient wie auch Orchesterchef war Willi Luft, schon abgeschrieben.
Es war eine Erleichterung, als Willi endlich wieder in Berlin war. Die Hochschule besuchte er aus reiner Routine. Gut, er übte Klarinette, denn er hatte ja noch zwei Vorspiele, er absolvierte sie mit bescheidensten Leistungen, einmal 13 und einmal elf Punkte von 25.
Er besuchte auch die anderen Fächer, das taten andere MDI-Studenten nicht, die führten ein lustiges Studentenleben und schwänzten immer öfter, zumal der Abteilungsleiter MDI immer noch krank war. Die waren eben sicher. Wehrmann, obwohl nicht besser als Willi in Russisch, ließ man immer noch in Ruhe, die Dresche bekam Hohl allein. Da kein richtiger MDI-Chef mehr da war, der Alte mit dem Herzinfarkt, würde wohl überhaupt nicht wiederkommen, es war auch keine Blasorchesterprobe mehr, nahm der Inspizient persönlich die Studienangelegenheiten in die Hand. Obwohl keine Probe mehr am Montagvormittag war, so fand doch das aktuell-politische Gespräch immer statt. Geleitet vom Inspizienten persönlich oder seinen Gehilfen. Eines Tages schnauzte er drei der Mitstudenten gewaltig an, weil sie monatelang alle möglichen Veranstaltungen geschwänzt hatten, unter anderem auch Hauptfachunterricht. Er sprach pikanterweise keine Exmatrikulationsdrohungen aus, obwohl jeder Klassiker bei gleichem Delikt geflogen wäre. Schon eigenartig. Willi war im Prinzip schon abgeschrieben, wegen dem dämlichen Russisch. Die anderen drei, die im Hauptfach aber nicht besser

als Willi sein konnten, weil sie das Vorspiel verpasst hatten und auch in parteilichen Fächern wie marxistische Philosophie ständig gefehlt hatten und auf fünf standen, die anderen drein bekamen keine Hinweise auf eine vorzeitige Beendigung des Studiums. Dabei hatten die drei, auch Wehrmann, viel öfter gefehlt als der Inspizient es wusste. Es war üblich, dass in die Vorlesungen nur ein Teil der Studenten ging, der auch die andern mit in die Listen eintrugen. Nur in Fächern wie Tonsatz oder Gehörbildung, wo sie nur zehn Mann waren und keine 100, also das ganze erste Studienjahr, war das Fehlen aufgefallen und gemeldet worden. Willi hatte nur sehr selten gefehlt, ein oder zweimal, wegen Veranstaltungen und er hatte sich von dann auch von anderen immer mit eintragen lassen. Laut der Statistik, die den Inspizienten vorlag, war Willi immer anwesend. Bald würde in der MDI-Abteilung das Licht ausgehen. Gerade waren zwei Studenten des zweiten Jahres geflogen, der eine wegen Russisch, der andere wegen permanentem Schwänzen, im Oktober würden Wehrmann und Willi gehen, wenn die anderen drei auch fliegen würden, wäre dann nur noch einer im nächsten Jahr da. Der Inspizient tobte und brüllte, faselte vom fehlenden Dank an die Arbeiterklasse und versprach ständige Kontrollen. Am nächsten Tag war Willi schlecht, Kopfschmerzen und Schwindel, er quälte sich zum Arzt. Das Wartezimmer war übervoll, endlich nach ewigen Stunden des Wartens, er brauchte ja den Krankenschein, war er dran. Pech, obwohl er aus Angst nicht krankgeschrieben zu werden, ganz leidend aussah, schickte ihn der Arzt wieder weg, gab ihm ein Paket Tee mit, welches Willi gleich in der Mülltonne entsorgte. Jetzt müsste er in die Vorlesung, die schon losgegangen war, er wankte zur U-Bahn und, es ging nicht, er taumelte zurück ins Internat. Er legte sich hin, das lästige Geigen von Mitbewohner Kaiser war widerlich, im Nachbarzimmer dudelte ein Fagott. Belastend, der Kopf dröhnte, erst Stunden später wurde es besser. Wehrmann kam und berichtete: Der Inspizient hätte die Anwesenheit kontrolliert, persönlich und er solle morgen um zehn ins Ministerium kommen, wenn ohne Krankenschein, dann war's das. Aus und vorbei. Willi hatte keinen Krankenschein, einmal nicht da und schon wurde man erwischt. Klar, der Inspizient wusste, Willi würde sowieso gehen, da könnte er ihn gleich schmeißen, als abschreckendes Beispiel für die anderen. Dabei hatte er sich auf seine Pünktlichkeit und Zuverlässigkeit noch was eingebildet. Jetzt war erst mal ein Abschnitt beendet. Mit Sicherheit war der Monat März der letzte bei den bewaffneten Organen und als Direktstudent. Morgen würde er dann auch mit Hafer wegen Senftenberg reden müssen. Am nächsten Tag meldete er sich pünktlich beim Inspizienten im Gebäude des MDI. Er musste die Entlassung mit Demut tragen, damit der ihn künftig in Ruhe ließ und nicht etwa für einen Bewährung in der Produktion mit Arbeitsplatzbindung sorgte, vielleicht noch in K.-M.-Stadt, mit Unterkunft in der elterlichen Wohnung. Das würde überhaupt nicht gehen. Anderseits war er nicht der erste, der als schon Volkspolizist, wieder entlassen wurde. Alle hatten sie eine Musikerstelle bekommen, letztlich auch der Sohn des Inspizienten. Zu Willis Verblüffung war der nicht mal da, sondern nur sein Assistent. Kein gutes Zeichen. Der Inspizient übergab die unangenehme Aufgabe seinem Hund, da sie ihn wohl zu sehr an seinen Sohn erinnerte. Der Assistent forderte Willi auf, hereinzukommen, bot ihm aber keinen Stuhl an, obwohl in dem weitläufigen Büro genug herumstanden. Er musste sich zu seinem gestrigen Fehlen äußern. Willi erklärte, wie es war. Dann fragte ihn der Hund, ob er nichts aus der Belehrung für sich mitgenommen hatte. Willi erläuterte dem Assistenten ein zweites Mal den Vorgang, mit Geduld und Ruhe. Der Assistent fragte ihn nun, ob er die Folgen seines Handelns sich eventuell denken könne und ob er nicht bereue. Willi erklärte den Vorgang ein drittes Mal, verwies auf Schwindel und Kopfschmerzen. Jetzt fragte ihn der Assistent, was er sich erlaube. Willi erklärte ein fünftes Mal, ergänzte, dass er noch nie gefehlt hatte und dass er auch weiter nicht schwänzen würde, aber eine Wiederholung des Vorganges nicht auszuschließen sei, nämlich dann, wenn er wieder mal krank sei. Er könnte sich natürlich auch in der Vorlesung übergeben. „Raus und lassen Sie sich hier nie wieder blicken“, tobte der Assistent. Das war’s wohl. Willi stand völlig verblüfft vor der Tür. Das hätte er ja nun nicht erwartet. Also ging das inzwischen verhasste Studium weiter. Die ersten Tage nach dem Vorfall war er noch ängstlich, aber als nach zwei Wochen immer noch nichts passierte, war er sicher, der

Vorgang war bei den Akten, er besuchte weiter die Vorlesungen und übte lustlos seine Instrumente, machte seine Veranstaltungen und verdiente sein Geld. Im Übrigen wartete er auf die Russischprüfung. Ende des ersten Studienjahres bekamen sie einen neuen MDI-Chef, einen noch jungen Mann, der jetzt auch das Studentenblasorchester leitete. Der war ausgebildeter Pianist und Dirigent, sollte wohl das Berliner Polizeiorchester dirigieren, wurde aber von den Musikern dort nicht akzeptiert. Er wirkte lustlos und wurde, wohl wegen irgendeiner Westverwandtschaft dann auch entlassen. Das rettete ihm den Kopf, denn er ging an eine Musikschule, die auch nach der Wende noch existierte. Das Ostberliner Polizeiorchester wurde am Tag der Währungsunion, noch vor der Wiedervereinigung 1990 aufgelöst.
Nervig waren der Zimmergenosse, der kein Wochenende nach Hause fuhr und die darunter Wohnende mit ihrer lauten Orgelmusik. Die drei Monate bis zur Sommerpause waren ätzend und zäh. Willi hatte keine Lust mehr, im Unterricht bei Hafer um jede Note zu kämpfen und zu ringen, wie ein Kamel in der Wüste um einen Schluck Wasser. Er konnte seinen Schatten nicht überspringen und die Visagen der Jury beim Vorspiel kotzten ihn auch an: Wieder einer vom MDI, schienen die auszudrücken. Schön wäre es gewesen, wenn er nach Rückkunft ins Internat seine Ruhe gehabt hätte und nicht das ewige Geigengedudel des Mitbewohners die nerven strapaziert hätte. Dann kam die Russischprüfung. Mit einem begeisterten

Zittern in der Stimme verkündete die Apfelstock das Ergebnis: „Wehrmann und Hohl durchgefallen." Dann war die Nachprüfung und zu seiner völligen Verblüffung bestand Willi diese. Wehrmann war wieder durchgefallen und musste die zweite Nachprüfung beantragen. Natürlich hatte Willi nichts gekonnt, denn Ende des zweiten Studienjahres waren nochmal Prüfungen. Schriftlich, mündlich und „Verstehendes Hören." Das konnte schnell das „Aus" bedeuten. Klar war, Willi würde auch das zweite Studienjahr als „Gutbezahlter Berufsstudent" verbringen. Jetzt waren erst mal acht Wochen Ferien und dann hatte Willi fünf Wochen Armeelager zu absolvieren. „Sie nehmen teil." So der Assistent, auf Willis Frage, ob er sich in dieser Zeit im Orchester melden solle, wie eigentlich mal geplant. Die Stimme des Assistenten zitterte begeistert, sein Mund verzog sich zu höhnischem Grinsen und seine Augen bekamen einen seltsamen Glanz. „Sie bekommen eine Einberufung zur Reserve der Nationalen Volksarmee und melden sich dort, wie alle anderen Studenten auch." Willi war geschafft, fünf Wochen Reserve, seine Knie zitterten, keine 18 Monate nach der Entlassung aus der Bereitschaft würde er wieder antreten müssen. Immerhin hatte er jetzt acht Wochen frei. Auch das Baublasorchester machte acht Wochen Sommerurlaub. Unter günstigeren Umständen hätte Willi sicher im Polizeiorchester K.-M.-Stadt mitgespielt, die hatten nur im Juli Urlaub, aber in der momentanen Situation wollte er sich doch lieber nicht blicken lassen. Acht Wochen blies er nicht ein einziges Mal in die Klarinette, wozu üben, wenn er dann sowieso fünf Wochen pausieren musste. Eine Woche besuchte er Wehrmann, der in der Nähe von Berlin wohnte. Der hatte ein Motorboot und weil „Er“ eines besaß, war auch einer der eines sein Eigen nannte, erstmal der Größte. Seine Eltern besaßen ein großes Hausboot, welches an einem idyllischen Ort am Ufer des Glindower Sees vertäut war. Zum Grillen der Anlieger spielte er den ganzen Abend Akkordeon, Wehrmann Bassgitarre dazu und dessen Vater Trompete. Sie fanden sich auch ohne Noten. Willi war in seinem Element. Top. Leider nutzte dieses „Können“ in Willis momentaner Lebenssituation herzlich wenig. Er schlief im überplanten Motorboot, ein Wunder, dass er nicht seekrank wurde, denn immer, wenn ein anderes Boot vorbeifuhr, schaukelte es bedenklich. Sie grillten, angelten, badeten, fuhren mit dem Boot herum. Aber an drei Tagen in der Woche hatte Wehrmann bei seinem Vaters Orchester eine Mugge und verdiente seine 300 Mark dazu. Na gut, Willi hatte sein Gehalt so. Keinen Neid aufs Geld, aber Willi hätte auch gern musiziert. Wehrmann hatte nun die Russischprüfung noch vor sich, aber das focht ihn nicht an. Entweder er hatte Glück, oder er flog und wenn sie ihn nicht nahmen, ach Gott, sein Vater hatte Beziehungen. Schlecht war nur die Sache mit der Armee, denn die konnte er dann nicht, außer die Grundausbildung, als Heimschläfer im Orchester ableisten, was ja bei denjenigen, die nach der zehnten Klasse anfingen, mit studieren noch ging. Bis Jahrgang 62, Willi war 63 geboren, wäre es ja auch noch bei den Abiturienten oder denen mit Berufsausbildung gegangen. Aber Wehrmann machte sich da im Moment noch keine Gedanken. Die anderen sieben Wochen verbrachte Willi zu Hause. Seine Erzeuger waren arbeiten und ließen ihn in Ruhe. Er war Musikstudent und das Absehen bei der Verwandtschaft war einigermaßen wiederhergestellt. Der Alte konnte ihn nicht mal auffordern sich Arbeit zu suchen, wie früher in den acht Wochen Ferien, als er noch Schüler war. Er war Polizeiangehöriger, hatte Urlaub und konnte nicht ohne weiteres fünf Wochen als Hilfsarbeiter auf dem Bau arbeiten. Ein Wunder, dass die sie mit dem Studentensommer in Ruhe gelassen hatten. Die Zeit verbrachte Willi mit langen Spaziergängen in den angrenzenden Wäldern der Stadt und er las viel. Götz hatte übrigens geheiratet und zwei kleine Kinder, der hatte keine Zeit mehr. Auch sein ehemaliger Kumpel von der Lehre nicht, der hatte inzwischen drei Kinder und das vierte war in Arbeit. Willi schlief viel und schaute kein Fernsehen, dann das Wohnzimmer verschloss der Alte immer noch sehr sorgfältig, wenn er früh aus dem Haus ging. Das DDR-Fernsehen war ja auch eine Sensation und Willi war erst 21. So zäh wie die Bereitschaftszeit vergangen war, so schnell waren die acht Wochen Ferien herum. An einem Montagabend, 22.00 Uhr, musste er sich zur Reserve im Bahnhof Berlin-Lichtenberg einfinden. Es kam das letzte Wochenende vorher. Fünf Wochen, die er wieder aus dem Dasein streichen konnte. Immer war ja auch die Gefahr, dass er wieder negativ auffallen würde und dann „Studium ade." Er fuhr bereits Montag früh mit dem Zug nach

Berlin. Über die Ferien hatte er den Wohnheimschlüssel abgeben müssen und da der Geiger Kaiser weg war, Hochschulwohnung, würden die Zimmer neu verteilt werden. Er war auch der erste im neu zugewiesenen Zimmer, gleiche Etage, aber diesmal auf der besseren Badseite. Willi klebte seinen Namen ans Bett und verließ das Internat, um sich was zum Essen zu kaufen. Es waren nur Studenten des neuen ersten Jahres da, alle von Willis Studienjahr waren noch ungedient und mussten zum Zivildienst, ebenfalls fünf Wochen in ein Lager, auch die Weiber würde man in graue hässliche Uniformen stecken und scheuchen. Als Willi vom Einkauf zurückkam, saß doch tatsächlich ein rothaariger unbeholfener Junge auf seinem Bett. Willi verwies auf seinen Namen, den er angeklebt hatte. „Das interessiert mich nicht, wer zuerst kommt, malt zuerst." „Eben", sagte Willi. „Ab oder es passiert was." „Das sag ich meiner Mutti", drohte der andere auf eine ältere Frau verweisend, die gerade hereinkam. Aber die war zum Glück seiner Meinung und akzeptierte den Aufkleber. Willi würde sich von so einem Milchbart doch nicht die Butter vom Brot nehmen lassen. Das Mamasöhnchen überredete seine Mutter auch noch hier zu übernachten, ein Bett war frei, der dritte Bewohner war im Zivillager. Die hatten kein „Sammeltreffen" in Berlin sondern mussten direkt dorthin. Der neue wollte zu gern ins Bett, der lange Tag, die neuen Eindrücke, aber er musste warten, bis Willi gegen 21.30 Uhr aufbrach. Er dachte gar nicht daran, das Feld auch nur eine Sekunde eher zu räumen. Dann ging es los. Er verabschiedete sich von dem Zimmer, sicher würde die nächsten Wochen viel Negatives passieren, mehr oder weniger zu seinem Schaden. Auf dem Bahnhof war alles voll mit Rekruten. Es herrschte eine explosive gereizte Stimmung, besonders dann, als sie antreten sollten, um zum Zug zu marschieren. Ohrenbetäubende Buhrufe und die verhassten Uniformierten mussten akzeptieren, dass sie wie ganz normale Menschen zum Zug liefen. In der Presse würde man die Buhrufe dann als den Wehrdienst begeistert begrüßende Freudenschreie interpretieren. Endlich konnte man was tun, um die westlichen Kriegstreiber in die Schranken zu weisen. Willi hatte Glück, er fand im Zug einen Sitzplatz, im Gegensatz zu vielen anderen. Störend war der ewige Zigarettenqualm, hier scherte sich niemand um Rauchverbote im Nichtraucherabteil. So gegen Mitternacht setzte sich der Zug dann in Bewegung, immer wieder längere Zeit stehen bleibend. Dann pausierten sie dann mehrere Stunden in Leipzig. Direkt auf dem Gleis daneben stand eine E-Lok, die aus welchen Gründen auch immer, unbeschreiblichen Lärm machte, die Generatoren wurden hochgefahren und runtergefahren, an Schlaf war nicht zu denken, aber hier konnte man nicht mal kurz wegdämmern. Willi hatte nichts zu Trinken mit und einen unwahrscheinlichen Durst, aber wer einmal aufstand, um das WC zu besuchen, der verlor seinen Sitzplatz und musste, wenn er nicht seinerseits noch mal Glück hatte, die Zeit auf dem Fußboden verbringen. Willi gegenüber saß der „Rockpianist“, der nach einem Jahr Direktstudium im Fach Fagott auf Fernstudium umgestiegen war, aber den Armeelehrgang ließen sie ihn noch mitmachen, reine Schikane, der hatte die Schnauze vielleicht voll. (Er hätte mal lieber Fagott zu Ende studieren sollen, mit etwas Glück wäre er in einem Orchester gelandet, welches zur Wende nicht aufgelöst wurde. Fakt ist, dass sich seine Rockgruppe, nach anfänglichen Erfolgen, durch sozialismuskritische Äußerungen schnell ins „Aus" katapultiert hatte. Die Staatsmacht musste die nicht mal verbieten, es reichte immer einen nach dem anderen zur Armee zu holen, wenn nicht zur Wehrpflicht, dann zur Reserve. Keine Formation stand das auf Dauer durch. Seine Rockgruppe löste sich jedenfalls noch zu DDR-Zeiten auf) Gegen 06.00 Uhr am Morgen erreichten sie dann Seligenstadt, bei Gera. Es war kühl, alle waren übermüdet. Ein Kasernengelände mit großen Neubaublocks, wohl erst zu DDR-Zeiten hochgezogen, empfing sie. Ein Trost, sie würden noch zwei Wochen vor den, stolz ihre Bandmaße präsentierenden, EKs an der Wache gehen. Jetzt ging es Schlag auf Schlag, Kleiderkammer, Waffenkammer, Empfang der Schutzausrüstung. Ehe er es sich versah, schleppte er eine schwere Zeltplane voll mit Ausrüstungsgegenständen zu einem der Neubauten. Er fand seinen Namen in der Liste und betrat im dritten Stock eine ungemütliche, nüchterne und unpersönliche kahle Stube, mit sieben Doppelstockbetten. Er erwischte ein Bett unten hinter der Tür und machte sich daran, den Spind einzuräumen und die Uniformen fertig zu machen, diesmal nicht grün, sondern feldgrau. Er war nicht mehr Unterwachtmeister, sondern Gefreiter. In fünf Wochen sollte er zum Gruppenführer Mot-Schützen ausgebildet werden. Willi hatte natürlich keinerlei Interesse an solch einer Ausbildung. Er wandte sich den Kameraden zu. Der neben ihm war schon fertig, war auf sein Bett gekrochen und saß dort, wohl froh, wieder die lang entbehrte Ordnung der Armee genießen zu können. Er hatte sich eingerichtet und in sein Schicksal gefügt. Einige ewige Spaßvögel rissen Witze, anderen war deutlicher anzusehen, wie sie die Schnauze voll hatten. Ein Unteroffizier betrat die Stube, ein ehemaliger dreijähriger und ein Hauptmann, der studierte Pädagogik, hatten aber vorher zehn Jahre als Offizier auf Zeit abgerissen. Nur der Kompaniechef, ein Major, war Berufssoldat, also einer, der sein ganzes Leben dem Friedenskampf widmete. Respekt! Er war auch der einzige Leuteschinder, konnte aber nicht 40 Mann ständig überwachen, sodass die Reserve mit den Schikanen des Grundwehrdienstes nicht vergleichbar war, zumal es auch keine Diensthalbjahre gab. Was blieb, war der Freiheitsentzug mit Verlust der Selbstbestimmung, das Bewusstsein der vergeudeten Lebenszeit, sinnlose Unterbrechung des Studiums und für die anderen die Trennung von ihren Familien und Verwandten, dazu der Verlust der Individualität wie Haarfrisur und Bart. Reine Schikane, wie Willi sie schon kannte, wehe einer hatte einen Hauch von Oberlippenbart. Auch hier, noch am Entlassungstag mussten die sich rasieren und zum Friseur gehen. Ein vorerst letzter Gruß der sozialistischen Streitkräfte. Willi hasste diese Friedenstruppe von

ganzem Herzen, ein innerer alles verzerrender Hass, den er leider nicht ausleben konnte, ein Hass auf das System und ihre Träger, zu denen er als artiger Mitläufer auch gehörte. Er bereute tausend Mal, das Studium nach wenigen nicht Wochen abgebrochen zu haben, aus psychischen Gründen oder sonst was, er wäre jetzt am Senftenberger Theater. Aber die Gewissheit, nie wieder zur Reserve zu müssen, hatte er nur als Volkspolizist. Im zivilen Bereich konnten die ihn jedes Jahr drei Monate holen, maximal 36 Monate, also 12-mal und er kannte Leute, denen es so ergangen war, zum Beispiel Wehrmanns Vater. Einer der ehemaligen MDI-Studenten, Ende des vergangenen Jahres nach zwei Studienjahren geflogen, spielte jetzt in dem Armeeorchester mit, welches den Eröffnungsappell umrahmte und sie dann auch noch zum Mittagessen mit Blasmusik erfreute. Der hatte es besser getroffen, nach dem Mittagskonzert fuhren die ab und hatten Dienstschluss. Am Nachmittag war dann für die Rekruten FDJ-Versammlung und Waffenreinigung und dann war der Abend immerhin frei. Wie gesagt, so schlimm wie die Grundausbildung war es bei weitem nicht und dann endlich war Nachtruhe, schlafen, das allerwichtigste, ein Schutz vor ständiger Schlappheit und vor Kopfschmerzen.
Am nächsten Morgen ging es lustig los, im kurzen Sportzeug raus in die Kälte zum Frühsport, kein Dreitausendmeterlauf, bei dem man sich verkrümeln konnte, alle Gruppen mussten sich auf einem Sportplatz betätigen, den der Major schön überblicken konnte. Am ersten Tag war dann

politische Schulung, die üblichen Themen: „Stärke des Sozialismus, Aggression der Nato und ständige Kriegsgefahr durch diese, Wirtschaftliche Stärke der DDR, der Kapitalismus dagegen wirtschaftlich am Ende, deshalb besonders aggressiv. Vor allem die USA und Europa haben keine Chance mehr, ihre Staatschulden in den Griff zu bekommen, immer mehr Arbeitslose, Drogen, Kriminalität und so weiter. Da hatte man noch nicht mal die unterentwickelten Länder in z.B. Südamerika mit ins Boot genommen, auch die waren kapitalistisch. Die Ausführungen bezogen sich nur auf die so genannten „Entwickelten Industriestaaten. Wohlstand und ein Aufwärtstrend waren nur in Ländern zu verzeichnen, die den sozialistischen Weg gingen: Äthiopien, Angola, Kambodscha, Albanien u.s.w.“ Willi war fassungslos, immerhin war er durch Götz mit dem scharfen Gift des Antikommunismus geimpft wurden. Wieso hatten dann 80% der Amis ein Auto und bei den Russen waren es nur 10%? Ach ja, die ausgebeuteten Neger bezahlten das. Die 80% der „Weißen“ beuteten die „Schwarzen“ aus. Schon vergessen. „Der Kapitalismus war praktisch am Verbluten, deshalb besonders gefährlich, aber Willi und seine Generation würden den Kommunismus noch erleben.“ Nur das nicht. Noch mehr langweilige Reden, Partei und Wehrpflicht, auf letzteres würde der Kommunismus zwecks Disziplinierung seiner Bürger bestimmt nicht verzichten.

Was Willi dachte war das eine, was er tat das andere. Er schrieb übereifrig mit, um einen guten Eindruck zu hinterlassen. Beim Schießen konnte er nicht brillieren und wie oft hatte er erlebt, dass eine gut vorgetragene Theorie, auch wenn sie nicht der Einstellung entsprach, den Kopf retten konnte. Vor allem hatte Willi Angst, womöglich im nächsten Jahr den Lehrgang hier wiederholen zu müssen, denn das wurde klargemacht: „Wer die Prüfung zum Gruppenführer nicht besteht, der muss mit solchen Konsequenzen rechnen, egal ob noch Student oder nicht und als Nichtstudent geht der Lehrgang drei Monate, fast das Dreifache.“ Davor hatte Willi Angst, um das zu vermeiden, würde er alles tun. Willi schrieb und schrieb, immer noch besser als im Dreck kriechen. Am nächsten Tag sollte es auf Wache gehen, auch das besser als der Dreck, wenn auch wieder Schlaf eingebüßt wurde. Am Nachmittag wurde Willi mit noch fünf anderen aus der Politschulung geholt, Termin beim Kommandeur. Der erklärte kurz und gut, dass sie übermorgen raus könnten, am Tag darauf hätten sie sich zu einem Sonderauftrag in Berlin in einer Dienststelle der Polizei in Biesendorf zu melden, in Zivil. Das klang mal gut. Wieso ausgerechnet Willi? Was sollten sie tun? Egal, wenn sie übermorgen raus sollten, konnte man sie nicht morgen auf Wache schicken. Erst mal weg von hier. Es konnte nur besser werden. Willi schrieb in der Schulung jetzt noch eifriger mit. Am nächsten Tag hatten die anderen Wachvorbereitung und Wachexerzieren. Willi und die fünf anderen mussten Erdarbeiten machen, buddeln für das Verlegen von Wasserleitungen. Ein regulärer Oberfeldwebel der Armee passte auf, aber der hatte auch keine Lust, sie arbeiteten nur, um warm zu bleiben, denn in dem dünnen Arbeitsanzug war es schon empfindlich kalt und sie hatten keine Möglichkeit, sich aufzuwärmen. Auch dieser Tag verging und Willi hatte vor allem keine Möglichkeit, negativ aufzufallen. Abends war er allein auf der Bude, die anderen waren auf Wache. Er konnte beizeiten zur Ruhe kommen und am nächsten Tag gegen 08.00 Uhr ging es in Zivil raus. Willi fühlte sich wie neu geboren. Die Welt war freundlich, bunt und hell. Er fuhr mit dem Zug nach K.-M.-St. Er wollte sich unbedingt seinem Erzeuger zeigen, der es sich natürlich nicht hatte nehmen lassen, vor der Reserve seine Befriedigung über das Wiedereinziehen von Willi in eine Kaserne zu zeigen. Umso mehr freute sich Willi über das jetzt mühsam die Enttäuschung verbergende Gesicht, der Kerl erwischte doch immer die dünnste Stelle. Der Erzeuger erkundigte sich auch am nächsten Tag, was das mit der Kommandierung des missratenen Kerls auf sich hatte und erfuhr nur: „Ein Auftrag für die Staatssicherheit." Sollte das Weichei dort dabei sein? Der Erzeuger verurteilte die Geheimnistuerei der Stasi, aber nur, weil er nicht selbst dabei war. Ihn hatte noch nie jemand gefragt. Dabei stellte er seit Jahrzehnten treu und ehrlich seine Wohnung für heimliche Treffe der Firma mit den geheimen Spionen zur Verfügung, immer die Hoffnung im Hinterkopf, auch mal dazuzugehören, wenigstens als inoffizieller Mitarbeiter, aber nichts. Außer einem Präsentkorb mit Fressereien und ab und zu mal einer Geldprämie, keine Nachfrage nach engerer Zusammenarbeit. Und jetzt sollte dieser Lump von Sohn.... Es war nicht auszudenken.

Willi genoss seinen Triumph und fuhr noch am Nachmittag weiter nach Berlin, zunächst ins Wohnheim. Der neue Zimmergenosse hatte sich schön breit gemacht und war gar nicht begeistert von Willis Kommen. Sein Problem, morgen würde der nach Hause fahren, dann würde Willi seine Ruhe haben. Na also. Am nächsten Tag meldete er sich in genannter Polizeidienststelle. Ein Zivilist wies sie in ihren Aufgabenbereich ein. In den nächsten 14 Tagen würden sie das Personal des Personenschutzes zu einer internationalen Konferenz im Hotel Stadt Berlin unterstützen. Die erste Schicht für Willi: Morgen, von 18.00 Uhr-06.00 Uhr, pünktlich mit Schlips und Anzug. Willi hatte zum Glück seine Kluft vom Bauorchester in Berlin und musste so nicht noch einmal, wie die anderen, nach Hause fahren, um die vorgeschriebenen Klamotten holen. Jeder bekam einen kleinen Klappausweis, der sie legitimierte, mit der strengen Verwarnung, diesen ja nicht zu verlieren. Willi war jetzt so eine Art Mitarbeiter der Sicherheit. Diese 14 Tage hätten ihn nach der Wende mit Sicherheit den Beruf gekostet. In Fragebögen hat Willi die 14 Tage nie angegeben, in seiner Akte wurden sie nicht eingetragen und der Ausweis selbst ist zum Glück nie aufgetaucht. Nach dem Selbstverständnis der Wendesieger hätte Willi hier in Berlin die Arbeit verweigern müssen, denn der kriminelle Charakter der DDR sei seit 1983 offenkundig gewesen. Was wäre dann passiert: Militärknast wegen Befehlsverweigerung so oder so, entweder gleich oder sie hätten ihn entsprechend provoziert. Auf jeden Fall wären Studium und eine Tätigkeit als Musiker passé. Vielleicht nicht, weil er den Wachdienst verweigert hätte, aber möglicherweise, weil er mit ständig wechselnden Partnern als Verbreiter von Geschlechtskrankheiten aufgefallen wäre. Das war der offizielle Grund, warum einer 1989 aus dem Polizeiorchester geflogen ist, in Wirklichkeit hatte er in der Kirche musiziert und sich erwischen lassen. Hatte sich Willi falsch verhalten, als er die Arbeit bei der Sicherheit nicht verweigerte, im September 84. Nur so war es möglich, in der DDR-Musiker zu werden, wenigstens in seiner Situation. So konnte er bis 1992 ungestraft im öffentlichen Dienst arbeiten. Dann kam der Fragebogen, der die Stasimitarbeiter enttarnen sollte. Hätte er sich dumm und wahrheitsliebende ehrlich auf den Fragebogen geäußert, er wäre sofort geflogen, aber sechs Jahre seines Lebens hatte er als Musiker dennoch gearbeitet. Da Willi log und die Tätigkeit verschwieg, kam man ihm nie auf die Schliche und er konnte noch viele Jahre weiter in seinem Beruf arbeiten. Ja er konnte es anstellen, wie er wollte. In jedem Fall war er ein Feind in der DDR und dann auch in der BRD, der nur durch viele Zufälle von Strafmaßnahmen, die die Existenz vernichteten, verschont blieb. In der DDR ehrlich bleiben, Kriminalisierung wäre die Folge. Um dem zu entgehen, musste er auch in der BRD lügen, eine Folge der DDR-Vergangenheit. Willi Hohl, ein krimineller Lügner!!! Das war die Vergangenheit, das war die Gegenwart und das würde die Zukunft sein. Hätte sich Hohl als Mitarbeiter der

Staatsicherheit der DDR geoutet, wenn auch nur für zwei Wochen, es hätte niemandem genützt und sich selbst unendlich geschadet.
Damals war Willi froh und heiter. Nur zwei Wochen musste er dann noch in die Kaserne. Wenn er dann die Prüfung zum Gruppenführer nicht bestand, war das etwa seine Schuld, wenn sie ihn aus der Ausbildung nahmen. Sie sollten gefälligst schummeln bei der Prüfung. Schwer zu glauben, dass in der atomaren Welt ein Mot-Schützenzug noch eine „Kriegsentscheidende" Bedeutung haben würde. Nein, hier ging es doch nur darum, die künftige Intelligenz des Landes nochmal richtig einzuschüchtern und zu disziplinieren: Schaut her, 36 Monate können wir euch noch einsperren, wenn ihr nicht artig seid. Und das ganz ohne Gerichtsbeschluss. Im Moment würde Willi 14 Tage seine Ruhe haben. Er kaufte fürs Wochenende ein, hatte seine Ruhe, sein Zimmerkollege war schon weg, haute sich am Nachmittag nochmal aufs Ohr, schlief bis weit in den nächsten Vormittag, las ein bisschen und begab sich dann in das Hotel „Stadt Berlin." Seine Aufgabe: Von 18.00 Uhr bis 22.00 Uhr und von 02.00 Uhr-06.00 Uhr in dem Tagungsraum herumsitzen und aufpassen, dass niemand unbefugt in die herumliegenden Unterlagen hineinschaut, zum Beispiel einer von den Reinigungskräften. Die vier Stunden dazwischen durfte er schlafen, in einem fensterlosen Zimmer, direkt neben dem Fahrstuhlschacht, der dann seine Geräusche ungefiltert in das Zimmer weitergab. Andere mussten mit einem „echten" Personenschützer am

Fahrstuhl aufpassen, dass nur die sich mit Ausweis legimitierten Teilnehmer der Konferenz ausstiegen. Willi fühlte sich ganz wohl. Die Arbeit war ganz nach seinem Geschmack, da konnte man nichts verkehrt machen. Nach dem Dienst aß er in einem Selbstbedienungsrestaurant am Alexanderplatz, dann ab ins Internat und bis ca. 14.00 Uhr hingelegt. Als sein Zimmerkollege wieder da war, nutzte er das freie Zimmer gegenüber, um seine Ruhe zu haben, die Bewohner waren alle im Zivillager. Nach 14.00 Uhr essen, lesen, dann wieder zum Dienst, insgesamt zwei Wochen. Willi vermisste weder Instrumente noch Orchester, ein schöner ruhiger Job, den er da tat und den andere wohl hauptberuflich ausübten. Weiß der Teufel, warum sie ausgerechnet sechs Mann aus Seligenstätt geholt hatte. Gut, Willi war bei der Polizei, einer hatte als Wehrpflichtiger im Chor der Stasi gesungen, aber die anderen waren ganz normale Zivilisten, die gezwungenermaßen beim Militär mitmachen mussten. Egal. Es war nur schade, dass die herrlich angenehme ruhige Zeit so schnell herum war. Und jetzt schienen die ihm noch verbleibenden 14 Tage nicht mehr so kurz und es kam die Stunde heran: Er musste wieder einrücken in die Kaserne. Zwei Wochen, mit Frühsport und viel Theorie in den ersten sieben Tagen. Dazwischen auch Wache. Da stand er also wieder und drehte sinnlose einsame Runden in einem Fahrzeugpark, anstatt zu schlafen. Wenigstens war es nicht zu kalt. Die theoretische Schulung war nicht einfach, die anderen hatten Vorlauf und da nahm man keine Rücksicht. Willi, wenn er dran war, wusste einfach nichts und fiel so schön negativ auf. Einmal schnauzte ihn einer der Unterrichtenden an und der Gruppenführer flüsterte dann ins Ohr: „Der war 14 Tage nicht da." „Dann muss er eben nächstes Jahr noch einmal antreten", tobte der andere. Willi zuckte zusammen. Die ständige Müdigkeit durch zweimalige Wache tat das ihrige. Zwar konnte man in der Freiwache theoretisch vier Stunden schlafen, aber vier Stunden waren eben zu wenig. Im Zimmer selbst war immer krach, auch keine Möglichkeit, in Ruhe zu lernen. Einer der aus gesundheitlichen Gründen vom Außendienst befreit war, langweilte sich und hatte einen Schallplattenspieler aufgetrieben. Das Gedudel strapazierte Willis Nerven von morgens bis abends. Furchtbar. Willi war jetzt in der Theorie bereits auffällig. Dann kam die letzte Woche. Drei Tage Praxis im Feld. Abends Theorie und am Donnerstag Prüfung, vorher ein Vormittag der Norm, Freitag früh Gasausbildung, dann Abgabe der Klamotten, abends Entlassung. Fünf Tage, aber Willi graute es, er traute denen durchaus zu, dass sie ihn noch mal im nächsten Jahr antraben lassen würden. Laut sozialistischer Propaganda müsste er da noch jubeln. Die Freude etwas für den Frieden tun zu dürfen, war bei der kommunistischen Jugend ja enorm. Eigentlich wäre das nicht mal eine Strafe. Und die letzte Woche begann: Bis zum Ausbildungsgelände war erst einmal eine Stunde zu marschieren, das Glück war allen hold, das Wetter war zauberhaft, wunderschöne Herbsttage, die man eigentlich anders hätte genießen sollen. Die so genannte Ausbildung selbst hielt sich, was psychischen und physischen Stress betraf, in Grenzen. Gewiss übte der Kompaniechef Druck auf die Zugführer, diese wiederum Druck auf die Gruppenführer und so weiter aus, aber der Druck wurde doch nach unten immer schwächer und wenn einer der Untertanen sich nicht total provokativ anstellte oder diesen Eindruck erweckte, dann sagten die eher was vor, als selbst in den Ruf der Unfähigkeit zu kommen, dennoch wurde immer wieder vor allem mit „Ärger bei der Weiterführung des Studiums" gedroht. Da aber das System Diensthalbjahre hier nicht existent war, genossen die oberen hauptberuflichen Friedenskämpfer eher ihren ruhigen Posten, ohne Manöver, ohne Feldlager und ohne Alarm. Ab und zu tobten sie schon mal rum, aber eher, um sich selbst zu beruhigen. Was Willi betraf, so schaffte er es leider wieder einmal nicht, den Anschein eines widerspenstigen Rekruten, der das ganze System provozieren wollte, in Frage zu stellen. Da waren einmal die schlechten Schießergebnisse, das Unvermögen, eine Handgranate mehr als zehn Meter weit zu werfen, eine Ungeschicklichkeit, die nur gespielt sein konnte. Das auseinander- und zusammenbauen des Gewehres war auch nicht seine Stärke und bei den Taktikspielen am Sandkasten hatte er alles, aber keinen Durchblick. So doof konnte einer, der immerhin das Abitur geschafft hatte, nicht sein, dachten die, denn kaum einer wusste, dass dies für ein Musikstudium eben nicht notwendig war. Besonders krass war das Nichtwissen der einfachsten Begriffe bei der theoretischen Prüfung. Das konnte nur Provokation sein, aber das war es eben nicht. Im Übrigen war

Willi alles egal, er wollte hier nur weg und zwar so schnell wie möglich, einerseits versuchte er sich schon, wie alle andern auch, zu drücken, wo es nur ging, er war aber auch bemüht, so wenig wie möglich aufzufallen und das gelang ihm nicht. Kurz und gut, Zugführer, Gruppenführer und Kompaniechef beschlossen, neben noch zwei anderen, auch bei Willi eine Information an die Hochschule zu geben, der Grund: „Mangelnde Initiative und staatsfeindliche Provokation im Rahmen des Reservistenlagers.“ Die Hochschule würde den Delinquenten dann exmatrikulieren. Der konnte sich nun in der Praxis bewähren, sprich in der Produktion, bei guter Führung wäre es möglich, das Studium in einigen Jahren als Fernstudent zu beenden. Natürlich würde in der Bewährungszeit eine weitere Einberufung zum Reservedienst, dann für drei Monate, erfolgen. Man machte die Unterlagen für die Hochschule und das Wehrkreiskommando fertig, um dann festzustellen, dass der Mann war gar kein Student war, der war Angehöriger der Volkspolizei und nur zum Studium kommandiert, eigentlich hatte der hier gar nichts zu suchen. Und dann war das auch noch einer von den sechs Mann, die zur Stasi kommandiert worden waren. Konnte man sich hier die Finger verbrennen? Vielleicht provozierte der absichtlich und man verbrannte sich gerade die Finger, wenn man den Kerl nicht anzeigte. Man konnte ihm zwar das Studium sperren, aber nicht in die Produktion verbannen, er war ja Polizeiangehöriger. Schwierig, schwierig, eine harte Nuss für den verantwortlichen Entscheidungsträger. Schlechte Leistungen bei der

Ausbildung, schön und gut, aber wenn die den zwei Wochen kommandierten, musste er die Messlatte tiefer ansetzen, dazu war er verpflichtet, also laufen lassen den Kerl. Er brauchte ihm ja den Abschluss als Mot-Schütze nicht mit „Sehr gut" zu geben. Natürlich hatte Willi Herzklopfen, als beim Abschlussappell dann doch nur zwei Männer zur Verkündung der Strafmaßnahmen vorgeholt wurden. Er atmete durch, als er nicht genannt wurde. „Du warst auch im Gespräch", sagte ihm der Zugführer. „Du hast großes Glück, dass die dich haben davonkommen lassen." Jetzt pochte das Herz noch mehr. Aber nun war ja alles vorbei. Nach dem vormittäglichen Abschlussappell war noch Gasausbildung, Schutzanzug anziehen und verpacken, dann noch ein Dreitausendmeterlauf und dann endlich Abgabe der Klamotten. Willi war nicht sicher, ob man ihn nicht intern verurteilen würde, wenigstens den Lehrgang zu wiederholen, er kannte die Details nicht, würden die ihn wirklich in Ruhe lassen? Schutz vor neuen Einberufungen bot jetzt nicht mal mehr die Polizei, er war im zivilen Bereich erst einmal sicher, aber sie würden ihn immer wieder für drei Monate holen und so provozieren, dass es mal für Militärknast reichen würde. Typen wie er hatten im Sozialismus eigentlich nicht das Recht, normal zu leben und ruhig zu arbeiten. Die gehörten weggeschlossen, bei scharfer Zucht und Ordnung und bei ständiger Bewachung.
Nach der Abgabe mussten sie bis 20.00 Uhr warten. Noch einmal erfolgte die Kontrolle Haarschnitt und Rasur, diesmal fiel Willi wieder auf und musste den

Ansatz von Oberlippenbart noch eine Stunde vor der Entlassung entfernen. Zwei Minuten nach der Entlassung fuhr der letzte Zug, den natürlich niemand erwischte, reine Schikane, das hatten die extra so gemacht, ein letzter Gruß der „Friedensliebenden" Staats- und Armeeführung. Wer sich nicht privat abholen lassen konnte, der hatte Pech gehabt, der musste sich bis früh 05.00 Uhr auf dem Bahnhof einrichten. Willi hatte Glück, ein Kamerad, ebenfalls aus Chemnitz, ließ sich von seiner Ehefrau abholen und Willi durfte mitfahren. Auch der war, wie Willi, ein erklärter Staatsfeind und Friedensfeind, der die Notwendigkeit des Reservedienstes nicht einsah. Er beschimpfte einen Staat, der es ihm ermöglichte, bereits als Student ein Auto zu besitzen, zugegebenermaßen, es war 15 Jahre alt, aber welcher Schwarzafrikaner hatte das? Dennoch meckerte er die ganze Fahrt über Sozialismus inkl. Wehrpflicht.
Als Willi bei seinen Erzeugern ankam, winkte schon wieder neuer Ärger. Die Alte hatte sich wieder in Willis Zimmer zur Nachtruhe niedergelegt und keinesfalls Lust, ins eheliche Schlafgemach zu ziehen. Willi schüttelte es vor Ekel und Abscheu. Er verschwand sofort wieder und fuhr noch in der gleichen Nacht über Dresden nach Berlin, auch wenn er stundenlang auf den Anschlusszug warten musste. Er kam Samstag am Vormittag an und würde jetzt zwei volle Tage für sich allein haben, zwangsweise musste er auch wieder mal Klarinette üben. Einen Großteil der Zeit verbrachte er am Telefon, er musste beim Bauorchester anrufen, nach dem nächsten Termin fragen und auch wenn

am Wochenende nur noch wenige Studenten da waren, zwei Telefone, das war nicht viel und so wartete Willi, bis die vor ihm ihr wichtiges Gespräch: „Was machstn gerade?“, beendet hatte. Aber die war extra nach 21.00 Uhr für dieses längere Gespräch gekommen und da hieß es warten. Natürlich gab es keine extra Zelle, das Telefon hing einfach an der Wand und jeder konnte mithören. Dann war Willi dran, besetzt, wieder war er hinten in der Warteschlange. Auch bei drei Mann konnte das 30 Minuten dauern, bis man dran war. Dann endlich 23.00 Uhr war die Frau des Org. Chefs vom Bauorchester dran, der selbst hatte sich schon hingelegt, morgen Abend dann.... Willi kotzte ab, das würde wieder abendfüllend sein. Willi genoss die beiden ruhigen Tage dennoch, Sonntagabend kamen dann die Zimmergenossen. Der Neue, den er schon kannte und einer, der in seinem eigenen Studienjahr war und bisher in Mutter Künasts Kinderknast logieren musste. Alles in allem eine Verbesserung gegenüber dem Vorjahr. An den Wochenenden von Freitag bis Sonntagabend würde Willi jetzt generell seine Ruhe haben, denn beide Zimmergenossen nutzten jede Gelegenheit, um nach Hause zu fahren. Eine Verbesserung war auch das Wohnen auf der Badseite. Gegenüber in der wesentlich schlechteren Abortwohnung hausten Wehrmann, ein älterer Student und ein Neuzugang der MDI-Abteilung mit dem schönen Namen Immerleb. Er hatte in einer anderen Hochschule Posaune studiert, war aber so schlecht, dass sie ihn rausgeschmissen hatten, fürs MDI reichte es aber scheinbar. In der ersten Blasorchesterprobe war die

Qualität extrem jammervoll. Die Studenten des ehemaligen dritten Studienjahres, die jetzt nicht mehr da waren, beherrschten ihr Instrument sicher, spielten auch in der Freizeit in Blasorchestern, wie Willi im Bauorchester. Willi war schon keine Leuchte, wenn er auch bei den großen klassischen Konzerten nichts auf die Reihe brachte, das Zeug was im Blasorchester gefordert wurde, machte er mit links. Sicher war auch bei den Ehemaligen eine Null dabei, ein Fagottist, der in schöner Regelmäßigkeit sechs Punkte bekam, aber eben nur einer, den konnte das Orchester verkraften. Die Neuen, die jetzt da waren brachten nicht das geringste Bein auf die Erde. Die hatten noch nie in einem Orchester gespielt, hupten so ein bisschen rum und hätten selbst bei Musikschulprüfungen der untersten Kategorie nur Kopfschütteln hervorgerufen. Für die war ein Musikstudium gleichbedeutend mit jeder anderen Lehre, da war keine Begeisterung, keine Leidenschaft, in einem Fall höchstens Angst vor dem Vater, der unbedingt wollte, dass der Sohn Berufsmusiker wird. Sie hatten keine Westverwandtschaft und waren bereit, zehn Jahre bei der Polizei Dienst zu tun, das reichte, sie würden sich schon noch musikalisch entwickeln. Dem MDI stand kadermäßig das Wasser wohl bis zum Hals. Selbst der jammervollste Klassiker war um Welten besser als die neuen MDI-Studenten. Immerleb unterschied sich von den anderen durch ein gesteigertes Selbstbewusstsein. Einerseits brauchte er die Polizei, anderseits fühlte er sich als etwas Besseres, hatte ja ein Jahr Klassik studiert. Er biederte sich entsprechend bei den zivilen Studenten an. Er war nicht ganz so schlecht wie die total Neuen, brachte es aber auch nur auf elf Punkte bei den Vorspielen. Auch er blieb an den Wochenenden meistens da und dudelte die ganze Zeit herum, was Willi nicht störte, da er ja auf der besseren Badseite wohnte. „Er übt viel“, sagten die Klassiker respektvoll. Üben, üben, üben, als ob es das wichtigste im Leben war. Immerleb stellte sich auch sonst als etwas Besseres dar, er war in der FDJ-Leitung aktiv, was ja nie von Nachteil sein konnte. Tatsächlich spielte er sogar im Orchester der DDR-Musikschulen mit, allerdings eine untergeordnete Stimme in einem zeitgenössischen Werk, welches mit Riesenbesetzung interpretiert wurde. Aber, mit Hilfe der FDJ und der vorgegebenen politischen Einstellung, war er in diesem Ensemble mit dabei, in dem sonst Kapazitäten wie Wehrmann mitspielten. Natürlich durfte er nicht bei einer Beethovensinfonie auspacken, da wäre er ja zu hören gewesen. Wehrmann und besonders Willi hasste er ganz besonders, vor allem wegen den mangelhaften Leistungen in Russisch. Bei Willi kamen noch die nicht so guten Vorspielergebnisse dazu, die zwar besser waren als die von Wehrmann, aber in Willis Fall verurteilenswert. Bei der neuen Wahl des FDJ-Gruppenleiters für die Bläser 2. Studienjahr trat er gegen Willi an, der als schlechter Student, siehe Russisch, nicht würdig ist für dieses Amt. Willi überließ den Posten mit Freuden dem Immerleb. Der kritisierte an Willi auch dessen Auftreten. Zugegeben, er war nicht modern gekleidet, die Haare waren nicht top gestylt, aber Willi war für ihn das Unding schlechthin. Er hatte das schon oft erlebt und würde es noch oft erleben, dass viele dachten er wäre irgendein ungelernter Hilfsarbeiter, eine Reinigungskraft etwa in der Hochschule, mit Erstaunen stellte man dann fest, Willi war hier Student, um sich dann bestätigt zu fühlen: „Aha ein Polizeistudent mit schwächsten Leistungen." Wobei dann das Können noch weitaus schlechter gemacht wurde, als es wirklich war, meist von Typen wie eben Immerleb, die genau betrachtet sogar noch weniger draufhatten als Willi Hohl, die sich aber auf seine Kosten sanierten. Angst oder Respekt hatte Willi vor Immerleb allerdings nicht, er ignorierte den einfach, genau wie Wehrmann es tat. Sie grüßten den nicht und Wehrmann, der Immerleb leistungsmäßig sowieso, aber auch körperlich überlegen war, reichte ihm die Anwesenheitsliste in der Vorlesung: „He Immerleb du Vogel, nimmst du endlich die Liste oder willst du gleich eine in die Fresse." Natürlich wurde Immerleb auch ab 18 Kandidat der SED, konnte nie schaden. Auch Wehrmann wollte diesen Schritt tun, vor allem mit Blick auf die Russischprüfung, aber Immerleb schoss gegen ihn: „Der bringt der Partei mit seiner schwachen Studienleistung (gemeint war Russisch) großen Schaden." Man hörte sogar auf Immerleb und Wehrmann durfte kein Kandidat werden. Als die Russischgeschichte vorbei war, wollte er dann nicht mehr. Man fragte ihn zwar, aber Wehrmann eierte, er fühlte sich doch nicht reif für diesen Schritt, vor allem wegen der Anschuldigungen des Genossen Immerleb. Pikanterweise akzeptierte das die Partei, aber man drohte Wehrmann auch:

„Wenn Sie uns nicht entgegenkommen, eines Tages werden wir Ihnen auch nicht entgegenkommen. Ihre Entscheidung ist auch die: Sind Sie für den Frieden oder sind Sie für den Krieg!“ Aber die waren eine parteiabwesende Haltung auch gewohnt, nur ganz wenige klassische Studenten waren Mitglied der SED und die Floskel: „Ich fühle mich noch nicht reif für diesen Schritt“, war schon in der Lehre allgemein üblich. Auch bei dem neuen Chef der MDI-Abteilung kratzte sich Immerleb ordentlich ein, er war schnell der Liebling, was Willi und Wehrmann vor allem wegen Russisch nie schaffen würden. Russisch war an einer sozialistischen Musikhochschule eben wichtiger als die instrumentale Ausbildung. Das Theater mit Russisch ging gleich am ersten Studientag nach dem Wehrlager weiter. Am Vormittag war erst mal Blasorchesterprobe mit dem neuen vom ersten Studienjahr. Der neue MDI-Chef war ausgeflippt: „Ihr versaut mir die ganze Probe“, brüllte er die neuen an, die auch die primitivste Polka nicht hinbekamen. „Blast es eine Oktave tiefer.“ „Das ist dann zu tief“, war die naive Antwort der Angeschnauzten. Das Orchester war mit den Leuten, obwohl mit zwei Tuben, zwei Trompeten, Tenorhorn, Posaune, drei Klarinetten und zwei Schlagzeugern vollständig besetzt, nicht spielfähig. Wider aller Erwarten wurden Wehrmann und Willi zusammen mit dem MDI-Chef für 14.00 Uhr ins Büro zum Inspizienten bestellt. Bei Wehrmann war der Fall klar, da konnte es nur um Russisch gehen, aber bei Willi? Er hatte die Prüfung ja bestanden. War die vier zu schlecht oder was. Es konnte auch sein, dass es mit dem Armeelager zusammenhing. Sie warteten im „Kaffee unter den Linden“ und schmiedeten, wieder mal, Pläne für die Zeit nach dem Studium, die jetzt mit Riesenschritten heranrückte. Zum Termin war die Bude voll. MDI-Chef, Inspizient, Assistent, Parteisekretär der Hochschule und sogar der Orchesterchef von Chemnitz waren wieder mit anwesend. Man begrüßte die Delinquenten und Staatsfeinde ohne festen Klassenstandpunkt frostig. Der Parteisekretär kündigte Willi eine Parteistrafe an und der Inspizient die baldige Entlassung von Willi aus den Reihen der bewaffneten Organe. Der neue MDI-Chef gab seinen Unmut über die schlechte Qualität der Orchesterprobe zum Ausdruck und schob das auch noch Willi mit in die Schuhe, als ob der an seiner 3. untergeordneten Klarinettenstimme hätte Schaden anrichten können, außerdem hatte er sein Zeug gespielt. Die anderen würde Willi mit schlechten Äußerungen über das Studium demoralisieren. Willi bemerkte in aller Demut, dass er fünf Wochen im Wehrlager war und die neuen erst am Vortag kennengelernt hatte. Sicher hatte er mit denen nicht die ganze Nacht diskutiert. Man kündigte nochmals die Exmatrikulation von Willi Hohl an. Der erwähnte, dass die nächste Russischprüfung in einem Jahr sein würde. Warum war man so sicher, dass er die nicht schaffen würde? Das Gremium stutzte. Es stellte sich heraus, dass Willi die Russischprüfung doch nicht bestanden hatte, genau wie Wehrmann, dass Tippfräulein im Sekretariat hatte sich vertan und im Aushang hatte irrtümlich, „Hohl 4“ gestanden. Also das war der neuste Stand. Auch Willi musste also die Prüfung, die zweite und letzte Nachprüfung in einer Woche über sich ergehen lassen. Er hatte durch den Fehler wenigstens ruhige Ferien verlebt. Er hätte jetzt den Einwand bringen können: „Hätte ich gewusst, dass die Prüfung noch bevorsteht, dann hätte ich mich vorbereiten können." Aber er verzichtete darauf, wohl wissend, damit die Herren noch mehr zu provozieren. Willi hatte den ganzen Sturm abbekommen, Wehrmann war zwar auch mit bei dieser denkwürdigen Unterredung dabei, aber der war gar nicht beachtet worden. Natürlich war klar, auch dessen Karriere würde mit der nicht bestandenen zweiten Nachprüfung beendet sein. Zumindest die Karriere bei der Polizei. Immerhin, Wehrmann war wenigstens musikalisch groß da, was man von Willi ja auch nicht sagen konnte, auch auf diesem Gebiet gehörte er zu den schlechtesten, wobei er wieder mieser gemacht wurde, als er wirklich war. Na wenn schon, bald würde er hier verschwinden und mit diesen Herren nie wieder was zu tun haben. Dann würde man weitersehen. Er war froh, wenigstens erst mal aus der Kaserne raus zu sein, das war das wichtigste. Es war egal, ob er eine Tätigkeit mit oder ohne Musik bekam, er würde dort anfangen, wo eine Wohnung dranhing, wenigstens ein Zimmer, wenn er in Berlin bleiben könnte, würde er weiter im Bauorchester mitspielen, ein Glück, dass er ein eigenes Instrument besaß. Wehrmann versicherte, sein Vater würde auch Willi in seine Kapelle aufnehmen und ein Berufsausweis wäre nur eine Formsache. Nach ein paar Wochen könnte Willi seinen Job kündigen, er hätte dann eine Wohnung und wäre freiberuflich. Hoffentlich würde das mit dem „Kündigen“ auch gehen, nicht so wie damals nach der Kochlehre. 300 Mark im Monat würde er schon als Freiberufler zusammenbekommen, davon konnte man leben, andere mussten es ja auch. Bei dem Stand, den Willi jetzt im Polizeiorchester K.-M.-St. inzwischen hatte, er konnte sich die vom Leiter verbreiteten Schauermärchen wohl vorstellen, hatte er auch keine Lust, im dortigen Orchester je wieder anzufangen. Erst mal Ruhe, irgendein Wachdienstposten, eine Arbeit, wo man wenig Krips brauchte, wie vor kurzen bei der Stasi, das wäre etwas für ihn. Eine kleine Wohnung, ein Zimmer mit Kühlschrank, Bett, Tisch und Stuhl und Kochplatte und Schrank, das würde ihm reichen. Außerdem konnte er bei der Gelegenheit gleich den Kontakt mit den Erzeugern abbrechen. Eine Woche Galgenfrist. Sich auf die Prüfung vorbereiten ging nicht, sie würden sowieso durchfallen, das bestätigte ihnen auch noch mal die Russischlehrerin, bevor sie sie aufforderte, den Unterricht zu verlassen, sie seien es nicht würdig, an einer Hochschule zu sein. Hauptfachunterricht besuchte Willi noch, möglicherweise brauchte er Hafer noch bei der Arbeitsbeschaffung, Projekt Theater Senfenberg, ansonsten ruhte er sich aus. Die Hausaufgaben in Tonsatz machte er aber schon nicht mehr. Wozu auch, nächsten Freitag würde er schon fort sein. Das Wochenende hatte er ganz für sich und zur Parteiversammlung am Montag entschuldigte er sich: Er müsse Russisch lernen, durch die falsche Info habe er sich natürlich nun nicht vorbereitet, eigentlich unfair, ihn jetzt in die Prüfung zu schicken. Unter den angewiderten Blicken der Apfelstock schrieben sie dann die schriftliche Prüfung. Am nächsten Tag mussten sie zur „Oberrussischlehrerin“, es gab drei Russischlehrer in der Schule und die verkündete, dass sie es geschafft hatten, Note vier. Erstaunlich, da hing sicherlich das MDI drin. Irgendetwas war faul, denn die Apfelstock gratulierte ihnen mit falscher Freundlichkeit zur bestanden Prüfung, verkündete aber nur allgemein, ohne Namen zu nennen, dass noch nichts gekonnt sei, noch drei Prüfungen mussten Ende des zweiten Studienjahres bestanden werden. Die Apfelstock forderte sie auch nie mehr auf, den Unterricht zu verlassen und sie andernfalls auch die anderen nicht weiter unterrichten würde. Sie integrierte sie aber auch nicht. Wehrmann und Hohl saßen hinten und vertrieben sich die Zeit mit „Galgenraten und Schiffe versenken.“ Noch ein Jahr würde er Student sein, eine lange Zeit. Die Sache mit der Parteistrafe hatte sich mit der bestandenen Prüfung auch erledigt. Für die nächsten beiden Wochenenden schickte der Rektor alle Studenten zum Ernteeinsatz außer der Reihe. Das kotzte Willi total an, denn er hatte an allen vier Tagen Veranstaltungen mit dem Bauorchester, wie auch der Combo vom Volkshaus Bonsdorf. Die Arbeitszeit betrug acht Stunden und 45 Minuten exklusiv 45 Minuten Pause. Wehrmann hatte nicht nur auch Veranstaltungen, sondern auch Mut, er kam einfach nicht, er hatte Muggen mit seinem Vater und hätte ein paar 100 Mark eingebüßt, abgesehen vom Spaß, zu musizieren. Willi war feige und würde neben dem Spaß 360 Mark einbüßen. Er kotzte total ab, zumal auch die Zimmergenossen dablieben und sich damit schon der ansonsten ruhige Freitag erledigt hatte. Gegen 04.30 Uhr mussten sie aufstehen und dann ging es eine halbe Stunde in die nassgraue Nacht mit der Straßenbahn zum Bahnhof Schöneweide. Willi beneidete wieder mal den Fahrer um seinen warmen schönen Posten. Mit der S-Bahn und dem Zug ging es dann eine reichliche Stunde nach Werder, wo sie Busse abholten. 07.30 Uhr begann die Arbeit, wieder Äpfel pflücken. Willi sehnte sich nach seinem ruhigen Job bei der Stasi, da war 06.00 Uhr Dienstschluss und so um die Zeit jetzt würde er sich hinhauen. 17.00 Uhr war Arbeitsschluss, gegen 17.30 Uhr ging es mit den Bussen zurück. Kurz vor 21.00 Uhr waren sie im Wohnheim und am nächsten Tag hieß es wieder 04.30 Uhr aufstehen. Alle hatten die Schnauze voll, die vom ersten Studienjahr, die schon 14 Tage Erntelager hinter sich hatten, am meisten. Zum Frust kam noch die Müdigkeit. Die Tatsache, dass niemand die Anwesenheit kontrolliert hatte, half Willi bei seinem Entschluss, am Wochenende drauf das Erntelager zu schwänzen, da half auch der Hinweis von Parteisekretär nichts: „Genossen haben als Vorbild voran zu gehen. “Sollte der doch Äpfel pflücken gehen, da würde er wenigstens mal was "Nützliches" tun. Was tat er denn Sinnvolles. Langweilige Parteiversammlungen leiten und Vorlesungen halten, die niemand interessierten und nur zwangsweise besucht wurden. Ein nutzloses Dasein auf Kosten der Allgemeinheit. Im zweiten Studienjahr war der Tonsatzunterricht jetzt am Freitag, sodass Willi zwangsweise die Parteiversammlungen besuchen musste. Wie ihn das ankotzte. Auch die Zimmerkollegen schwänzten in der zweiten Woche das Erntelager und am Montag tobte der Inspizient herum. Willi hatte sich erkundigt, auch am zweiten Wochenende hatte niemand die Anwesenheit kontrolliert. So pokerten beide hoch und beeideten ihre Teilnahme. Auch Immerleb war nicht gewesen, er war an dem Tag auch nicht im Internat, sodass er seine Behauptung: „Wehrmann und Hohl lügen“, nicht beweisen konnte. Willi zinkte nun Immerleb an, der nachweislich nicht im Wohnheim war, also auch nicht zum Erntelager. „Als künftiger Genosse musst du Vorbild sein“; sagte Willi frech. Den Inspizienten blieb nichts anderes übrig, als Hohl und Wehrmann zu loben. Willi war beide Tage zur Mugge und Wehrmann auch. Sehr unwahrscheinlich, dass ihn jemand zum „Rentnerwochenende“ im weit entfernten Volkshaus Bohnsdorf erlebt hatte. Willi lästerte zynisch: Eigentlich müsste man Parteistrafe beantragen. Immerleb kochte vor Wut und holte seine klassischen Freunde mit ins Boot. Einmal im Jahr hatte jeder Student im Internat Pförtnerdienst. Auch Willi hatte schon mal an einem Wochenende seine acht Stunden von 22.00 Uhr bis 06.00 Uhr abgesessen. Der Pförtner musste die Studentenausweise kontrollieren und die Schlüssel für die Übungsräume verwalten, in der Praxis saß man seine Zeit ab, die Schließanlage der Eingangstür wurde blockiert. Selbst die Heimleitung akzeptierte das. An jenem Abend hatte ein enger Freund von Immerleb, Vogel mit Namen, Dienst. Er entfernte die Türblockade und verlangte, obwohl er Hohl und Wehrmann kannte, deren Studentenausweise zur Kontrolle, anderseits würde er sie nicht reinlassen. Wehrmann trat die Tür zur Pförtnerloge auf, die Vogel verschlossen hatte, die Fassung splitterte und fasste Vogel am Hemd: „Du machst jetzt die Tür auf oder hörst dein eigenes Geschrei." Vogel war in einer bedepperten Lage, gegen den zwei Meter Mann kam er nicht an und der Türöffner war nicht zu erreichen. „Na was,", drohte Wehrmann, „ich kann nicht zur Tür, wenn du nicht loslässt", winselte Vogel. Hohl hatte ein Erbarmen und betätigte mit dem Taschentuch den Summer, Wehrmann stieß Vogel zurück, der mit samt Stuhl umflog. Immerleb stand in der Ecke: „Vogel ist gestürzt beim Betätigen des Summers, " sagte Hohl, dabei ist die Tür kaputt gegangen." „Ihr seid gewaltsam eingedrungen, ich rufe die Polizei, das ist euer Ende", heulte Immerleb. „Die Pförtnertür ist kaputt, nicht der Eingang, Vogel hat uns hereingelassen, keine Fingerabdrücke." Willi zeigte das Taschentuch. „Da wird sich nichts machen lassen Lebilein", lästerte Wehrmann. „Oder willst du auch eine drüber." Immerleb flüchtete fluchend. Am Abend verließen sie noch mal das Internat. Vogel reparierte mit Immerleb die Tür. „Wir haben unsere Studentenausweise nicht mit. Sollen wir die noch holen oder lasst ihr uns so rein?" Wehrmann richtete sich drohend auf. „Kein Problem." Vogel brachte schnell die Tür zwischen sich und Wehrmann. „Viel Spaß bei der Arbeit,

auch dir Lebilein." Hohl und Wehrmann beglückwünschten sich. Ein toller Tag. Ein echtes Erfolgserlebnis für Hohl, nach einer langen Pleitezeit.
Ende November lieferte Willi ein jammervolles Vorspiel ab, aber immer noch besser als das von Immerleb. Der neue in Willis Zimmer, der aus dem ersten Studienjahr, beendete das Studium vorzeitig, es war wohl nichts für ihn, die ganze Woche getrennt von Mamilein. Damit waren sie nur noch zu zweit auf dem Zimmer und der andere fuhr jede freie Minute nach Hause. Willi hatte jetzt sein fest gefügtes Ritual, welches er bis zum Ende des Studiums nicht änderte. Freitag gegen 12.00 Uhr war Schluss, letztes Fach Tonsatz und Gehörbildung. In Tonsatz war Willi sehr gut, in Gehörbildung brachte er kein Bein auf die Erde, einen dreistimmigen Satz nach Gehör aufschreiben, das ging einfach nicht, obwohl er ja jeden Schlager auswendig auf Klavier und Akkordeon nachspielen konnte. Da die anderen MDI-Schüler in Tonsatz vor allem faul waren, erwarb sich Willi die Gnade des Lehrers, denn bei den Hausaufgaben, gab der sich richtig Mühe, etwa bei dem vierstimmigen Setzen eines Liedes mit Klavierbegleitung, natürlich unter strenger Beachtung aller Regeln. Der Lehrer, selbst ein Komponist, wusste das zu schätzen und er duldete, dass Willi in der Gehörbildung in der Nähe des Klaviers saß und so sehen und quasi von den Fingern abschreiben konnte, was der spielte. Die Feinarbeit schrieb er dann komplett von seinem Zimmerkollegen ab, dem Gehörbildung sehr lag. Im Gegenzug machte Willi diesem seine

Tonsatzhausaufgaben, arrangierte das Lied also zweimal, was ihm nichts ausmachte. Im Gegenteil, es war interessant, wenn Lehrer Ihle zwei Fassungen auswertete. Als dann die Abschlussprüfung in Gehörbildung war, sagte dieser zu Willi: „Machen Sie sich keinen Kopf." Er wies ihn mit einer gewissen Feierlichkeit einem Platz mit gutem Blick auf die Klaviertastatur zu und setzte den Zimmerkollegen neben ihn. Die Tonsatzprüfung war für Willi einfach. Jeder Schüler wurde in ein Zimmer gesperrt und hatte vier Stunden Zeit, um ein Volkslied vierstimmig für einen gemischten Chor zu arrangieren, mit zweistimmiger Instrumentalbegleitung, ein Melodieinstrument und ein Harmonieinstrument. Willi wählte Harfe und Oboe. Um sich in der Mitte zu treffen, so formulierte Ihle, bekam er jeweils eine zwei in Tonsatz und Gehörbildung. Ende gut, alles gut.

Nach dem Unterricht am Freitag fuhr Willis Zimmerkollege nach Hause, Willi in das Internat. Auf dem Weg dorthin ging er am letzten Werktag immer einkaufen. Die Kaufhalle platzte aus allen Nähten. Erst musste man sich an der Kasse nach einem leeren Korb anstellen, dann nach dem Einkauf nochmal an der Kasse. Schwer beladen marschierte Willi dann ins Wohnheim, um sich erst mal hinzulegen. Es war herrlich ruhig, niemand war mehr da. Am späten Nachmittag dann machte er Tonsatzhausaufgaben, er brauchte dazu ein Klavier, aber am Wochenende waren immer Übungsräume frei. Am Abend fuhr er in die Stadt rein, um in irgendein Theater zu gehen, bevorzugt ins

Musiktheater, 1 Mark kostete die Karte und Willi setzte sich dann hin, wo frei war. Irgendein top Platz war immer verkauft und vom Käufer dann nicht in Anspruch genommen, sodass Willi auch immer auf guten Plätzen die Vorstellung verfolgen konnte. Auf die Art und Weise sah er in der Zeit des Studiums das ganze Weltrepertoire der Oper, Mozart, Wagner, Zeitgenössisches, aber auch Operette, Musical und Schauspiel. Nach der Vorstellung und einem üppigen Abendbrot im totenstillen Wohnheim, die lästige Orgelmusik, die auf der A-Seite so gestört hatte, war auf der B-Seite nicht zu hören, legte er sich hin, um am Samstag auszuschlafen. Noch vor dem Frühstück übte er eine Stunde, um es wegzuhaben, dann wieder eine Stunde, dann nach dem Mittagessen haute er sich wieder hin, um dann den Abend mit Klavierüben zu verbringen, im dritten Studienjahr, als dann Klavier abgeschlossen war, ging er ein zweites Mal ins Theater. Er schlief in dem Bewusstsein ein, noch einen ganzen Tag, den Sonntag, für sich zu haben, den verbrachte er dann wie den vorherigen. Am Sonntag gegen 21.30 Uhr kam dann der Zimmerkollege, Wehrmann nicht mehr, der hatte eine Freundin kennen gelernt, eine Abiturientin, mit der er jede Minute verbrachte. Die gemütlichen Abende mit Pfeife und Bier gehörten der Vergangenheit an. Wehrmann kam direkt Montag früh in die Hochschule. Die Wochenenden gestalteten sich natürlich anders, wenn etwa das Bauorchester eine Veranstaltung hatte und das war im Sommer nicht selten. Dennoch waren die Wochenenden die absoluten Höhepunkte. Wenn erst mal am Donnerstagabend die Probe des Bauorchesters vorbei war, dann: Geschafft, wieder eine Woche herum, wobei Willi nicht so recht wusste, warum er sich über die schnell vergehende Zeit freute. Immerhin standen Juni 85 noch drei Russischprüfungen bevor. Alles in allem war das zweite Studienjahr nicht ungemütlich. Wehrmann war ja jetzt mit einer liiert, er war so heiß verliebt, dass er sogar Prüfungen vorzeitig verließ, um eine Stunde länger mit seinem Häschen zusammen zu sein. So verließ der die Tonsatzprüfung zeitiger als notwendig, um einen Bus früher fahren zu können, auch wenn er die Zeit eigentlich noch für die Arbeit gebraucht hätte. Aber was soll es, ob eine zwei oder eine vier, Hauptsache ein Abschluss. Einer des Bauorchesters hatte zu seinem 30. Geburtstag die ganze Kapelle mit eingeladen, einige besonders enge Kumpels, so auch Willi, mit Übernachtung. Er hatte noch eine 18-jährige Schwester, die noch zur Schule ging, zwölfte Klasse also, wie das Häschen von Wehrmann. Willi gefiel die ausgesprochen gut und sie redete sogar mit ihm. Willi war vorsichtig und zurückhaltend, er wollte sich nicht wieder unter Druck setzen. Dann machte einer, er wurde „der Mann mit dem Fliegenkreuz“ genannt, ihr massiv den Hof. Und die Fliege hatte sogar Erfolg und zog mit ihr ab, wenigstens zunächst, ein Jahr später hatte die dann einen anderen, den sie auch heiratete, also auf lange Sicht hatte Willi es richtig gemacht. Damals ärgerte er sich allerdings schwarz, als ihr Bruder nach der Feier zu ihm sagte: „Hättest du ein paar Anstalten gemacht, wärst du jetzt an der Stelle der Fliege.“ Dumm gelaufen, also musste

Willi es aushalten, dass die Fliege jetzt zu jedem Auftritt mit Freundin vor ihm herum flirtete, Willi kotzte das an und es verleitete ihm auch ein bisschen den Spaß beim Musizieren. Er hoffte immer, dass die Freundin der Fliege verhindert ist und nicht mitkommt und ihm so das Zuschauen erspart wird, aber sie war immer mit da. Zufällig trieb sich Willi immer in der Nähe des Pärchens herum, fast zwanghaft, er hatte das Gefühl, dass das Sehen des Unangenehmen ihn magisch anzog. Der Bruder der angebeteten merkte das natürlich und mahnte Willi: „Keine Chance, zu spät." Die Trennung des Paares erfolgte dann in den Sommerferien und als die herum waren, hatte sie schon einen anderen, einen Regieassistenten vom Theater, da konnte Willi nicht mithalten. Wenigstens spielte der nicht im Bauorchester mit, sodass Willi nicht ständig das Liebesglück des anderen vor Augen hatte.
Willi ärgerte sich, die Fliege, auch ein Militärmusiker, war fachlich auch schlecht, dazu noch unpünktlich und unzuverlässig. Möglicherweise, wenn Willi seine Chance genutzt hätte, wäre sie gar nicht auf die Idee gekommen, die Fliege zu nehmen. So aber hatte sich Willi durch falsche Schüchternheit etwas versaut oder aber eine weitere negative Erfahrung verhindert, so konnte man es auch betrachten und so betrachtete er es auch.
Eine weitere, wenn auch nur minimale Pleite erlebte Willi zum Jahreswechsel 84/85. Willi sollte mit der FDJ-Leitung der Hochschule mit nach Steinheid im Thüringer Wald fahren. Sie brauchten für eine aus

der Leitung zusammengestellte Kapelle, die Silvester spielen sollte, noch einen Mann, ein Harmonieinstrument, Akkordeon also und jemanden, der als Alleinunterhalter noch ein bisschen Stimmung machte. Die Gage, vier Gratisübernachtungen in der Hauptsaison, Wintersport, in der Kammlage des Thüringer Waldes. Quartiere waren eigentlich zu der Zeit nicht zu bekommen. Nun gehörte Willi nicht mehr zur FDJ-Leitung, ein Glück auch, Sekretär war jetzt Immerleb, der auch mitfuhr. Willi war nicht scharf auf Wintersport, aber die Veranstaltung wollte er schon gerne spielen, aufs Musikmachen zum Jahreswechsel war nicht schlecht. Immerleb, wie gesagt, fuhr auch mit und mit dem wollte Willi eigentlich lieber nichts zu tun haben. Willi gab an, am 29.12. eine andere Veranstaltung zu haben, als Vorwand, um erst am 30.12. anzureisen. So schenkte er sich einen ganzen Tag. Anreisen am 31., wäre im Hinblick auf die Veranstaltung zeitlich nicht machbar gewesen, leider. Abreisen konnte er auch nicht gleich am ersten Januar, da war keine Zugverbindung. Also stellte Willi mit Hilfe des Kursbuches eine Route zusammen. Früh am Morgen ging es mit dem Zug nach Gera. Willi musste das schwere Akkordeon zusätzlich zur Reisetasche mitschleppen. In Gera war jetzt ein längerer Aufenthalt. Willi begab sich in die überfüllte Mitropagaststätte um etwas zu Essen, er fand auch einen kleinen Einmanntisch und nahm Platz. Eine fette, schwammige, schlecht gelaunte Kellnerin, mit Riesenausschnitt und strähnigen Haaren, nahm missmutig seine Bestellung entgegen. Als Willi das nicht abgetrocknete Besteck reklamierte sagte die: „Mach nur nicht so einen Ruß“ und wischte Messer und Gabel an ihrer schmierigen Schürze ab. Tja, Personal und Gastronomie waren knapp in der DDR. Das Trinkgeld von 20 Pfennig, Willi hatte die Rechnung aufgerundet, war der Fetten wohl zu wenig, denn sie gab Willi, der schon gehen wollte, nachträglich die 20 Pfennig raus: „Dass du nicht verhungerst, Kleiner.“ Warum sollte Willi der schmierigen Alten, die er nie wiedersehen würde, mehr Geld schenken, wenn die nicht wollte, bitte sehr. Wer schenkte denn ihm was. Dann ging es mit dem Zug nach Saalfeld. Es saßen ein paar Arbeiter mit im Waggon, die sich über ihre Tätigkeit unterhielten, in irgendeiner Fabrik, über Schichtarbeit, Haus und Frau und Kind. Bei denen herrschte Ordnung. In Saalfeld hatte er Glück, er kam mit dem einzigen Bus, der ihm den Anschluss zum Zielort möglich machte, mit. Der Bus war überfüllt und Willi hing zwischen Tür und Akkordeon, unfähig auch nur den Kopf zu drehen. Was hätte er gemacht, wenn er wie viele andere nicht mitgekommen wäre. Hotels waren nicht zu bekommen, Telefonnummern hatte er keine, er wäre aus diesem Nest nicht mehr weggekommen. Er hätte zurückfahren müssen. Der nächste Umstieg war auf einem großen freien Platz. Willi fror entsetzlich, als er aus dem überfüllten Bus schwitzend ausstieg. Zum Glück gab es ein kleines Wartehäuschen mit geheiztem Kachelofen, zwar ohne Sitzmöglichkeit, aber man war im Warmen. Aber Punkt 18.00 Uhr hatte der Platzwächter Feierabend, jagte sie auf den kalten Platz und verschloss das Häuschen. Noch eine Stunde Wartezeit. Es war dunkel und der Wind pfiff. Die Wartenden, wohl alles Urlauber, standen unter den dürren Bäumen, dort vergeblich etwas Schutz suchend und vertraten sich hin und herlaufend die Beine. Langsam kroch die Kälte die Beine hoch und erfasste den ganzen, nun zitternden Körper. Willi war nicht auf längere Wartezeiten im freien eingestellt und entsprechend leicht begleitet. Ein Ort mit Gaststätte war nicht in der Nähe und auch die würde entweder überfüllt oder zu sein, geschlossene Gesellschaft oder sowas. Was tun, wenn der Bus nicht kommen würde? Sollten sie dann ein Wohnhaus gewaltsam stürmen, um nicht zu erfrieren? Immerhin, es ist alles vergänglich, selbst lebenslänglich, die Stunde verging. Keine Sekunde vor der Zeit kamen fünf Busse, die die Reisenden in die entsprechende Richtung bringen würden. Die Busfahrer nahmen feixend die Reisenden auf, ganz vergnügt zuschauend, wie die mit klammen Händen das Fahrgeld zusammenkratzten. Willi wurde scharf angeschnauzt: „Gefälligst das nächste Mal mit kleinem Geld bezahlen. Er, der Busfahrer, sei nicht verpflichtet, einen 50 Mark Schein zu wechseln. Das nächste Mal würde er Willi stehen lassen.“ Die Busfahrer mussten in der Nähe gewartet haben bis die Zeit ran ist, schwer zu glauben, dass fünf Busse zufällig zur gleichen Zeit ankommen. Normalerweise müsste man den Busfahrer eines in die Fresse geben. Den Fahrer mit dem Messer an der Kehle zwingen, ihn unentgeltlich mitzunehmen. Die Anklage hinterher, wegen Mordversuch, wäre ein akzeptabler Gegenwert für die Todesangst des Fahrers, an der man sich genussvoll hätte weiden konnte. Oder drei Mann, Maske drüber und den Fahrer zwingen, eine Stunde in der Kälte zu stehen, um dann unerkannt abzuhauen. Das Schwein sollte auch mal frieren. Egal, Träume sind Schäume, vor allem wenn sie so süß sind. Willi nahm die Drohung des Busfahrers demütig an und nach wenigen Minuten war er am Ziel. Er stand auf dem romantisch verschneiten Markt einer fremden Stadt und schaute sich um. In der Schule war Quartier geplant. Er fand die auch schnell, alles war dunkel, das Haus verschlossen. Was nun. Ein furchtbarer Gedanke kam Willi. Hatten die ihn etwa verarscht, Immerleb und seine roten Kumpanen? Irgendetwas musste er tun, die Kälte machte ihm schon wieder zu schaffen. Ein Haus war hell beleuchtet, Willi trat ein. Ein Ferienheim, wie er lesen konnte. An der Rezeption war niemand, Willi betrat den Speisesaal. Hier saßen die Urlauber beim Abendbrot, was Willi daran erinnerte, dass er seit heute Morgen nichts gegessen hatte. Ein Kellner machte einen anderen auf Willi aufmerksam. Der passte, in voller Montur, mit Reisetasche und Akkordeonkoffer nicht hier rein. „Was wollen Sie, hier können Sie nicht bleiben.“ Der Kellner machte Anstalten, den abgestellten Akkordeonkoffer aufzunehmen. Sein Kollege stand abwartend bereit. Willi sagte, dass er zu einer Musikgruppe gehöre, mit Quartier in der Schule, dort sei alles zu und vielleicht wüssten die Herren was. Die wurden pampig, erklärten Willi nochmals, dass er hier nicht bleiben könne und sie hätten auch jeden Tag Musik. Grußlos verließ Willi die Gaststube, fragte nach anderen Lokalitäten, vielleicht waren die Musiker dort speisen. Die Kellner verwiesen auf zwei öffentliche Gaststätten dem Markt gegenüber. Willi stand wieder auf dem zugigen Markt. Die erste Gaststätte war überfüllt und hier wusste auch niemand was. Aber in der zweiten hatte er Glück, da saßen die „Freien deutschen Jugendlichen." Willi war froh, dass die ihn nicht verarscht hatten und nun alles seinen Gang gehen würde. Warum hatten die keinen Zettel an die Schultür geklemmt? Die wussten doch, wann er kommen würde. Ein Platz war noch frei. Willi saß mit Immerleb und einem anderen hohen Tier von der FDJ sowie zwei Mädchen an einem Tisch. Die entpuppten sich als Abiturientinnen, die eine stammte von hier, die andere war die über die Feiertage eingeladene Freundin. Immerleb führte das große Wort, erzählte mit unüberbietbarem Selbstbewusstsein von seiner tollen hinter und vor ihm liegenden Musikerkarriere. Natürlich verschwieg er, dass er von der MDI-Abteilung kommt und im zivilen, klassischen Bereich bereits geflogen war. Der Eindruck, den Immerleb bei den Mädels machte, musste der „Allerschlechteste" sein, fand Willi, so großkotzig wie der sich gab. Eine Fehleinschätzung, wie Willi noch mitbekommen sollte, der Eindruck, den er hinterließ, war der „Allerbeste." Willi beteiligte sich mit belanglosen Bemerkungen am Gespräch. Zu essen gab es nichts mehr, die Kneipe hatte schon Küchenschluss. Also begab er sich mit hungrigem Magen ins Quartier. Sie übernachteten alle zusammen in einem Klassenzimmer auf Luftmatratzen. Da Willi keine besaß, nutzte er die eines anderen, der zwei mithatte. Einen Schlafsack hatte er selbst mit. Er pumpte die Matratze auf. Willi war hungrig und müde, ersteres war nicht zu ändern, die anderen aber waren schon den zweiten Tag da und hatten heute ausgeschlafen, die Weiber waren auch noch da und so wurde es 3 Uhr, als endlich Ruhe einkehrte. Gegen zehn wachten dann alle auf. Die sanitären Anlagen waren bescheiden, typisch Schulklo, und nur kaltes Wasser zum Waschen. Die weiblichen FDJ ler hatten Frühstück gemacht, Brötchen mit Marmelade und Honig. Und Kaffee. Endlich essen. Dann beschloss man, eine Skitour zu unternehmen. Schwer, mittelschwer oder leicht. Willi wählte leicht. Am liebsten ganz leicht, noch lieber wäre er dageblieben, aber er konnte sich nicht absondern. Ski standen in der Schule zur Verfügung. Ausrüstung, brauchte man nicht, hatten auch niemand, einfach die Ski an die Straßenschuhe geschnallt und los ging es. Willi war seit der Kindheit nicht mehr gefahren. Ihm graute es vor dem Ausflug und auch vor der auf ihn zukommenden Kälte. Dennoch ging das Skilaufen besser als gedacht, war eben doch nicht so schwer. Sie waren vier Mann in der Gruppe und liefen weit auseinander, sie hatten einen Rundweg von vier Stunden gewählt und der war gut ausgeschildert. Die Piste war voll mit Skiläufern und Wanderfreunden. Aber die Wege waren breit, es war genug Platz. Die Tour war nicht zu anstrengend, kam man an steile Steigungen, schnallte man die Ski ab und bewältigte diese zu Fuß. Das machten viele so. Möglichkeiten zum Rasten gab es selten und die waren überfüllt.Als Willi nach einer bewältigten Steigung die Ski wieder anschnallen wollte, merkte er, eine Bindung war weg. Willi geriet ins Schwitzen, er lief zurück, fand sie aber nicht. Was nun. Wie peinlich. Er konnte den Rundweg doch nicht zu Fuß ablaufen, mit den Skiern auf den Schultern. Die Tour hatte gerade die Straße gestreift, die er gestern mit dem Bus entlanggefahren war, ein Wegweiser zeigte eine Entfernung zum Quartierhort von zehn Kilometern an. Willi blieb nichts weiter übrig als die Ski zu schultern, um auf der schneefreien Straße zurückzulaufen. Hoffentlich sah ihn niemand. Fast drei Stunden marschierte er, ab und zu fuhr auch mal ein ihn überholendes Auto und ein Witzbold machte lustige Bemerkungen über Willi. Endlich da, schlich er sich von hinten in die Schule, klaute die Bindung von einem anderen Ski und begab sich in die Gaststätte von gestern. Die andern waren schon da, Willi erklärte beiläufig, dass er wohl eine andere Tour erwischt hatte, wohl an einer Kreuzung falsch abgebogen war oder so, jedenfalls ging niemand näher darauf ein, es war in Ordnung. Willi war hungrig und durstig. Mittagstisch war aber vorbei, die Küche bereitete schon alles für die Abendparty vor und eine Zwischenkarte gab es nicht. Immerhin bekam er was zu trinken, ansonsten hieß es wieder hungern. Gegen Abend wurden sie mit privaten Autos in den Nachbarort gefahren, wo sie spielen sollten. Hoffentlich würde es bald was zu essen geben. Die Gaststube war kahl, nicht ein bisschen geschmückt, keine Girlanden, keine Papierschlange nichts. Der einzigen Kellnerin sah man an, wie es sie ankotzte, Silvester Dienst tun zu müssen. Es gab zum Glück vor der Veranstaltung Essen, Roulade mit Rotkraut und Kartoffeln, kleine Portion, aber in Ordnung. Der Koch wollte auch nach Hause. Die schlechtgelaunte Kellnerin übernahm jetzt die Getränkeversorgung der Gäste und sie spielten. Die Qualität der Musikdarbietungen war bescheiden, immerhin darin waren die FDJler konsequent, sie spielten ausschließlich Druckarrangements aus der DDR. Die beliebten Westschlager und Stimmungslieder zum Mitgrölen wie „Bier auf Hawaii“ und „Trink, trink Brüderlein trink“ spielte Willi auf einem verstimmten Klavier, wenn die Kapelle pausierte und das war oft, denn das Repertoire arg schmal. Immerhin schmiss Willi den Laden, was ihn stolz machte. Die Zeit verging wie im Flug, immerhin, er musizierte gern und das Repertoire an Stimmungsliedern, welches er auswendig beherrschte, war riesig. Gegen 00.30 Uhr fing die Kellnerin mit ihrer ningligen nervenden Stimme an, zu drängeln. Sie sollten Schluss machen, sie müsse noch aufräumen, sie sei allein und wollte auch mal nach Hause. Doch jetzt waren die Gäste besoffen und wurden aufmüpfig. Sie fragten die Kellnerin nach der Farbe ihrer Unterwäsche und was sie wegräumen wolle, geschmückt ist nicht, Essen war, außer am Anfang, auch nicht. Die Kellnerin ließ sich nicht beirren und begann stur abzukassieren, natürlich getraute sich niemand, gar kein Trinkgeld zu geben, aber der Alten war es zu wenig und sie jammerte rum. „Fünf Mark mehr müssen Sie schon geben.“ Willi musste nur das Essen bezahlen, beim

Trinken hatte er sich auf die Freirunden für die Musiker beschränkt. Er rundete ganz knapp auf und die Alte jammerte wieder. „Herr Klaf, das geht doch nicht“, wandte sie sich an den, der so ein bisschen als Kapellenleiter fungierte, sprich, dem die Noten gehörten und der die Titel raussuchte. Der kassierte sicherlich auch Gage an dem Abend. Willi lernte ihn später als wahres Schlitzohr kennen, raffiniert und ausgekocht, nun warum nicht, nur keinen Neid. Willi sah gar nicht ein, sein Geld zu verschenken. Er bekam schließlich auch kein Trinkgeld für sein "Non Stop"-Spiel. Er bekam nicht mal Honorar, auch kein Fahrgeld. Sein einziger Gewinn war eine zweimalige kostenlose Übernachtung in einem Klassenzimmer und das Gratisnutzen der Ski. Auch an den Unkosten fürs Frühstück wurde er anteilmäßig beteiligt. Im Fall der Kellnerin blieb Willi stur, sie bekam die geforderten 5 Mark nicht. Er war schließlich auch kein Gast, sondern im gewissen Sinne auch Personal. Schlimm genug, dass er für das Fressen den Gaststättenpreis bezahlen musste, er war Mitwirkender und kein Gast, normalerweise gab es da Personalessen. Immerleb allerdings kritisierte Willi und bezeichnete ihn als geizig. Aber Willi hörte gar nicht hin. Die Nacht und den nächsten Tag würde er noch überleben und dann ging es zurück. Allerdings hatte sich niemand gefunden, der die Kapelle nachts zurückfuhr. Klaf würde am nächsten Tag, wenn er ausgenüchtert hatte, die Instrumente mit dem Auto holen und für die Musiker wurde der einstündige Marsch ins Quartier als Nachtwanderung in winterlicher Natur deklariert.

Das mochte für die anderen ganz reizvoll sein, aber Willi hatte die dreifache Zeit von denen gespielt, er war einfach nur müde und wieder mal hungrig. Aber er musste gute Miene zum bösen Spiel machen und wie die anderen die herrliche unberührte Natur loben. Im Quartier ging es dann weiter hoch her, man hatte noch mehr Weiber besorgt und auch die vom ersten Tag waren wieder da. Willi saß mit rum, hätte sich lieber ins Bett gelegt, musste aber auch über die faden Witze der immer mehr Besoffenen ab und zu künstlich lachen und eine Miene aufsetzen, die zeigte, dass er alles toll fand. Immerhin, einer hatte auch Erfolg und zog mit einem der Weibsbilder ab, zu der nach Hause. Endlich war Ruhe. Man schlief bis spät in den Tag, dann wieder endlich gab es etwas zu essen. Die danach geplante zweite Skitour machte Willi nicht mit, er gab vor, sich den Fuß verknackst zu haben. Einer der Weiber der FDJ-Leitung fuhr auch nicht mit, die war einfach zu fett für Wintersport. Die blieb auch im Quartier mit der Ausrede, fürs Diplom lernen zu müssen. Willi übte unlustig Klarinette, in der Kapelle hatte er auch paar Titel Klarinette gespielt, sie deshalb mit. Üben kam immer an in diesen Kreisen. Immerleb hatte auch seine Trompete mit und übte mehrere Male am Tag, die Ohren der anderen strapazierend. Am Abend dann fanden sie keinen Platz in einer Gaststätte, sie machten Wiener warm und soffen im Klassenzimmer. Dann endlich war die Nacht vorbei. Nur weg hier und zwar so schnell wie möglich. Immerleb, die Freundin der Einheimischen und Willi mussten mit dem gleichen Bus fahren und reisten zusammen. Der Bus war übervoll, gut, musste Willi sich nicht mit Immerleb abgeben, der pausenlos mit dem Weibsbild poussierte. Im Zug dann saß Willi für sich und die Alte neben Immerleb. Als Immerleb ausstieg, er verabschiedete sich mit Kuss von dem Girl, musste Willi sich zu ihr setzen, leider, aus Anstand. Immerhin kam eine ganz angenehme Unterhaltung zusammen, erstaunlicherweise und Willi fand sie eigentlich ganz sympathisch. Aber Immerleb, der Frauentyp, hatte das Rennen gemacht. Großkotzigkeit und Arroganz, das betörte die Weiber. Als der Zug in den Bahnhof einfuhr, bat sie um seine Adresse. Sie könnten ja im Kontakt bleiben und sich später mal wiedersehen, vielleicht würde sie auch in Berlin studieren, sie wollte Theaterwissenschaften studieren. Willi war baff. Hatte er sich getäuscht und Großkotzigkeit kam doch nicht an? Anderseits was wollte er, ohne Auto, bei seinen Perspektiven mit einer aus Thüringen. Nun ja, er nahm halt ihre Adresse. Da die Züge pünktlich waren, konnte Willi noch am gleichen Tag nach Berlin weiterreisen. Er hatte jetzt noch freie Tage, bevor der Studienbetrieb wiederbeginnen würde. Bereits am nächsten Tag schrieb er einen Brief, an das Weibsbild, welches er neu kennengelernt hatte. Nicht zu aufdringlich, im leichten Plauderton. Warum nicht, er war sicher, dass die nicht antworten würde und so war es dann auch. Wochen später war Willi im Zimmer gegenüber, um sich von Wehrmanns Regal ein Lexikon für Musikgeschichte zu borgen. Immerleb selbst war gerade in den Keller üben gegangen. Auf dem Tisch direkt vor Willis Nase lag ein Brief,

daneben der Umschlag, dessen Absender ihn neugierig machte. Sie hatte geschrieben, aber nicht an ihn sondern an Immerleb. Der Brief lag vor Willis Nase, er musste ihn nicht mal anfassen. Dann las er. „Da kommt Post von einer Menge von unbedeutenden Leuten, nur ein Immerleb schreibt nicht. Selbst dieser Hohl hat schon geschrieben. Wo hat der nur meine Adresse her. Du kannst unbesorgt sein, dem werde ich bestimmt nicht antworten, was bildet der sich eigentlich ein, mir zu schreiben. Der und auch all die anderen bedeuten mir gar nichts… "So ging es weiter, ein waschechter Liebesbrief. Nun ja, die Adresse hatte die Alte ihm selbst gegeben, wohl schon vergessen im Liebeswahn. Immerleb hatte es nicht nötig zu schreiben, ihm schrieben die Weiber von selbst und dabei er hatte in Berlin eine. Und überhaupt, eine Unverschämtheit, sie hatte ihm die Adresse gegeben, von selbst, er hatte sie nicht mal danach gefragt.
Bescheiden verlief auch ein Vorspiel der MDI-Studenten vor Eltern und vor Orchesterleitern, der zehn Polizeiorchester, die es in der DDR gab. Willi hatte seine Erzeuger natürlich nicht eingeladen und da er volljährig war, konnte ihn auch niemand dazu zwingen. Das fehlte noch, dass die Erzeuger von seiner unrühmlichen Rolle an der Hochschule erfuhren. Da der andere Student, der noch für das Orchester K.-M.-St. vorgesehen war, erkrankt war, reiste der Orchesterchef von dort gar nicht erst an. Wegen Hohl, der Russisch sowieso nicht schaffen würde, lohnte die lange Fahrt nicht. Willi spielte seine Sonate mit geringer Qualität, Immerleb war

zwar noch schlechter, aber das hinderte ihn nicht, Willis seiner Meinung nach unpassende Stückauswahl zu kritisieren. Der konnte ihn mal, was ging den das an. Wehrmann brillierte und war der viel gelobte Höhepunkt des Konzertes. Aber, schmissen sie Willi wegen Russisch, musste der auch gehen, oder nicht? Beide glänzten sie mit Fünfen ohne Ende und in jeder Stunde sehnte die Russischlehrerin den Zeitpunkt ihrer Exmatrikulation herbei. Ein Wunder, dass sie nicht zu einer der anderen Russischlehrer gesteckt wurden, denn der Hass der Apfelstrauch auf Wehrmann und Hohl war offensichtlich, auch wenn sie, warum auch immer, nicht mehr aus der Stunde geschmissen wurden. Aber das wäre auch nicht erstrebenswert, im Moment konnten sie die schlechte Leistung auch auf Spannungen mit der Dozentin schieben, bei einem Lehrerwechsel wäre das nicht mehr möglich.
Nicht nur Russisch wurde Ende des Studienjahres abgeschlossen, auch andere Fächer wurden geprüft, so Psychologie. Sie mussten ein Zitat erörtern, eigentlich etwas, was Willi lag. Dennoch schrieb er die schlechteste Arbeit des ganzen Studienjahres, aber er bekam noch eine vier, mit viel Augen zudrücken, wie der Dozent sagte, aber bestanden ist bestanden, erledigt. Willi hatte das Gefühl, dass hier eine Verwechslung vorliegen müsse, denn er war an Psychologie so interessiert wie an Tonsatz. Er selbst fand seine Arbeit auch sehr gelungen. Der Psychologielehrer war jung, verliebt, mit einer Studentin liiert, da konnte eine Verwechslung schon mal passieren, aber bestanden ist bestanden,

wie gesagt und er hatte andere Sorgen, zum Beispiel auch Instrumentenkunde. Der Prof. dieses, eigentlich reinen Lernfaches, das sollte eigentlich kein Problem sein, war sehr eigen. Vielleicht hasste er MDI-Studenten, war also Patriot, der auf die Art die Kommunisten bekämpfte, jedenfalls waren Wehrmann und Hohl durchgefallen, sie fielen auch bei der Nachprüfung durch. Jetzt war guter Rat gefragt, sie konnten beide nicht so schlecht sein. Die zweite Nachprüfung mussten sie bei dem Prof. zu Hause schreiben. Der korrigierte, steckte die beiden Arbeiten in einen großen Umschlag, klebte den sorgfältig zu, grinste hämisch und forderte sie auf, diesen Umschlag unverzüglich im Direktorat für Studienangelegenheiten abzugeben. „Ich sage nicht auf Wiedersehen meine Herren!“ Was meinte der Kerl damit, hatten sie es geschafft oder würden sie nach nicht bestandener zweiter Nachprüfung fliegen und ihn an der Hochschule nie wiedersehen. Und dann das hämische Grinsen. Hier war dringender Handlungsbedarf und sie mussten schnell handeln, denn die Uhrzeit der Übergabe stand auf den Umschlag und sie hatten die Auflage, ihn unverzüglich abzugeben. „Ich weiß, wie lange sie brauchen“, hatte der Prof. noch gesagt, um eventuellen Umwegen vorzubeugen. Zwei Stunden war der direkte Weg mit S und U-Bahn in die Hochschule, aber Hafer wohnte auf dem Weg. Er war da und ließ sie auch rein. Willi erläuterte kurz das Problem und Hafer hatte sogar Verständnis. Hafer war zwar auch kein Freund der Kommunisten, da war er schon zu oft im kapitalistischen Ausland gewesen, aber er war erst recht kein Freund des sozialistischen Bildungssystems und er hatte Verständnis, wenn sich Leute wie Wehrmann der Polizei bedienten, um Musiker zu werden, ansonsten hatten sie ja keine Möglichkeit. Sie dämpften den Briefumschlag auf und sahen das Dilemma, durchgefallen. Sie hatten jetzt nichts zu verlieren. Mit diesem Ergebnis würden sie fliegen, sie musste was unternehmen, würde man sie erwischen, die Folgen wären die Gleichen. Wenn zum Beispiel der Tonumfang der Tuba abgefragt wurde, waren Antworten a la Lehrbuch verlangt. Dass Wehrmann als Spitzenmusiker mehr Töne herausbekam, war von der Sache zwar richtig, aber nicht im Rahmen der Bewertung. Hier war Spielraum, der konnte jeden durchfallen lassen, wenn er nur wollte. Hier war nichts zu machen. Dennoch mussten sie etwas tun. Sie änderten falsch bewertete Antworten, korrigierten, sodass nichts geändert, sondern nur dazu geschrieben werden musste. Dann verschlossen sie den Umschlag und baten Hafer, ihn mit dem Auto in die Hochschule zu fahren, was der auch tat. Sie kamen also pünktlich an, von der Zeit her waren sie abgesichert. Nie wäre es möglich gewesen, bei Nutzung der öffentlichen Verkehrsmittel, noch Zeit zu finden, die Fälschungen mit der notwendigen Sorgfalt vorzunehmen. Kopierer gab es in der DDR nicht, schwer denkbar, dass der Prof. eine Kopie von den Arbeiten gemacht hatte. Wenn der natürlich die Arbeiten fotografiert hatte, waren sie die Dummen. Sie gaben beim Verantwortlichen die Umschläge ab. Der öffnete sie gleich, denn er hatte Verständnis, die Studenten wollten wissen, ob ihr Studium mit dem heutigen Tag beendet war oder nicht. Es war beendet, vorerst. Wehrmann und Hohl griffen Entsetzen vorspielend, nach den Arbeiten. Zunächst quasi als erstes Scheingefecht, regten sie sich über die Bewertung des Tonumfanges der Tuba auf. Der zum Zeitpunkt der Nachprüfung, Anfang 3. Studienjahr, neue 3. MDI-Chef, ein fähiger Mann, wurde geholt. Der war entsetzt, zwei seiner Studenten sollten fliegen, wegen so einem unwichtigen Fach, das wäre auch für ihn nicht gut. Jetzt entdeckte Willi die anderen Fehler des Prof. Der MDI-Chef begab sich zum Rektor, dann wurde der Prof. angerufen, er hatte ein Telefon, war auch erreichbar, zeitlich in der Lage, mit dem Auto in einer knappen Stunde in der Hochschule zu sein. Er tobte und sprach von Betrug. Willi erläuterte die Zeitschiene. Wann bitte sollten sie den Brief und vor allem wie, aufgemacht haben. Der MDI-Chef stand auf ihrer Seite, erstaunlicherweise. Wehrmann und Hohl mussten eine eidesstattliche Erklärung abgeben, dass sie keine Öffnung des Briefes vorgenommen hatten. „Ich weiß, dass Sie Betrüger sind, aber ich kann Ihnen nichts nachweisen“, sagte der Prof. zu ihnen, als sie im Gang allein waren. „Ich werde nachdenken und wenn ich Sie überführen kann, ich sorge dafür, dass Sie nicht nur von der Schule fliegen, sondern auch eine Strafanzeige wegen Urkundenfälschung bekommen, das dürfte eine eventuelle Wiederaufnahme Ihres Studiums verhindern.“ Obwohl der neue MDI-Chef gesagt hatte: „Die Sache ist erledigt, machen Sie sich keine Sorgen“, jetzt war ihnen schon komisch zumute. Aber die Wochen und Monate vergingen und nichts passierte. Sie hatten gesiegt. Aber hieß es nicht: „Man muss betrügen, um ein ehrlicher Mann zu sein“ und: „Der ehrliche ist der Dumme.“ Jedenfalls waren sie diesmal die „Schlauen.“ In dem Fach Musikästhetik musste eine Abhandlung als Abschluss geschrieben werden, mit viel auswendig lernen. Der Dozent war ein Gast, an einer anderen Uni beschäftigt, ihn interessierte es nicht, ob die Zahl der anwesenden und eingetragenen Studenten übereinstimmte. Hauptsache war, dass er seine Moneten bekam. Nur einmal, als zehn Studenten anwesend waren und 90 eingeschrieben, flippte er aus. Die Abschlussarbeit schrieben so ziemlich alle vor, um sie dann auszutauschen und abzugeben. Dem Dozenten war das egal, er saß vorn und las ein Buch, sammelte nach einer Stunde ein und gab sehr gute und gute Bewertungen. Ein fähiger Lehrer, der seine Studenten zu solchen Leistungen animierte. Da sollte eine Vertragsverlängerung kein Thema sein. Eigentlich bestand das ganze Studienjahr aus Betrügern, denen der Abschluss irrtümlicherweise zuerkannt wurde. Noch dünner war die Grenze, die zwischen Karriere und Absturz trennte, bei zwei weiteren Studenten der MDI-Abteilung. Die klauten regelmäßig Lebensmittel im Laden. Zufällig merkten sie, dass eine Person sie bei der Entnahme von Schokoriegeln gesehen hatte. Sie ließen sie heimlich wieder im Regal verschwinden und die gerufene Polizei fand nichts, obwohl der Beobachter schwor, sie beim Klauen gesehen zu haben.

Eines Tages kamen drei der MDI-Studenten, auch

Wehrmann, mit drei Frauen auf die Bude. Die hatten sie in der Straßenbahn einfach angequatscht. Es waren Ökonomiestudentinnen und man beschloss, mal was zusammen zu unternehmen, sich mal zu treffen, was trinken, zu quatschen. Auch Willi war einmal mit dabei. Die Mädels waren nett, alle beeilten sich aber ab und zu mit einzuflechten, dass sie zu Hause, sie stammten aus Cottbus, Freunde hatten. Was wollten die dann eigentlich hier. Sie machten zu fortgeschrittener Stunde „Flaschendrehen." Die Kerle mussten Kleidungsstücke abgeben, während die Damen immer nur einen Knopf öffneten. Willi hatte Glück und die Flasche zeigte kein einziges Mal auf ihn, aber zwei der drei Kerle saßen bald in Unterwäsche da. Zu einer „Orgie" kam es aber nicht, als die erste Dame was hätte präsentieren müssen, wurde die Sache abgebrochen. Die Kontakte schliefen dann auch schnell ein. Wehrmann hatte eine Freundin und die anderen beiden wollten mehr und das ging nun mal nicht mit den Weibern, die alle drei feste Freunde zu Hause hatten. So was blödes, eine total sinnlose Aktion.
Ansonsten verlief das Studienjahr musikalisch bescheiden, Willi glänzte mit schlechten Vorspielen im Hauptfach. Aber er hatte viele schöne Veranstaltungen, einmal sogar im Friedrichsstadtpalast mit dem Interflugorchester, wieder mal im Rahmen der Fernsehserie „Ein Kessel Buntes." Es war interessant in diesen Kreisen, wenn auch nur als kleinstes Licht mal mit dabei zu sein, immerhin mit zahlreichen DDR-Größen, wie Helga Hahnemann, Günther Naumann und

anderen. Als Willi die Sendung später im Fernsehen sah, war sie stinklangweilig. Er lernte: „Der billigste Platz im Theater ist immer noch besser als der perfekteste Fernseher.“ Mit den Hochschulblasorchester wirkten sie im DEFA-Film „Der Sieg“ mit, einem Stalin verherrlichenden Politdrama, an Langeweile nicht zu überbieten. Sie waren eine englische Armeekapelle, bei einem Empfang, den die Engländer zu Ehren Stalins gaben. Was für ein Riesenaufwand, für die paar Sekunden. Das Büfett war echt und nach Beendigung der Dreharbeiten konnten sie sich drüber hermachen, das war das Beste. Willi spielte im Postblasorchester, im Bauorchester, in der Combo Bondorf und in der Bläserformation Berlin. Letztere bestand aus den Leuten, die schon Silvester mit dabei waren und einigen Lehrern, die in Berliner Musikschulen unterrichteten. Die Qualität war jämmerlich, wie im Bauorchester, keine Ansage, kein Gesang, aber die Bezahlung war spitze. Der Chef, ein Flötenlehrer war ausgekocht. Er gab eine höhere Zahl von Musikern an, für die er auch kassierte, als dann tatsächlich da waren. Bei dem riesigen Bedarf an Musik in der DDR, zu allen möglichen Festen, schaute da kein Veranstalter genau hin, Geld war da. Was man dafür bekam, stand auf einem anderen Blatt.
Mit dem Orchester seiner Heimatstadt versaute Willi es sich endgültig. Er hatte die fixe Idee, zusätzlich noch Bassklarinette zu lernen, konnte nie schaden. Er wusste, die hatten dort eine. Und so besuchte Willi den Orchesterleiter, um ihn um die Herausgabe des Instrumentes zu bitten. Der

schmiss Willi einfach raus, mit der Aufforderung, sich ja nicht wieder hier blicken zu lassen. Die Bassklarinette wolle er eh nur leihen, um sich im zivilen Bereich besser orientieren zu können. Na dann eben nicht. Willi borgte sich ein Instrument von der Hochschule und nahm Kontakt zum Potsdamer Polizeiorchester auf. Die waren begeistert und Willi war wohl bei dem Gedanken, im Raum Berlin bleiben zu können. Das Dasein hier war bedeutend interessanter als zu Hause und dann die vielen Möglichkeiten zum Muggen. Ende des zweiten Studienjahres bestanden Hohl und Wehrmann wie durch ein Wunder alle drei Russischprüfungen bereits im zweiten Anlauf. Schriftlich, mündlich und verstehendes Hören. Drei Prüfungen immerhin, aber sie waren durch, es war nicht zu fassen. Als Wehrmutstropfen blieb die zweite Nachprüfung im Fach Instrumentenkunde, die war zu Beginn des dritten Studienjahres angesetzt und konnte ihnen den Kopf kosten. Da aber der MDI-Chef Anfang des dritten Studienjahres wegen Westverwandtschaft aus der Polizei flog und der neue erst einen Monat später kam, bekam das keiner so richtig mit. Willi musste auch in die zweiten Sommerferien mit dem fahlen Gefühl, eventuell im September zu fliegen. Das versaute ihm ein bisschen die Freude am Musizieren. Aber wenigstens konnte er ordentlich Kohle machen. Das Bauorchester hatte in den Sommerferien Betriebsruhe, aber der Terminplan der Bläserformation war übervoll. Musikstudenten drückten sich generell gerne vor Arbeitseinsätzen im Rahmen des FDJ-Studentensommers. Es war üblich, einen Teil der Ferien auf Baustellen oder bei

der Ernte zu verbringen. Auch die Musikhochschule sollte mitmachen, aber keiner hatte Bock auf Arbeit. Also bot sich die Bläserformation zu Mittagspausen auf den Baustellen an, wo Studenten arbeiteten, zu spielen. Das ließen sie sich auch noch vergüten. Man verdiente ordentlich Lack und galt noch als vorbildlicher Musterstudent, der sich nicht vor dem Studentensommer drückte. Sehr clever, auch Immerleb war dabei und der, der schon die Mugge Silvester geleitet hatte. Er hatte unter der Hand den Spitznamen „Rote Sau.“ Spitznamen hin, Spitznamen her, ein ganz ausgekochter cleverer Bursche, der eben ganz nach dem Motto: „“Selber essen macht dick und: „Der frühe Vogel fängt den Wurm“, die Möglichkeiten und Schwächen des Staates für sich nutzte, auch Willi profitierte davon und nicht zu knapp. Die rote Sau, mit bürgerlichem Namen Klaf, hatte ein Auto und kassierte ordentlich Fahrgeld, weil er die Noten bestellte auch Notengeld und in Kürze hatte er ein Vielfaches des Kaufpreises eingenommen.
Trotz aller Bemühungen, er hatte eine Altbauwohnung von übelster Qualität. Ofenheizung, Plumpsklo, feuchte Wände, grauenvoll. Auch für Willi stellte sich für den Zeitraum der Sommerferien das Problem der Unterkunft in Berlin. Den Wohnhainschlüssel musste er, wie alle anderen nichtausländischen Studenten, für den Zeitraum der Ferien abgeben. Eine Übernachtung in Berlin war also nur schwer möglich. Die Zugfahrt von K.-M.-St. nach Berlin war kein Kostenfaktor. Willi hatte Freikarten der Polizei für Fahrten zum Studium und der Studentensommer war ein

Bestandteil des Studiums, da waren sie großzügig. Fand eine Mugge am Nachmittag statt, war Willi gezwungen, schon den 06.00 Uhr Zug zu nehmen, dann war er gegen 10.00 Uhr in Berlin und musste die Zeit totschlagen, große Spaziergänge waren nicht drin, da er immer das schwere Akkordeon plus eine Tasche mit Notenpult und Klarinette bei sich hatte. Der letzte Zug fuhr 18.00 Uhr zurück, später ging es dann nur umständlich über Dresden und Freiberg. In dem Fall war er erst 06.00 Uhr am nächsten Morgen zurück. Schwieriger war die Sache, wenn die Veranstaltung am nächsten Vormittag stattfand, oder am Tag darauf die nächste war. Hotels gab es nicht, alle ausgebucht, also begab sich Willi in das Wohnheim. Das war auch in den Ferien immer geöffnet, denn die zahlreichen Auslandstudenten verblieben im Internat. Nun hätte Willi für sich auch so eine Genehmigung beantragen können, aber das hatte er nicht getan, die Anfrage auf Mitwirkung bei der Bläserformation kam zu kurzfristig, die Heimleiterin war erkrankt und die zuständige Kraft in der Hochschule im Urlaub. Willi begab sich also am Abend vor einer Frühveranstaltung in das Internat. Ein Ausländer in der Pförtnerloge nahm ihn nicht mal zur Kenntnis. Zwischen den Mittelgängen, von denen die Zimmer abgingen, waren auf jeder Etage Sitzecken für Wohnheimversammlungen und ähnlichen Kram. Hier waren Tische und Sessel. Willi nahm in einem der bequemen Sessel Platz und übernachtete hier, hörte er Schritte, stand er schnell auf, um den Eindruck zu erwecken, er warte auf jemanden. Er hatte sich einen Ausländer herausgesucht, von dem er mit Sicherheit wusste, dass der nicht da ist. In der Nacht war dann kaum Publikumsverkehr, sodass Willi fast ein bisschen wegnickte. Seine Mahlzeiten nahm er im besagten Selbstbedienungsrestaurant am Alexanderplatz ein. Entweder fuhr er mit den oft und pünktlich fahrenden öffentlichen Verkehrsmitteln zum Auftrittsort oder er stieg hier ins Auto vom Klaf zu. Einer der Musiker, Musikschullehrer, hatte einen Kleinbus der Marke „Barkass." Der fuhr mit Hänger, in dem waren Schlagzeug und Tuba. Mitunter fuhren sie auch mit Klaf, der hatte einen Trabant, aber vier Personen, Akkordeon Tuba und kleine Trommel mit Becken gingen hier auch rein. In dieser Besetzung ließ sich das Geld natürlich am besten teilen, obwohl die Besetzung Akkordeon, Tuba, Trompete, Schlagzeug einfach jammervoll war. Pikanterweise, wenn sie zum Grillen nach getaner Arbeit im Rahmen des FDJ-Studentensommers spielten, gab es nie Proteste. Willi war natürlich als Akkordeonist der Hauptdarsteller und das wussten auch die anderen, die ihn entsprechend mit Hochachtung behandelten. Ohne ihn wäre nichts gegangen. Mitunter waren drei solche Veranstaltungen am Tag, da verdiente er schon mal 450 Mark. Möglicherweise steckte Klaf noch mehr ein, zuzutrauen war es ihm, aber Willi war zufrieden, immerhin hatte Klaf die Muggen organisiert. Sie spielten auch außerhalb, in Priros und Straußberg, und einer FDJ-Galaveranstaltung im Palast der Republik, als Programmteil, zwei Titel im Dixilandsound und dafür volle Knete. Willi genoss die Zeit, das war ein Leben genau nach seinem Geschmack. Im Internat kam ihm niemand auf die Schliche. Mitunter waren zwei bis drei Tage zwischen den Muggen, da konnte er sich in Karl-Marx-Stadt ausruhen, ausschlafen, kein Weibsbild nahm ihm die Gemütsruhe. Er war als Musiker angesehen, wenn auch die Zukunft an der Hochschule wegen der Instrumentenkunde zu diesem Zeitpunkt, Sommer 85 noch fraglich war. Aber als Freiberufler konnte man auch gut leben und Wehrmanns Vater hatte ja versprochen, sich zu kümmern. Nach den Sommerferien hatte Willi so viel verdient wie ein normaler Student im ganzen Jahr, zusätzlich zu seinen Bezügen als Polizist. Außerdem galt er noch jetzt als vorbildlicher FDJler, einer der wenigen, die sich nicht vor dem Studentensommer drückten. Das war auch die Meinung des neuen MDI-Chefs der Hochschule, der ihn zu Beginn des dritten Studienjahres zum persönlichen Gespräch bestellte. Der Mann war Major, hatte wohl mal irgendein Polizeiorchester geleitet und war jetzt hierher kommandiert worden, um den Saftladen an der Hochschule auf Vordermann zu bringen. Dazu brauchte er so vorbildliche FDJ ler und erfahrene Polizeigenossen wie Willi. Der war baff. Galt er nicht als einer der schlechtesten Studenten, Russisch, Instrumentenkunde. Tja, sagte der Major, der Inspizient, ein persönlicher Freund von ihm, müsse natürlich nach außen hin streng sein, aber der hat auch die Schnauze voll. Eigentlich wäre der Inspizient lieber Orchesterleiter geblieben, aber man hatte ihn gegen seinen Willen auf den Büroposten

befohlen. Er wüsste natürlich auch, was gespielt wird und natürlich, wie ja schon bewiesen, hatte er die Sache mit Russisch geklärt. Das waren ja ganz neue Töne. Die Vorgesetzten wollten ein ordentliches Militärorchester, da war es wenig interessant, wie die Musiker Russisch konnten. Und den Zivilisten an der Schule hatte er ordentlich auf die Füße getreten. Grüße vom Inspizienten und Dank für die Opferung des Sommerurlaubes zugunsten des FDJ-Studentensommers. Dann outete sich der Major als Lyriker, er würde auch schreiben und wenn Willi Hilfe brauchte, er wäre bereit. Willi bedankte sich artig, aber er wollte sich erst mal aufs Studium konzentrieren...
Der Major hatte angekündigt, den Saustall aufzuräumen und das tat er. Er klärte die Sache in Instrumentenkunde und sorgte dafür, dass drei Studenten, die zwei Jahre Sport geschwänzt hatten, dennoch ihre vier bekamen. Willi wurde wieder FDJ-Sekretär und Immerleb bekam eins auf den Deckel, weil er sich beim Westfernsehen erwischen lassen hatte. Der Major stellte eine Gruppe, die die damals populäre Oberkrainer-Masche bediente, zusammen und übertrug Willi die Leitung. Sie spielten zum Hochschulsportfest zur Unterhaltung diverse Ständchen bei runden Geburtstagen von Hochschullehrern, zur Volkskammerwahl und zu Empfängen richtig fetter Bonzen im Ministerium. Willi schrieb die Noten selbst in der Besetzung Klarinette, Trompete, Bass, Akkordeon und Schlagzeug. Die Zeit hatte er, denn er musste nicht mehr Klavier üben, dieses Fach war Ende des zweiten Studienjahres abgeschlossen. Die Qualität

muss gar nicht so schlecht gewesen sein, denn die Zuhörer waren, wenn sie im Rahmen der Hochschule spielten, zumeist hochqualifizierte Fachleute. Aber es kam nie Kritik. War das ganze öffentlich, präsentierten sie letztlich auch die Hochschule. Das Ansehen der MDI-Abteilung stieg schlagartig, das von Willi sowieso. Er galt als hervorragender vielseitiger Musiker, zumal auch die Leistungen im Hauptfach Klarinette langsam besser wurden. Er hatte jetzt nicht mehr 13, sondern 19 und 20 von 25 Punkten, konnte also mit den Klassikern gut mithalten. Willi erzählte dem Major von den Spannungen mit dem Orchesterleiter zu Hause. Der kümmerte sich darum. Zu einem Vorspiel in der Hochschule vor den Orchesterleitern entschuldigte der sich bei Willi, er habe damals überreagiert. Er brachte die Bassklarinette mit, die um Welten besser war als die der Hochschule. So knapp Musikinstrumente in der DDR waren, die Polizei hatte immer ihre Quellen. Dieser Konflikt war nun auch aus der Welt geschafft. Es sah nun ganz so aus, als ob Willi das Direktstudium tatsächlich beenden würde, um dann in K.-M.-St. wieder Dienst zu tun. Wer hätte das gedacht. Die Organisation des Vorspieles übertrug der Major Willi, der auch durchs Programm führte und sich schön verkaufte, als Akkordeonist seiner Oberkrainertruppe, als Pianist von leiser Hintergrundmusik, als Korrepetitor, sprich Klavierbegleiter von Wehrmann und als Moderator. Immerleb regte sich furchtbar auf, weil Willi nicht als Klarinettist aufgetreten war, immerhin war die Klarinette ja das Hauptfach. Aber Wehrmann ließ ihn wie üblich wegtreten: „Hältst du dein Maul oder willst du gleich eine in die Fresse.“ Natürlich wäre die Klarinette riskant gewesen und das Risiko, sich zu blamieren bei dem Instrument, im Moment noch ziemlich groß. Das wusste auch Immerleb. Er missgönnte Willi seinen Aufstieg. Willi wurde allgemein gelobt für seine Vielseitigkeit. Auch sonst im Wohnheim hatte sich alles bestens geregelt. Er hatte auch im dritten Studienjahr sein altes Einzelbett im alten Zimmer auf der Badseite. Wehrmann war jetzt gar nicht mehr im Wohnheim und jede freie Sekunde bei seinem Mäuschen. Im Zimmer war der Kollege vom Vorjahr mit und ein neuer sehr verträglicher. Beide fuhren jede freie Minute nach Hause, sodass Willi vor allem die Wochenenden wieder für sich hatte, gemütlich wie im Vorjahr, jetzt allerdings nicht mehr den drohenden vorzeitigen Studienabbruch im Nacken. Neu war, dass sie Skat im Zimmer spielten, sie spielten jede freie Minute Skat, sie spielten früh bevor sie in die Hochschule fuhren eine Runde Skat, sie spielten mittags Skat, sie spielten abends Skat, sie spielten ständig Skat, nicht um so hohe Geldbeträge wie im Erntelager, aber Willi hatte Ende des Studienjahres immerhin 24 Mark gewonnen. Mit Frauen war nichts, das begrüßte Willi nach den gemachten negativen Erfahrungen. Auch die Zimmerkollegen hatten damit nichts am Hut. Wenig erfolgreich waren Willis Bemühungen mit seiner Hochschulband, auch privat zu muggen. Bedarf war da und fast immer, wenn sie spielten, gab es Anfragen aus dem Publikum. Auch Geld war da, die wollten Musik und waren auch finanziell nicht kleinlich. Das Problem war es nicht, eine Besetzung zusammenzubekommen, sondern vor allem, die manchmal kurzfristig absagenden Musiker zu ersetzen. Besonders Wehrmann sagte erst zu, um ihnen dann, wenn sein Vater mit einer lukrativeren Mugge kam, abzusagen. Willi musste nun in Frage kommende Aushilfen (und in Frage kamen nur wenige) organisieren. Immerhin mussten die ohne Probe vom Blatt spielen. Ein Telefon hatte niemand. Er musste aber jemanden finden, denn er hatte einen Vertrag zu erfüllen. Also rein in die Verkehrsmittel, mit der Hoffnung, dass der Musiker zu Hause war und auch zusagen konnte. War niemand da, Pech, den Nachbarn fragen, wann der Gesuchte zu Hause ist, wusste der das, Glück gehabt, wenn nicht, Pech gehabt. Auch telefonieren war, wie schon beschrieben, nicht einfach. Wenigstens ging es ihm nie so wie dem Chef der Bläserformation. Dem ließen Pfingsten 86 alle außer der Tubist sitzen. Da es regnete, fiel die Veranstaltung aus und der Chef war nun quasi nur dort, um das Geld zu holen, also die zustehenden 50%, die bei Ausfall der Veranstaltung der Kapelle vertraglich zustanden. Die konnte er nun in die eigene Tasche stecken. Ein Glück für Willi, denn Wehrmann ließ ihn an dem Tag auch sitzen und nun konnte der zufällig zur Verfügung stehende Tubist bei ihm mitmachen. Später entschuldigte sich Wehrmann: „Sein Vater hätte am Vortag noch ein Geschäft gebracht und wie solle er Willi da noch informieren." Es war einfach zum Kotzen. Es waren nicht viele Veranstaltungen, die Willi selbst organisierte, ca. 20 im dritten Studienjahr, aber immerhin, die hatten es in sich, vom Aufwand her. Zusammen mit dem Einkommen des Bauorchesters und in Bohnsdorf ein schönes Sümmchen. Insgesamt spielte Willi im dritten Studienjahr also 20 Mal mit seiner Kapelle, zum Beispiel zum festlichen Mittagessen einer Friseursgilde, zum Frühschoppen einer Yachtgesellschaft am Müggelsee, zum Fasching der Hochschule für Werbung und Gestalttechnik, zum „Tag der offenen Tür der Hochschule für Ökonomie“ und so weiter. Mit dem nunmehr „Zentralen Blasorchester der Berliner Bauarbeiter“ fuhren sie zu den Arbeiterfestspielen nach Magdeburg, mit Übernachtung. Sie nahmen mit einem Wertungssiel teil und präsentierten ein Friedensprogramm mit Gesang und Ansager, landeten aber auf den hinteren Plätzen. Rote Lieder allein waren der Jury scheinbar dann doch zu wenig für einen Preis. Da nutzte alles meckern der Orchesterleitung nichts. Sie spielten in Stendal und Zeitz und es war schon interessant, andere Städte kennenzulernen. Will spielte erste Klarinette, ja der Hohl war mal kurzzeitig wer. Das letzte Hochschulvorspiel im Fach Klarinette brachte 21 Punkte, besser als mancher Klassiker. Als FDJ-Sekretär organisierte er diesmal wieder ein so genanntes Friedensprogramm. Das war eine Verpflichtung der Hochschulleitung. Diesmal spielte er auch im Rahmen eines klassischen Bläserquintettes mit, dabei waren erstklassige Studenten, die später in berühmten Orchestern Solopositionen einnahmen. Manche waren dann entsetzt, als sie erfuhren, dass sie im Friedenskonzert der MDI-Abteilung mitwirkten. Ja die Abteilung war immer noch verpönt bei den klassischen Studenten. Wenn einer dort war, dann entweder, weil er nichts brachte, oder er musste rot bis hinter die Ohren sein. Im Theater war Willi Ende des dritten Studienjahres nicht mehr so oft, da hatte er zu viele Muggen, aber nach wie vor genoss er an den freien Wochenenden die Abwesenheit der Zimmerkollegen, um dann am Sonntagabend mit einem schönen Skatspiel die neue Woche einzuläuten. Zu Hause war Willi zwangsweise über Weihnachten und Silvester, da war das Wohnheim geschlossen. Hier bekam er einen Vorgeschmack für die Zeit nach dem Studium. „Solche faulen Ochsen, die ein Leben lang auf Kosten der Eltern geprasst haben, müssen, wenn sie selbst verdienen, was zurückgeben.“ Eine eigene Wohnung trauten sie Willi nicht zu, denn da würde er in Kürze im eigenen Dreck ersticken. Das Wohnzimmer wurde immer noch verschlossen, wenn Willi, inzwischen 23, allein war, um eine Nutzung seinerseits zum Fernsehen zu verhindern. Willi war froh, als die Feiertage herum waren und verzog sich eiligst nach Berlin. Immerhin, er hatte einen Wohnungsantrag laufen und war voller Hoffnung, nach dem Studium auch eine zu bekommen.

Tja, jetzt war es ziemlich sicher. Er würde nach K.-M.-St. zurückkehren. Der knapp zweiwöchige Aufenthalt zu Hause hatte Willi richtig runtergerissen und es passte in die Stimmung, als er, wieder in Berlin, das Zimmer voll mit Obstfliegen vorfand. In der benachbarten Küche hatten sie vergessen, vor Weihnachten den Abfall zu entsorgen. Die erste Nacht verbrachte Willi auf dem Sessel, wie in den Ferien bei den illegalen Übernachtungen und am nächsten reinigte er dann den Raum mit Fliegenspray. Willi wäre zu gern in Berlin geblieben. Lieber im Polizeiwohnheim gehaust als zurück nach K.-M.-Stadt. Er genoss die letzten Monate in Berlin und die Zeit raste. Für die anderen war es umgedreht, die wollten so schnell wie möglich in die Orchester. Und dann kam sie, die letzte Woche des dreijährigen Direktstudiums. Am Mittwochvormittag fuhr Willi erst mal nach Hause, mit einem Mal hätte er nicht alles weggebracht. Am gleichen Tag fuhr er zurück. Am Donnerstag war dann die letzte Probe des Bauorchesters in der Wallstraße. Mit Wehrmann verbrannte er im Klo die Hefter der so genannten wissenschaftlichen Fächer: Russisch, Marxismus-Leninismus, Sozialistische Kulturpolitik und so weiter. Ein hübsches Feuerchen, nicht ungefährlich, denn Immerleb hätte sie in jedem Fall verpfiffen, wenn er sie erwischt hätte und dann wäre es aus gewesen. Am Freitag hatte er am Vormittag noch ein Konzert mit dem Bauorchester, Willi fuhr nicht mit der Straßenbahn, sondern ging zu Fuß zum Auftrittsort, zwei Stunden durch das sommerliche Berlin, durch Kleingartenanlagen und Wohngebiete, dann durch einen kleinen Kiefernwald, zum Konzertort. Am Nachmittag war er bereits fast allein im Wohnheim. Die Zimmerkollegen waren schon abgereist. Einer der wehmütigsten Augenblicke. Er zog die Bettwäsche ab, packte den Koffer und ließ den Blick noch einmal aus dem Fenster über die Gartenanlage, die von einem Neubaublock und einem Bahngleis umgeben war, schweifen. Zwei Jahre hatte er in diesem Zimmer gelebt, die freien Wochenenden genossen, geübt, gelernt und Skat gespielt. Keine Sekunde bereute er nun das Direktstudium, auch wenn es ihn fast den Kopf gekostet hatte. Ein letzter stummer Abschied. In zwei Monaten würden neue Studenten einziehen. Er zögerte einen Augenblick, dann zog er die Tür zu, gab den Schlüssel beim Pförtner ab und verließ das Gebäude. Für immer? 23 Jahre später würde er wieder hier stehen und noch einmal sein altes Zimmer betreten. Doch bis dahin würde noch viel Zeit vergehen. Hohl stieg in den Zug und verließ Berlin.

Kapitel zwölf

„Lächle und sei froh, es hätte auch schlimmer kommen können und ich lächelte und war froh und es kam schlimmer."

Der Empfang „zu Hause" war nicht berühmt. Dort hatte sich absolut nichts geändert. Man erwartete Dankbarkeit für die gegebenen Wohltaten der letzten 23 Jahre, jetzt vor allem in Form von Geld. Willi musste ein Drittel der Miete übernehmen, 30 Mark im Monat und ein Drittel der Lebensmittelkosten, 33.33 Mark die Woche, zuzüglich ein Drittel der Nebenkosten wie Strom und Gas. Das war sehr großzügig, da Willi nicht für die Abnutzung von Möbeln, Kühlschrank und Handtüchern herangezogen wurde. Immerhin waren sie wegen ihm in die größere Wohnung gezogen. Man einigte sich, großzügig aufgerundet, auf 250 Mark Kostgeld im Monat. Man dachte noch mal nach: Ein kleiner Anteil Abnutzungsgebühr musste schon sein und erhöhte auf 300 Mark. Bei 480 Mark Gehalt als Koch hätte Willi schön alt ausgesehen. Jetzt bekam er an die 1000, da ging es. Dennoch hatte die Sache mehrere Haken. Das, was auf den Tisch kam, aß Willi nicht gern, er trank auch keinen Tee und Malzkaffee, sondern Limonade und Cola. Im Preis inklusive waren aber nur die Sachen, die auf den Tisch kamen. Extrawünsche musste er selbst bezahlen, ohne einen Kostenerlass

zu bekommen. Wollte er Salami statt Blutwurst fressen, musste er dafür zusätzlich aufkommen. Immerhin war man sicher: Willi würde ewig hier wohnen, Wohnraum war knapp und Willi würde als geborene Sau eh im eigenen Dreck ersticken. Vor allem letzteres wurde immer wieder betont. Die Alte brachte noch ein weiteres Opfer, denn sie musste jetzt ins eheliche Schlafzimmer zurückziehen. Die Alten wussten nicht, dass Willi die letzten drei Jahre gut verdient hatte und er 20 000 Mark auf dem Konto hatte. Sie forderten die 300 vor dem Hintergrund, dass er sein normales Stipendium von 210 Mark drei Jahre lang bekommen hatte und keinerlei Ersparnisse verfügbar waren. Immerhin hätte Willi eine eigene Wohnung unter diesen Umständen nichts genutzt, da er kein Geld gehabt hätte, um sie einzurichten.
Zum Glück war es ja anders und Willi zeigte sich einmal mehr als undankbar. Statt das Topangebot zu nutzen und zu schätzen, suchte er so schnell wie möglich die Wohnstelle der Polizei auf. Immerhin hatte er vor drei Jahren einen Wohnungsantrag abgegeben. Dort lag aber kein Antrag vor, war wohl verloren gegangen, man machte ihm klar, dass ihm als lediger vor den 26. Lebensjahr sowieso kein Wohnraum zustand. Im Gegensatz zu vielen anderen, hatte er sogar ein eigenes Zimmer. Immerhin durfte er einen neuen Antrag auf eine Wohnung stellen. Tolle Aussichten...
Bei den Erzeugern hatte sich nix geändert. Immer wieder kamen Hinweise, dass man mehr die Eltern unterstützen müsse, auch beim Datschenbau. Willis Erzeuger ertrugen es nicht, dass die Eltern

von Neffe Gerhard einen schönen Garten mit Datsche hatten. Also hatten sie auch Land gepachtet und machten es urbar. Eine große Datsche sollte es sein, größer als die des Onkels. Da Arbeitskräfte nicht zu bekommen waren, musste alles selbst gemacht werden. Was Material betraf, da hatte Willis Erzeuger Beziehungen. Willi hatte aber keine Lust, jeden Tag Erde zu schaufeln, auch nicht im Hinblick auf ein eventuelles Erbe. Also war er faul und undankbar. Um die täglichen Hinweise zu umgehen, machte Willi zwei Wochen Urlaub bei den Großeltern in Leipzig. Sieben Jahre war er nicht hier gewesen. Aber die Idylle war genauso wie damals. Willi genoss die Zeit der Ruhe, wenn er sich auch dem Tagesrhythmus unterordnen musste, aber das tat er gern. Um acht war aufstehen, dann Frühstück, die Großeltern wirtschafteten dann in Hof und Haus, dazu Arztbesuche, Einkaufen. Willi konnte im Garten helfen, hier tat er es gern, wohl weil er es nicht musste. Nach dem Mittag machten die Großeltern Mittagsschlaf, Willi fuhr mit dem Fahrrad zum Stausee Kosbuden, dort war eine der seltenen Imbissbuden. Das Mittagessen war zu kläglich. Die alten Leute brauchten nicht viel und mehr zu fordern, als er bekam, das traute sich Willi nicht. Am Nachmittag fuhr man mal zu Neffe Gerhard. Der hatte ausstudiert und war jetzt Diplomingenieur, außerdem verheiratet mit Kind. Er bewohnte eine 1-Raum-Neubauwohnung. Grauenvoll, zwei Mann und ein ewig plärrender Säugling in einem Zimmer, ohne die geringste Rückzugsmöglichkeit. Willi schüttelte sich. Dennoch schaute Gerhard hämisch auf Willi, der

hatte das Abitur nicht geschafft und jetzt war er bei der Polizei. Toll. Eine Freundin hatte er auch nicht. Ähnlich sah es der Onkel, der Willi wie einen komischen Vogel betrachtete, einer, der sich mit Parteimitgliedschaft und Polizeizugehörigkeit ein Studium ermogelt hatte. Ohne Sozialismus wäre aus dem noch weniger geworden.
Am Abend las Willi, die Großeltern schliefen beim Fernsehen, dann gegen zehn war Nachtruhe, Willi schlief in der Kammer, hatte also ein eigenes Zimmer. Für ausgedehnte Radtouren blieb immer Zeit. Mehr als zwei Wochen wollte Willi den Großeltern nicht auf der Pelle liegen, denn sie weigerten sich strikt, von Willi Geld für Kost und Logis zu nehmen, obwohl er es mehrfach anbot. Willi wollte aber auch nicht zu Hause bleiben und so tat er etwas für DDR-Verhältnisse außergewöhnliches. Er ging zum Reisebüro. Hier gab es im Prinzip nichts zu verkaufen. FDGB-Reisen wurden über die Betriebe zugeteilt und nach den wenigen im "Freuverkauf" stellte man sich an bestimmten Tagen am Abend vorher an. Ansonsten fertigten die Mitarbeiter Unterlagen aus, wenn es dann so weit war, also kurz vor Antritt der Reise. Also war es im Reisebüro auch nicht voll. Eine einzige Sachbearbeiterin überreichte dem Herrn vor ihm die Unterlagen für eine Reise mit dem Auto nach Bulgarien. Schon nach 20 Minuten war Willi dran. Reisen gingen nur in die sozialistischen Länder. Das bedauerte Willi sehr, wie gern wäre er mal nach Paris oder Rom gefahren. Jedenfalls hätte er gern bezahlt, um sein Fernweh zu befriedigen. Aber es gab ja auch sozialistische Länder, die man

noch nicht kannte. Willi fragte die Dame im Reisebüro nach kurzfristigen Reisemöglichkeiten. Dir sah ihn streng an, als hätte er etwas ganz Unerhörtes gefordert. Doch dann hatte sie was für ihn. Eine Flugreise nach Budapest, mit Rundreise, fünf Tage im halben Doppelzimmer. Einzelzimmer waren gar nicht vorgesehen, zu uneffektiv wohl. Der Preis, satte 1200 Mark, immerhin mit Halbpension plus zweimal Mittagessen. Willi schlug zu und freute sich jetzt auf seine zweite Auslandsreise. Die Erzeuger stutzen, als sie von der Reise erfuhren. Sie konnten es nicht fassen, dass man seine letzten Pfennige so verschwenden konnte, immerhin gingen sie davon aus, dass Willi nur über minimale Geldbeträge verfügte. Sie beschimpften ihn als naiv und dumm. Als einen, der nicht bedacht hatte, dass bei einer Reise auch Nebenkosten zu bezahlen sind. Sie drohten: Wenn er nicht pünktlich am Anfang des Monats die 300 Mark bezahlen würde, das Geld könnten sie auch gerichtlich einklagen, dann würde es gleich vom Gehalt gepfändet. Willi war ein Verschwender, der nicht mit Geld umgehen konnte, solche Leute haben kriminelles Blut in den Adern und landen dann im Gefängnis. Sei es drum, Willi buchte die Reise und die erste Miete hatte er auch schon bezahlt, Willis Erzeuger barmten. Am liebsten hätten sie das Geld für den August gleich kassiert, sie vermuteten, dass sie es nicht bekommen würden. Immerhin dachten sie, dass er im Juli noch Stipendium beziehen würde und 200 Mark würden nicht reichen, um die Miete zu bezahlen. Egal, erst mal weg. Es stellte sich heraus, dass die Reise nicht unproblematisch sein würde. Um zur geforderten Zeit auf dem Flughafen zu sein, musste er in Dresden den Bus 06.10 Uhr erwischen und der erste Zug nach Dresden war erst um sechs auf dem Hauptbahnhof, dann musste er noch die Bushaltestelle finden. Das war Willi zu riskant. Wie oft hatte er erlebt, bei seinen Berlin Fahrten, dass in Freiberg der Zug zu spät einfuhr und der Anschlusszug gerade den Bahnhof verließ. Warten tat der nie, nicht einmal 30 Sekunden. Also fuhr er schon am Vortag mit dem letzten Zug, von 22.00 Uhr mit Ankunft gegen 00.00 Uhr. Der Zug war leer. Nur vier Mädels unterhielten sich lautstark, voller Vorfreude auf eine bevorstehende Reise. Der Zug war pünktlich am Ziel, hätte aber ruhig Verspätung haben können. Willi suchte den Busstand auf, ein Bus zum Flughafen fuhr heute nicht mehr. Er stellte sich an den Taxistand an und als er nach einer Stunde Wartezeit dran war, sagte ihm der Fahrer: „Was wollen Sie am Flughafen, da stehen Sie vor verschlossenen Türen, warten Sie lieber hier und fahren Sie morgen mit dem ersten Bus.“ Jetzt hatte Willi noch fünf lange Stunden zu warten. Die Mitropa war geöffnet, es gab zwar keine Bewirtung, aber man hatte die Möglichkeit, sich hinzusetzen, wenn man Glück hatte. Hier waren Massen von Urlaubern, die wie Willi den Zügen nicht vertrauten und jetzt hier quasi gestrandet waren. Viele saßen einfach auf dem Fußboden, dösten, lasen, versuchten zu schlafen. Willi ergatterte sogar einen Sitzplatz und versuchte zu lesen, aber das Lesen war zu anstrengend auf Dauer, er wurde müde und stierte vor sich hin, die Zeit verging im Schneckentempo. Aber die längste Nacht vergeht einmal. Er stand beizeiten an der Bushaltestelle, um auch mitzukommen. Er kam mit und betrat den Flughafen. Wenige Leute waren hier, es gingen auch wenig Maschinen, wohl eine oder zwei die Stunde. Willi holte seine Bordkarte und dann schlenderte er in die Abflughalle. Misstrauisch musterten die Zöllner seine Ausweise, dann winkten sie ihn heran. Ein einzelner Reisender, das war ihnen verdächtig, wollte der in den Westen abhauen? Sie nahmen Willis komplettes Gepäck auseinander, hielten jedes Stück gegen das Licht und nahmen dann sein Notizbuch mit den Telefonnummern mit, wohl um zu sehen, ob eine der Nummern in den Westen ging. Sorgfältig blätterten sie Seite für Seite des Buches durch, suchend nach verdächtigen Eintragungen. Eine Leibesvisitation durfte nicht fehlen. Sie zählten sein Geld. Zwei Stunden hatte er zu Hause angestanden, um einen bestimmten Betrag, der nicht überschritten werden durfte, einzutauschen. Willi fühlte sich wie ein Schwerverbrecher und zitterte vor Wut. Das war erst recht verdächtig, man fragte ihn, warum er aufgeregt sei, was er beruflich mache, wo er das Geld für die Reise herhabe. Eines wusste Willi, das war seine letzte Reise, so viele Demütigungen würde er sich nicht noch einmal antun. Sicher war das auch beabsichtigt, durch Schikanen die Reiselust minimieren. Am liebsten wäre Willi wieder zurückgefahren. Er hatte die Schnauze voll. Endlich durfte er die Sachen wieder einpacken, zum Schluss brachten sie die Zahnpaste, die hatten sie wohl auch durchleuchtet. Grußlos wies der Zöllner mit dem Kopf zum Ausgang. Willi stieg in eine uralte kleine

Propellermaschine, vor dem Start machte sie einen Krach, als wolle sie sich selbst in die Luft sprengen. Der Flug war kurz und wenig beeindruckend. In Budapest, neben den großen modernen Maschinen, fiel die Jämmerlichkeit der Propellermaschine und des Dresdner Flughafens erst richtig auf. Willi graute vor der erneuten Kontrolle, von der er überzeugt war, oh Wunder er wurde durchgewunken. Der Reiseleiter empfing sie mit einem Schild: "DDR" und machte richtig Dampf. Willi vermisste seinen Koffer, der kam nicht, das Förderband stand bereits still. Gerade wollte er der schon abziehenden Gruppe hinterher, er kam gar nicht dazu, den Reiseleiter über das fehlende Gepäckstück zu informieren, da hörte er es poltern, das Förderband drehte sich und Willi wartete, da kam sein Koffer. Inzwischen war von der Gruppe nix mehr zu sehen. Er schaute sich ratlos um. Massen von Leuten. Er trat aus dem Flughafengebäude: Massen von Bussen. Was nun? Willis Herz schlug bis in den Hals. Er irrte den Parkplatz entlang. Da erkannte er den weißhaarigen Reiseleiter, der in dem abfahrbereiten Bus neben dem Fahrer stand. Willi stieg ein, manche murrten und der Reiseleiter forderte ihn auf, sich künftig nicht von der Gruppe zu trennen. Der Bus fuhr an, auch die deutsche Reiseleiterin stellte Willis Verhalten nach der Begrüßung nochmal als ein „Unmögliches“ in den Mittelpunkt, ihn ein paar angewiderte Blicke zuwerfend. Immerhin musste sie danach der Gruppe erklären: Das bebuchte Hotel steht kurzfristig nur gegen Devisen, also D-Mark, der Währung des Klassenfeindes BRD, zur Verfügung, sodass sie in ein anderes fahren würden. Jetzt murrte die Gruppe noch lauter. Das Hotel dann, ein schmuckloser Neubauklotz, war etwas außerhalb des Zentrums, aber auch von Wessis bewohnt, wie man an den Reisebussen sah. Sie als Ossis hatte natürlich nur einen Ikarusbus, wie man ihn im Linienverkehr einsetzt, ohne Klimaanlage und Komfort. Merkwürdig, der Klassenfeind wurde zuvorkommender behandelt als die sozialistischen Brüder aus der DDR. Die Zimmer wurden verteilt. Willi bekam eines mit einem Familienvater, dessen Frau teilte sich eins mit dem Sohn. Der Vater war gar nicht begeistert und schlief dann auf einem Sofa im Zimmer der Familie. So hatte Willi wenigstens sein Einzelzimmer. Schmucklos, nichts Besonderes, billigste Preisklasse, aber sauber. Der Reiseleiter bot sich an, sie in die Stadt zu bringen, dann wäre der Rest des Tages frei. Am ersten Tag wäre keine Mahlzeit vorgesehen, sie müssten sich selbst verpflegen, Frühstück am nächsten Tag ab 08.00 Uhr, Beginn des Programms dann 09.00 Uhr. Willi merkte gleich am Anfang, er hatte etwas Wichtiges vergessen, den Wecker. Was nun. Das Risiko zu verschlafen und dann die Gruppe aufzuhalten war groß, aber irgendjemanden zu bitten, ihn zu wecken war auch unangenehm. Die an der Rezeption wirkten abweisend und unfreundlich, machten nicht den Eindruck, dass sie ohne Westmarktrinkgeld einen Weckdienst übernehmen würden. Außerdem konnte Willi weder ungarisch noch englisch. Also erst mal abwarten. Der Reiseleiter begleitete sie zur U-Bahn, fuhr mit ihnen in die Stadt und wünschte einen schönen Tag. Die

Touristen stürzten davon um sich Klamotten, die es in der DDR nicht gab, zu kaufen. Willi war der einzige Alleinreisende und ging für sich. Es war schon geil in einer fremden Stadt, in einem anderen Land zu sein, aber letztlich war Budapest nicht interessanter als Berlin. Willi wanderte munter durch die Stadt und ließ das Flair auf sich wirken. In einem Imbiss, wo er auf das gewünschte zeigen konnte, aß und trank er etwas. Gaststättenpreise waren mit seinen paar Piepen nicht zu bezahlen. Am Abend wanderte er durch ein ziemlich vergammeltes Wohngebiet an die Donau, viele junge Leute, hier war irgendein Rockmusikspektakel. Er wanderte munter durch das abendliche Budapest, wollte so viel wie möglich Eindrücke in sich aufnehmen. Dann im Zimmer merkte er, auch Ohrstöpsel hatte er vergessen. Im Nachbarzimmer hörte jemand Radio, nicht laut, aber das Hotel war wohl sehr hellhörig, Willi konnte nicht schlafen, einerseits des Radios wegen, anderseits aus Angst, nicht rechtzeitig aufzuwachen. Mehr als nur Halbschlaf war in dieser ersten Nacht nicht drin. Immerhin verschlief er es nicht und war rechtzeitig zum Frühstück zur Stelle. Das Frühstücksbüfett der DDR-Bürger war separat und kein Vergleich zu dem der Westdeutschen. Die Auswahl war jämmerlich, das Rührei verbrannt. Die Ossis beschwerten sich beim Reiseleiter, der beim Personal. Eine der Touristen kannte ungarisch und übersetzte. „Die Gruppe zahlt kein Geld, sie wurde uns aufgedrängelt und wir mussten eine englische Gruppe abweisen“, sagte der Oberkellner. „Mehr gibt es nicht ohne Bezahlung.“ Mit „ohne

Bezahlung“ meinte der wohl die DDR-Mark, die dem Hotel in der Bilanz wohl nichts nützte. Dabei war die DDR laut Partei eine der stärksten Wirtschaftsnationen der Welt, stärker als England, wo ständig die Arbeiter wegen niedriger Löhne streikten und dennoch war das DDR-Geld nichts wert. Eine eigenartige Welt. Die Ostdeutschen konnten meckern wie sie wollten, es gab nichts anderes zu fressen. Entweder sie nahmen das verbrannte Ei oder sie bezahlten das Essen, mit richtigem Geld, nicht mit DDR-Mark. Nun, Willi war nicht wegen Essen hier. Mit der U-Bahn ging es dann zum geführten Stadtrundgang. Sie hielten sich ewig an Reliefs und Standbildern, die die ungarische Geschichte darstellten, auf. Nicht nur Willi, der nach zwei Nächten ohne Schlaf todmüde war, langweilte sich. Dann auf der sogenannten Fischerbastei, wo es interessanter wurde, war die Zeit knapp, das Mittagessen wartete. Die Reisegruppe murrte. Aber alle hatten Hunger und: „Wenn es heißt „Essen fassen“, ist die Laune allgemein gut.“ Es gab Viermanntische, Willi war übrig und saß an einem Tisch mit Einheimischen. War gleich gut so, musste er nicht mit irgendjemanden reden. Nach dem Essen, so gegen 03.00 Uhr, war wieder frei und Willi marschierte durch die Stadt, um die Eindrücke wieder auf sich wirken zu lassen. Abends fuhren sie wieder mit der U-Bahn zu einer Folkloregaststätte. Hier waren Massen Touristen aus allen möglichen Ländern. Eine kostümierte Kapelle, die sollten wohl Zigeuner darstellen sollten, dudelte und es gab ungarisches Essen: Gulaschsuppe und Salami. Dazu eine halbe

Flasche Wein pro Person und Wasser gratis. Willi saß zwischen zwei älteren Ehepaaren, die jeweils mit ihren Nachbarn redeten. Es war laut und abgesehen davon, dass Willi Hunger hatte, auch langweilig. Zudem war er todmüde. Das Wasser war bald alle, die salzigen Speisen hatten durstig gemacht und selbst Wasser wurde nicht nachserviert. Die Kellner bedienten lieber die Reisegruppen aus nichtsozialistischen Ländern, die bezahlten die Getränke selbst und da war mit Trinkgeld zu rechnen. Willi hatte wahnsinnigen Durst. Endlich kam mal ein Kellner und füllte missmutig die Karaffe mit Wasser. Einige der Ostdeutschen unterhielten sich unmittelbar neben Willi mit Westdeutschen. Das waren Klassenfeinde, Ausbeuter, denn sonst könnten sie sich die Reise nicht leisten, Friedensfeinde und Verbrecher, Feinde, die man zu vernichten hatte, so hatte man Willi es beigebracht bei der Polizei. Jede Begegnung war zu vermeiden und so was wie jetzt zu melden. Willi hatte es nie gemeldet, er hatte ja kein Wort mit denen geredet. Aber wenn das herausgekommen wäre, seine Polizeilaufbahn hätte ein jähes Ende gefunden. 17 Forint, das war die ungarische Währung, bekamen die Wessis in etwa für ihre Mark und die Ossis nur fünf. Dabei konnten die tauschen so viel sie wollten. Eigenartig. Die simple Erklärung, nämlich dass die Propaganda der DDR mit ihren Äußerungen: „Wir sind eine der stärksten Industrienationen der Welt“, einfach log und entsprechende Statistiken fälschte, die hatte er schon vor Jahren von Götz bekommen. Endlich war der bunte Abend zu Ende, per Bus ging es im Rahmen einer sogenannten Lichterfahrt durch das nächtliche Budapest zurück ins Hotel. Wie tot fiel Willi ins Bett und schlief sofort, auch mit Radio aus dem Nachbarzimmer ein, wachte aber pünktlich auf. Am dritten Reisetag ging es ans Donauknie mit diversen Besichtigungen Rundgängen und einheimischem Essen. Nicht uninteressant. Der vierte Tag stand dann zur freien Verfügung und Willi wanderte kreuz und quer durch das geschäftige Budapest. Dann am fünften, es war ein Sonntag, ging es zurück. Noch einmal marschierte Willi an die Donau, setzte sich auf eine Bank. Trank eine Coca-Cola, nicht zu bekommen in der DDR und ließ die Stimmung auf sich wirken. Abschied, zu Ende die Reise. Bevor der Bus zum Flughafen abfuhr, verlangte ein Vertreter des DDR-Reisebüros von jedem, für die Solidarität zu spenden. Nicht nur Willi kotzte ab. Sogar die Summe, 20 Mark, legten die Schweine schon fest. Es wurde eine Liste herumgereicht, in die man sich eintragen musste. Jeder meckerte heimlich, aber nicht einer fand den Mut, das Geld zu verweigern. Wie hätten die erst alle gemeckert, wenn sie gewusst hätten, dass die DDR das Geld nimmt um andere Löscher, wirtschaftlicher Art, zu stopfen, nix Solidarität, aber das kam dann erst nach der Wende heraus. Dann wurde noch ein Trinkgeld für den Reiseleiter gefordert, ein Umschlag ging im Bus herum, Willi gab nichts. Warum sollte er dem Kerl Geld schenken, der bekam doch sein Gehalt. Spitze war der nicht, der hatte seine Arbeit gemacht. Na und? Konnte man doch erwarten. Willi nahm den Briefumschlag, tat so als ob er was reintut und gab ihn weiter. Dann brachte eine altersschwache Propellermaschine sie wieder zurück nach Dresden. Der Flughafen war leer, sie stiegen aus und marschierten zum Empfangsgebäude. Die Zöllner warteten schon und schauten feixend aus dem Fenster. Willi war verdächtig. Er hatte seine Forint nicht alle gemacht. Man fragte ihn wieso, man konnte es nicht verstehen. Dann wurde er genauso ausführlich durchsucht wie zur Ausreise. Jedes Stück wurde unter die Lupe genommen und gegen das Licht gehalten. Willi hatte es total satt. Aber das war wohl überall in der Welt so. oder nicht. Nie würde er nochmal eine Auslandsreise unternehmen. Sicher war das auch ein Ziel der roten Schweine, auf die Art und Weise die Reiselust einzudämmen, zumal dem Land ja auch eine, selbst bei den kommunistischen Brüdern akzeptierte Währung fehlte. Man konnte Willi nichts nachweisen und musste ihn laufen lassen, aber nicht ohne strafrechtliche Konsequenzen anzudrohen, wenn sich noch herausstellen sollte, dass in seinem Fall was stinkt. Willi eilte zum Bahnhof und erreichte am Abend sein Zuhause. Dort ging das Theater weiter. Die Erzeuger hatten Geschenke erwartet. Jeder bringt was mit, wenn er eine Reise tut, zumal den eigenen Eltern, denen man alles zu verdanken hat und wenn man auch noch ins Ausland fährt. Tatsächlich hatte Willi keine Sekunde daran gedacht, dass er dazu verpflichtet sei. Er faselte was von beschränkten Geldmitteln, aber das wurde im Hinblick auf die Kinder der Arbeitskollegen, die solche Reisen auch machten, abgeschmettert. Jeder in der Verwandtschaft und auf Arbeit würde fragen:

Was hat er mitgebracht? Das ging tagelang so weiter. Grauenvoll. Und keine Fluchtmöglichkeit. Täglich musste er sich die neue Leier anhören. Willi wäre nicht im Traum auf die Idee gekommen, dass die Geschenke haben wollten. Also seilte sich Willi ab. Zu den Großeltern konnte er nicht fahren, da hatten die Erzeuger ihn schon madig gemacht, per Telefon, blieb nur noch Wehrmann. Der hatte ihn eingeladen, mit ihm und seiner Familie auf dem Grundstück der Schwiegereltern Urlaub zu machen und jetzt nahm Willi das an. Erst mal fort. Die Kontaktaufnahme nach Brandenburg war sehr aufwendig. Willi musste die Schwiegereltern von Wehrmann erwischen, wenn die gerade mal zu Hause waren. Sie waren meist in ihrem Sommerhaus und nur selten zu Hause. Immerhin hatten die ein Telefon. Nachdem er die Leute endlich an der Strippe hatte, mussten die erst Wehrmann fragen, wie lange er noch bei ihnen zu Gast war. Und wieder anrufen, die Leute abfangen, wenn die denn mal zu Hause waren. Zwar gab es bei ihm in K.-M.-Stadt ein Telefon. Das war aber im Wohnzimmer, welches seine Erzeuger in ihrer Abwesenheit immer abschlossen. Waren sie da, durfte er nicht telefonieren, wegen der Kosten. Also musste Willi von einer öffentlichen Telefonzelle anrufen. Mehrere waren an der Zentralhaltestelle, etwa zehn Minuten zu Fuß. Die eine Hälfte war defekt, die andere besetzt. Doch dann klappte es, Willi setzte sich in den Zug, zuerst nach Berlin, dann nach Brandenburg, dann mit der Straßenbahn und dann wurde er von Wehrmann mit dessen neu erworbenem Auto abgeholt. Das

hatte er von einem aus dem Bauorchester erworben. Eigentlich wollte Willi das kaufen, aber Wehrmann hatte einfach einen Tausender mehr hingeblättert. Zehntausend für ein Achtjähriges Fahrzeug, was mal 8000 gekostet hatte. Eigentlich gut, dass es nicht geklappt hatte, denn wie sollte Willi das Fahrzeug nach Chemnitz überführen. Er hatte keinerlei Fahrpraxis, seit der Prüfung vor drei Jahren war er nie wieder gefahren. Immerhin erwarb er später ein gleichwertiges Fahrzeug für 800 Mark weniger. Aber bei Wehrmann spielte das keine Rolle, der verdiente sich dumm und dusselig mit der Musik.
Das Grundstück der Schwiegereltern war ein riesiges Gelände. Das so genannte Wochenendhaus oder Sommerhaus, hätte auch als Eigenheim herhalten können. Es lag idyllisch direkt am Wasser, aber nicht zu nahe. Zusätzlich hatten sie noch einen riesigen stabilen Wohnwagen in Lehnin und noch eine perfekt eingerichtete Dreiraumwohnung und das bei drei Kindern. Wo nahmen die nur die Kohle und die Baustoffe her? Schlafen musste Willi zusammen mit Wehrmann und seiner künftigen Frau mit im Ehebett. Auch keine ideale Lösung. Das inzwischen geborene Kind schrie mit dem gleichaltrigen Kind der Zwillingsschwester der Gattin den ganzen Tag um die Wette. Zwischen den Eltern herrschte eine gereizte Hektik. Wehrmann hatte keine eigene Wohnung und seine Frau wohnte mit bei seinen Eltern, mit denen verstand sie sich aber nicht wirklich. Schwiegereltern. Auch die größte Vierraumwohnung kann bei fünf Personen mal zu

eng werden. Wehrmann sah die Sache recht locker und seilte sich gern ab, den Eltern, Schwiegereltern und der Frau das Kind überlassend. Das kam nicht immer gut an und ein paar Mal wurde er von seiner Liebsten hart angefahren. Alles in allem waren sie immer um die zehn Personen, die sich allerdings auf dem riesigen Grundstück und bei verschiedenen Tätigkeiten verliefen. Die Schwiegermutter von Wehrmann war ständig mit einkaufen, aufwaschen und Essen machen beschäftigt. Abends wurde gegrillt und Willi spielte mit Wehrmann und seinem Schwiegervater als Kapelle, mit Bassgitarre und Schlagzeug. Tagsüber fuhren sie mal nach Lenin zu dem Wohnwagen oder andere Verwandte besuchen. Das Grillen musste vorbereitet werden, man war baden, angelte und spielte Skat. Letzteres mit dem Schwager von Wehrmann. Das Angeln war langweilig, Willi hatte immer gedacht: Zurücklehnen, vor sich hinträumen und warten, bis es zupft. Das ständige Starren auf den Schwimmer war eher lästig. Alles in allem verging die Zeit angenehmer, auf jeden Fall angenehmer als zu Hause und Willi war als Musiker, der alle gängigen Schlager und Stimmungslieder auswendig spielen konnte, recht angesehen. Man verbot ihm, sich an den Kosten für Essen und Trinken zu beteiligen und empfand Angebote Willis als Beleidigung. Wehrmanns Liebste hatte eine eineiige Zwillingsschwester. Willi war nicht esoterisch veranlagt und glaubte auch nicht an einen Einfluss, den der Zeitpunkt der Geburt auf das Schicksal nehmen kann, erst recht nicht an Astrologie, aber was diese Zwillinge betraf, da musste er

nachdenken. Beide sahen gleich aus, beide würden zur gleichen Zeit heiraten, beide würden sich einen Hund zulegen, beide drei Kinder haben, zwei Mädchen und einen Jungen, in der Reihenfolge, fast gleichzeitig geboren, beide würden Krankenschwester lernen und mit dem Chefarzt ein Verhältnis anfangen, beide mit ihren Männern zwei Häuser bauen, das erste mit Verlust, wenn auch aus verschiedenen Gründen verkaufen. Die Lebenswege der Frauen würden sich verblüffend ähneln. Zufall oder nicht? Damals Juli 86 ahnte noch niemand etwas von dieser wechselvollen Zukunft.
Insgesamt fühlte sich Willi in der Großfamilie nicht wirklich wohl. Es fehlte die Möglichkeit, mal allein zu sein und das ständige Geplärre der Säuglinge fand er extrem lästig. „Du hast wohl keine Mutter“, fragte Wehrmann sein heulendes Kind. Die Mutter reagierte mit einer hysterischen Schimpfkanonade auf diese Bemerkung. Um Gottes Willen, lieber ledig geblieben und weiter gesoffen. Natürlich musste Willi in der Öffentlichkeit begeistert von den ewig schreienden „niedlichen“ Säuglingen sein. Aber im inneren war er kinderfeindlich eingestellt. Er fand es einfach nur nervend, wenn ein Kleinstkind mit seinem Geschrei z.B. den ganzen Zugwaggon unterhielt oder Wehrmanns Eltern das Kleinstkind im Konzert einfach störend schreien ließen, anstatt raus zu gehen, im Gegenteil noch beifallsheuchelnd in die Runde schauten: Alle sollten das liebliche, ach so niedliche Kind bewundern. Sicher war das Kind für die Eltern eine Weltsensation, aber nicht für Willi. Dutzende wurden jede Sekunde auf der

Welt geboren und Dutzende krepierten wieder vor Hunger. Für Willi bedeuteten die Bälger, ewigen Krach, Unruhe und da das eine im gleichen Zimmer schlief, auch ständig unterbrochenen Nachtruhe. Insgesamt hätte Willi einen einsamen Blockhüttenaufenthalt diesem Stress vorgezogen, aber wie schon gesagt, besser als zu Hause war es allemal. Was Willi wirklich begeisterte, war das gemeinsame Musizieren. Da war er in seinem Element. Insgesamt war die Woche also super. Doch dann kam der Tag, Willi musste zurück. Gegen Abend wurde er mit Gezeter von den verhassten Erzeugern begrüßt. Statt in dem Garten beim Bau der Datsche zu helfen, trieb er sich in der Weltgeschichte herum, das würde es nirgends geben, auch die Großeltern, die gerade gegangen waren, hätten empört reagiert. Willi verwies auf Veranstaltungen, aber die hätte er nach Meinung der Erzeuger gar nicht annehmen sollen, er verdiente doch künftig bei der Polizei. Die Eltern im Stich lassen, so was. Willi hörte gar nicht hin.

Der nächste Tag sollte der erste im Polizeiorchester sein. Zwei Wochen Vorbereitung in Berlin und dann Teilnahme an den Feierlichkeiten: „25 Jahre Existenz der Mauer, also der Staatsgrenze zwischen DDR und BRD:" Übernachtung vor Ort. Willi hatte es gleich ein bisschen satt. Am nächsten Tag dann in Uniform mit Koffer, Kleidersack und Instrument per Straßenbahn in die BDVP. Willi wurde nicht groß beachtet. Er war eben wieder da, war quasi nie richtig fort gewesen. Es waren jetzt mehr junge Leute im Orchester, einige kannte Willi schon von der Bereitschaft und vom Studium.

Einige waren auch nicht mehr da, hatten sich entpflichtet oder waren rausgeflogen. Die Jugendlichen bildeten eine eigene Gruppe, sie fühlen sich, vor allem auch fachlich, besonders gut, obwohl sie zum Teil unstudierte Laien waren und gaben sich mit Willi gar nicht ab. Aus irgendeinem Grund galt er bei den Jugendlichen im Orchester als fachlich nicht kompetent und wurde entsprechend nicht mit einbezogen. Das war insofern bitter, weil auch komplette musikalische Nullen sich ihm überlegen fühlten, warum auch immer. Woran lag das? Die als halb asozial einzuordnende Freundin, sie hatte sechs Geschwister, die Mutter klatschfett, der Vater spindeldürr, einer völlig musikalisch toten Plinse fragte mal: „Was will so ein Mann denn im Orchester." Jedenfalls stand Willi außerhalb der Jugend, die sich auch als Opposition sah. Es war üblich, dass die Jugendlichen viel übten. „Er übt viel", sagten die Jugendlichen anerkennend von einem der ihrigen und erinnerten Willi dann, in dem in keinem Verhältnis zur Übezeit stehenden musikalischen Ergebnis, an seinen alten Feind Immerleb. Dennoch bedauerte Willi, dass er nicht integriert wurde. Im Bus saß er neben einem fetten Alkoholiker, der die ganze Fahrt über aus einer in Zeitungspapier eingewickelten Schnapsflasche süffelte. Er soff sich dann zwei Jahre später tot. Der war nicht begeistert von seinem neuen Sitzpartner: „Aber ab", fuhr er Willi an, aber der Hinweis des Dirigenten, dass „er" die Sitzordnung festlege, ließ ihn zackig „Zu Befehl" sagen. Vor der Abfahrt empfing jeder eine neue Uniform für die Parade in

Berlin, eine chaotische Angelegenheit, da jeder diese vor dem Dirigenten angezogen vorführen musste. Die Uniform wurde dann in einem Extrawagen transportiert. Dann setzte sich der Orchesterbus in Bewegung. Alle hatten die Schnauze voll, statt bis mittags Probe und dann in den Garten, zwei Wochen Massenunterkunft in einem Klassenzimmer und täglich Marschprobe. Nur der Dirigent gab sich als begeisterter Soldat, der voller Vorfreude den zwei Wochen entgegenfiebert. Es war extrem heiß, die Tage sollten die wärmsten des Jahrhunderts werden, mit ergiebigen Gewittern. Direkt von der Autobahn ging es auf eine stillgelegte Rollbahn des Flughafens Schönefeld und dort fanden in voller Montur, in Stiefeln und mit Helm, letztere allerdings aus Plastik, die ersten Proben statt, zusammen mit etlichen anderen Orchestern. Jeder wusste, wie zu marschieren war, jedes Orchester beherrschte auch die Musikstücke, dennoch wurde es immer und immer wieder geprobt. Wenn 14 Tage angesetzt waren, wurde 14 Tage geprobt, auch wenn alles klappte. Wie beim Waffen reinigen während der Wehrpflicht: Gereinigt werden musste 30 Minuten. Reinigen musste auch der, der seine Waffe, seine Braut quasi, seit dem letzten Reinigen, wegen Urlaub etwa, gar nicht benutzt hatte. Oder es war wie mit dem Haare schneiden in der Bereitschaft. Der Befehl lautete: „Jeder geht“, also mussten auch die mit Glatze zum Friseur. Hier war der Befehl: „14 Tage Probe“, also wurde 14 Tage geprobt, egal wie das Wetter war und auch wenn es schon nach vier Stunden klappte. Sie waren total verschwitzt, die Stiefel waren nach dem Gewitter voller Wasser, ein

Wunder, dass keiner der verweichlichten Alkoholiker aus den Latschen kippte, auch Willis Busnachbar nicht. Beim sich der Probe anschließenden Begrüßungsapell wurde einer, der sich hatte Glatze schneiden lassen, vom altbekannten Inspizienten hochgelobt. Dann hatte der Inspizient Willi entdeckt, er tuschelte seinem Assistenten was ins Ohr, der ging zum Orchesterleiter, der biss den wiederum das Ohr ab. Dann bekam Willi den dienstlichen Befehl, zum Friseur zu gehen, nicht allein, zusammen mit dem Korpsführer. Der sorgte für einen extrem kurzen Haarschnitt. Willi fand sich furchtbar und auch die anderen lachten. „Wären sie gleich mit einem ordentlichen Schnitt gekommen, wäre das nicht passiert", ergänzte der Orchesterleiter. Willi war zu dumm, um den tieferen Sinn der einheitlich kurzen Frisur zu begreifen. Der Gegner sollte Angst bekommen, denn wer sich so verunstalten lässt, ohne Widerstand, der führt auch alle Befehle der Vorgesetzten blind aus. Der vernichtet, in dem Fall den Klassenfeind, also den vom Kapitalismus verblendeten Bürger der BRD, ohne nachzudenken. Der BRD-Soldat ist auch selbst schuld, was glaubt er auch der kapitalistischen Propaganda und warum weigert er sich, in die bessere DDR überzusiedeln.
Jeden Tag ging es jetzt mit dem Bus, ca. eine Stunde Fahrzeit, vom Quartier zum Rollfeld immer wieder stupid das gleiche üben. Mittag gab es dort einen miesen Fraß aus Essenkübeln. Abends ging es zurück ins Quartier. Auch Wehrmann war hier und die anderen Mitstudenten, jetzt in den

verschiedenen Orchestern mitwirkend. Da war Unterhaltung gesichert, Willi brauchte die Jugendlichen im eigenen Orchester nicht, er hatte Leute, mit denen er sich abgeben konnte. Jeweils ein Orchester schlief auf Liegen in einem Klassenzimmer. Da der Busfahrer und der dumme Oscar sich nicht wuschen und die Zimmerfenster nur anzukippen waren, schlief, bis auf die zwei, das Orchester auf dem Gang. Besonders die Jugend stichelte. „Na Oscar, sollen wir dir schon das Badewasser einlassen?“ „Na hast du wieder eine Tonne Gülle am Arsch hängen?“ Der Oscar war bei der Stasi, was damals niemand wusste und der würde sich schon zu rächen wissen. Dennoch blieb ihm und dem Busfahrer die Ehre, allein im Zimmer schlafen zu dürfen. Am dritten Tag bekam Willi ein Telegramm: Die Großmutter war gestorben. Die Beerdigung war schon für nächste Woche angesetzt. Willi ging zum Orchesterleiter. Er zog seine Mütze, biss sich auf die Zunge und fragte: „Genosse Oberstleutnant, gestatten, dass ich spreche.“ Das war in keinem Orchester üblich, aber der Kerl bestand auf solche Anreden. Kurz und knapp verweigerte er Willi die Teilnahme an der Beerdigung: „Es ist kein Verwandter ersten Grades gestorben.“ Willi begab sich zum Inspizienten: „Genosse Oberst gestatten Sie, dass ich spreche.“ „Lassen Sie diesen Quatsch, sind Sie völlig übergeschnappt? Was wollen Sie!“ Der Inspizient war empört. Willi brachte sein Anliegen vor. „Was kommen Sie da zu mir, lassen Sie sich die Freistellung von Ihrem Orchesterleiter geben.“ „Aber ich war doch schon bei ihm.“ „Und.“ „Abgelehnt.“

„Teilen Sie ihm mit, dass Sie fahren, ich hätte es befohlen.“ Willi ging zurück. „Genosse Oberstleutnant, gestatten Sie, dass ich spreche.“ „Kurz und knappe Genosse Unterwachtmeister.“ „Der Inspizient hat angeordnet, dass ich fahren kann.“ „Sie waren ohne meine Erlaubnis beim Inspizienten, sind Sie denn ganz wahnsinnig geworden, Sie haben den Dienstweg einzuhalten. Hat der Inspizient eine Bestrafung angekündigt.“ „Nein Genosse Oberstleutnant.“ „Dann fahren Sie.“ Willi wusste, diese Eigenmächtigkeit würde Folgen haben, er hatte den Dienstweg nicht eingehalten und den Orchesterleiter brüskiert. Die Eigenmächtigkeit hatte tatsächlich Folgen, aber in eine ganz andere Richtung: „Hohl hatte sich selbstständig beim Inspizienten gemeldet und war nicht bestraft worden. Vor dem Kerl musste man sich vorsehen, der hatte wohl gute Beziehungen zum Inspizienten. Die Sache mit dem Haarschnitt, die wollten ihn auf die Probe stellen. Aber er hatte richtig reagiert, den Hohl mit einem Vorgesetzten zum Friseur geschickt.“ So dachte der Orchesterleiter. Er musste so denken, von seinem Standpunkt aus war das nur zu logisch. Also durfte Willi zur Beerdigung fahren. Er war froh, dem Laden mal zwei Tage zu entkommen. Am Freitag kündigte der Inspizient an: „Wenn am Samstag alles gut klappt, dürfen die Orchester übers Wochenende nach Hause fahren.“ Willi überlegte. Dann wäre er am Abend in Chemnitz, müsste sich das Gelapp von den Erzeugern anhören, zu Essen wäre auch nichts da und Sonntag am Mittag ging es schon wieder zurück. Er blieb, wie auch die Jugendlichen, in Berlin, in seinem Fall, um eine Veranstaltung im Bauorchester mitzumachen. Nun hatte der Orchesterleiter, warum auch immer, alle musikalischen Betätigungen für dieses Wochenende, sei es zu Hause oder hier, bei Strafe verboten. Willi war zwar feige, aber sein Verständnis für die Wichtigkeit, sich auszuruhen, „Musizieren in der Freizeit kostet zu viel Kraft“; hatte Grenzen. Immerhin, die Gefahr, erwischt zu werden, war groß, denn die Mitglieder des Berliner Orchesters machten die Mugge auch mit, nur denen hatte niemand etwas verboten. Was für deren Einsatzkraft nicht schädlich war, konnte auch Willi nicht belasten. Willi fragte noch drei aus dem eigenen Orchester, ob sie mitspielen wollten. Vier Mann konnte der Orchesterleiter nicht bestrafen. Er würde sich selbst als unfähig hinstellen, wenn gleich vier Mann seine Befehle missachten. Die Jugendlichen waren von der Möglichkeit, etwas hinzuzuverdienen, begeistert. Sie waren Samstagabend auf Disko gewesen und hatten dort viel Geld ausgegeben. Tatsächlich spielten neun Mann vom Berliner Polizeiorchester mit. Die waren nicht begeistert, dass Willi fremde Musiker angeschleppt hatte, wenn auch mit Erlaubnis des Org. Chefs. Die Berliner drohten, künftig nicht mehr mitzuspielen, wenn weiter Willi und seine Kollegen hier auftauchen würden, die sollten in ihrer Heimatstadt was suchen. Am Abend, als wieder alle, auch Wehrmann, da waren, kam einer der Berliner Trompeter, ein wahres Großmaul auf Willi zu und fragte ihn, ob er ein paar auf die

Schnauze wolle, denn die würde er bekommen, wenn er auch nur noch einmal beim Bauorchester auftauchen würde. Noch einmal war sie da, die Erinnerung an die goldenen Zeiten im dritten Studienjahr. „Sorge doch mal für Ruhe“, sagte Willi zu Wehrmann. Der fasste das zappelnde Großmaul am Kragen und hob ihn hoch und schüttelte ihn hin und her. „Ehrenwort, dass du um ein paar in die Fresse bittest, wenn „DU“ das nächste Mal im Bauorchester mitmachst?“ Natürlich war das eine leere Drohung, Wehrmann würde dem Kerl nicht verbieten können, dort weiter mitzuwirken. Wehrmann drehte ihm den Arm auf den Rücken. Der Kerl versprach alles zu tun, um was man ihn bäte. Wehrmann stieß ihn gegen einen anderen vom Berliner Orchester, der gerade hereinkam, ein Tablett Bier in der Hand, sodass er stolperte und alle Gläser zu Bruch gingen. Der Träger, der nicht gesehen hatte, warum er geschubst wurde, schnauzte das Großmaul an, was ihn feige um Entschuldigung bat. Wehrmann und Hohl lachten lange und herzlich wie lange nicht. Dennoch war Willis Abschied im Bauorchester besiegelt. Er bekam einen Brief. Der Org. Chef teilte mit, dass er ihn mit Rücksicht auf die ständig zur Verfügung stehenden Aushilfen aus dem Berliner Raum, nicht mehr nehmen könne. Er solle sich doch was in seiner Heimatstadt suchen. Das war sein Abschied aus dem Bauorchester, nach drei Jahren Mitwirkung. Willi hätte gern an den Wochenenden noch mitgespielt. Zeit hatte er und die Bahnkarte bekam er gratis von der Polizei. Sicher könnte er auch illegal im Wohnheim übernachten. Aber es

sollte eben nicht sein. Willi gab beim Pförtner des Baubetriebes seine Klamotten ab. Nie wieder spielte er im Bauorchester mit oder hatte Kontakt zu einem der Mitglieder. Zum Berlinjubiläum 1987 hatten die wohl nochmal eine große Zeit, um dann mit der Wende, mit der DDR sang- und klanglos unterzugehen.
Dennoch fand es Willi sehr traurig, er wurde quasi rausgeschmissen. Auch die Combo Bonsdorf, die Musiker spielten auch im Bauorchester, meldeten sich nie wieder.
In der zweiten Ausbildungswoche in Berlin konnte Willi sich zur Beerdigung verziehen. Er fuhr am Vorabend mit dem Zug nach Leipzig und übernachtete dort. Der Großvater, nun Witwer, war nicht sonderlich in Trauer und erzählte ausführlich vom Verlauf des Sterbens. Willi genoss es, wieder einmal allein in einem eigenen Zimmer zu schlafen. Die Beerdigung, mit Rede und Tonbandmusik sowie anschließenden Trauerkaffee, belastete Willi nicht. Er war und spielte vor allem gern auf Beerdigungen. Da jeder, auch pensionierter Polizist, eine Beerdigung mit Orchester bekam, spielte das Polizeiorchester mindestens zweimal monatlich zu Trauerfeiern, je nach Rang des Verstorbenen mehr oder weniger pompös. War ein hohes Tier verstorben, wurde schon mal vorher geprobt, um zu vermeiden, dass jemand mit dem Sarg des teuren Kommunisten stürzte. Die Großmutter war zwar Parteigenossin, aber schon 16 Jahre in Rente und als Sekretärin nichts Besonderes gewesen. Dennoch, auch diese Beerdigung erweckte in Willi ein tiefes Gefühl des Friedens, der ewigen Weite. Er

hatte sich noch nie Gedanken über den Sinn des Daseins gemacht oder über das, was hinterher sein könnte. Aber ein Friedhof bedeutete für ihn ein Tor zum Glück, zu ewigem Frieden. Natürlich wollte er nicht sterben, vor allem wollte er noch viel Musik machen, aber er spürte auch, dass hinter dem begrenzten Blick im Diesseits noch etwas sein musste und ein Friedhof war wie ein Tor zu diesen anderen Welten und die Großmutter war diesen Schritt gegangen. Eigenartig, wie konnte man im Alter ruhig leben, der Großvater war 79, jeden Tag musste er damit rechnen: Das war es. Welche Funktion hatte Willi? Warum brachte er sich nicht einfach um, wenn es Schwierigkeiten gab? Da es nach der Theorie der Kommunisten nach dem Tod nichts mehr gab, würde Willi, wenn er denn ausstieg, sich auch nicht mehr an sich selbst erinnern, quasi sich nicht ärgern können, dass er womöglich was Wichtiges verpasst hat... Nein, irgendetwas war da noch. Im Moment hatte Willi aber keine Lust, sich mit so was intensiv zu beschäftigen, dazu fühlte er sich noch zu jung, es blieb ein süßer Augenblick, ein Lichtblick, dann ging es wieder nach Berlin auf die Piste.
Die eigentliche Veranstaltung im Zentrum Berlins erinnerte Willi etwas an den Ordnungseinsatz in Güstrow vor fünf Jahren. Ewig lange vorher da sein und ewig warten, bis nach der Veranstaltung die Erlaubnis zum Abrücken kam. Erich Honecker persönlich eröffnete mit überschnappender Stimme die Parade: 25 Jahre Mauer. Willi hatte, wie alle anderen Polizisten, keine Westverwandtschaft, demnach war ihm das Thema Mauer egal.

Verwandte wurden immer schon voneinander getrennt, durch Armee, Beruf oder Gefängnis und die Mauer, ach Gott ja. Willi hatte keine Meinung dazu, er hatte gelernt, ohne die Mauer würde die Bundeswehr einmarschieren und sie würden kapitalistisch, sprich arbeitslos und drogenabhängig werden, es kämen Kriege, es käme Pornografie, Kriminalität, Schundliteratur wie Karl May Bücher, es kämen wirklichkeitsferne volksverdummende Seien wie „Lindenstraße“ und Prostitution, Kitschfilme wie „Winnetou“, dazu Punker, Obdachlose, kurz: Man würde direkt dem Vierten Reich entgegen steuern.
Dem Orchesterleiter waren bei der Parade die Schlaufen aus den Stiefeln gerutscht und hingen rechts und links runter. Für jeden anderen hätte das unangenehmste Folgen, bei dem nahm keiner Notiz. Nach der Parade gab es für die Orchester in einem großen Speisesaal ein Essen und ein Geschenk. Ein Weckradio, für BRD-Verhältnisse hätte es einen Wert von maximal 15 Mark gehabt, in der DDR kostete es das Zehnfache. Man tuschelte: Wieso kann die DDR sich so teure Geschenke leisten und man vermutete, dass das Produkt ein Ladenhüter war, welches für überteuerte Preise niemand will, vielleicht sogar schadhaft und nach wenigen Monaten kaputt, dann musste man es wegschmeißen, denn eine Garantie gab es bei dem Geschenk nicht und Ersatzteile in der DDR, undenkbar ohne Beziehungen oder Westgeld.
Die Parade war zu Ende, man fuhr nach Hause, jetzt würde der alltägliche Polizeidienst beginnen

und im September das Fernstudium, ein Jahr jeden Montag nach Berlin, acht Stunden im Zug. Und dann noch bei den Erzeugern zu Hause. Willi würde so oft wie möglich im Probenobjekt des Orchesters bleiben. Das Orchester hatte eines, mit Saal für Gesamtproben, Garderobe, Zimmer für jedes Register und Büro für den Leiter. Immerhin hatte der jetzt Spundus vor Willi, er glaubte, der habe gute Beziehungen nach ganz hoch oben, also zum Inspizienten. Nun kam der Hohl auch noch zu ihm: „In der entsprechenden Stelle ist kein Wohnungsantrag von mir vorliegend, sie wollten sich doch kümmern, Genosse Oberstleutnant." Der Leiter hatte den Antrag gar nicht mehr ernst genommen, nie daran geglaubt, dass der Hohl jemals zurückkommen würde. Dass der trotz seines vielen Drecks am Stecken doch wieder da war, ein weiteres Indiz für dessen gute Beziehungen nach oben. Der Leiter klemmte sich also hinter die Problematik „Wohnung", sprach von einem guten Kommunisten, der Vater bei der Armee, ein hohes Tier und siehe da, bereits zwei Tage später erhielt Willi die Zuweisung für eine eigene Wohnung. Welch angenehme Überraschung.
Der alltägliche Orchesterdienst war etwas ätzend, die Jugend akzeptierte Willi nach wie vor nicht, als Musiker nicht und damit auch nicht als Mensch. Es war schmerzhaft, weil das nicht stimmte, musikalisch, da konnte Willi dicke mithalten. Aber das war jetzt egal, es gab wichtigeres, eine eigene Wohnung, ein absoluter Traum. Sie war nur drei Straßenbahnhaltestellen vom Probenhaus entfernt. Willi war mächtig gespannt. Ein Traum wurde war.

Die Wohnung war in ruhiger Lage, kein Durchgangsverkehr, das Haus, in den Dreißigern gebaut, mit Werkswohnungen für inzwischen nicht mehr existierende Betriebe. Drei Geschosse, mit je drei Wohnungen, bestehend aus Bad, großer Wohnküche und Schlafzimmer. Willi hatte die mittlere Wohnung im ersten Stock. Ein kleiner Vorsaal, in der Mitte ein Bad mit WC und Wanne mit Badeofen. Links die Küche mit Beistellherd, rechts der kleinere Schlaf- oder Wohnraum mit großen „Berliner Ofen". Die Fenster gingen alle nach hinten raus, hier war Wiese, dann ein Sportplatz, dann ein Rangierbahnhof, dann Wiese vom Wasserwerk, dann der städtische Friedhof. In allen neun Wohnungen alleinstehende: Vier verwitwete Frauen, ein verwitweter Mann und vier alleinstehende Männer in Willis Alter, einer allerdings mit Freundin, die dann bald zu ihm ziehen sollte. Willi bekam von der Hausvertrauensfrau, einer älteren Rentnerin, den Schlüssel und die Adresse der Gebäudewirtschaft für den Mietvertrag. Da müsse er hin, im Übrigen sei der Vormieter, ein lediger Mann von 66 Jahren, an Herzschlag verstorben, nicht hier in der Wohnung, im Krankenhaus. Die Wohnung machte einen verkommenen Eindruck. Auf jeden Fall musste neu vorgerichtet werden, Möbel, Gardinen und so weiter mussten angeschafft werden, Maler, Farbe, Dübel, Bettwäsche, alles Mangelware, Willi seufzte. Die Gebäudewirtschaft hatte erst übermorgen geöffnet, also konnte sich Willi einer zweiten Sache widmen, dem Autokauf. Seine Anzeige war erschienen und er hatte auch zwei

Zuschriften. Am Tag der Wohnungsbesichtigung hatte Willi eine Veranstaltung mit seinem alten Freund Guth. Sein Zirkel las vor Parteisekretären zum Thema „25 Jahre Mauer" eigene Machwerke und Willi spielte auf dem Akkordeon ein paar Russenlieder dazu. Die Sekretäre mussten schon vom Beruf wegen begeistert sein. Willi fragte Guth, ob er ihn beim Autokauf unterstützen wolle und der sagte ja. Also fuhren sie am nächsten Tag mit Guths Schwiegersohn in ein kleines Dorf in der Nähe der Stadt. Ein wichtigtuerischer Alter verkaufte Willi, ohne rot zu werden, einen acht Jahre alten Trabant mit 68 000 km auf der Uhr, mit Reifen blank wie Parkett und einer alten Batterie. Neupreis: 8000 Mark. Willi bot 9000, aber für so wenig wollte er das Auto nicht hergeben, 200 Mark Versicherung und Steuer, die müsse er extra bezahlen. In Ordnung, so waren die Zeiten, Willi bezahlte bar, Kredite gab es nicht, im Kaufvertrag wurden nur 2000 Mark eingesetzt, alles andere wäre ja Betrug und Willi war jetzt stolzer Besitzer eines weißen Trabant, aus Plaste, mit Gurten, ohne Kopfstützen. Ein Trabant war immer weiß, nur wenige blau oder senffarben, immerhin hatte seiner ein braunes Dach. Vorsichtig fuhr Willi nach Hause, mit Guth, denn Willi hatte keine Fahrpraxis, war drei Jahre nicht gefahren. TÜF gab es nicht, in den Siebzigern gab es mal farbige Plaketten, die aller zwei Jahre erneuert werden mussten, aber das nahm niemand mehr ernst, es gab weder Ersatzteile noch Werkstatttermine. Eine kleine Werkstatt, die Willi um einen Inspektionstermin bat, lachte ihn aus. Die hatten ihre Stammkunden und nahmen

keine neuen. In der Zentralwerkstatt in der Waldenburger Straße schrieb man Willi auf. 1988, nach zwei Jahren bekam er dann einen Termin. Gekauft hatte Willi das Fahrzeug aus zwei Gründen. Um auch weiter entfernte und zeitlich mit öffentlichen Verkehrsmitteln nicht erreichbare Muggen/Veranstaltungen annehmen zu können und um den Umzug zu bewältigen.
Natürlich war Willi klar, er konnte nicht sinnlos herumfahren, nur für dringend notwendige Fahrten konnte er das Auto nutzen: Ersatzteile, neue Verschleißteile, undenkbar. Es gab genug, dessen Karre stand, weil es keine Ersatzteile gab im Sozialismus. Bereits am nächsten Tag war das Fahrzeug das erste Mal defekt, lief nur auf einem Topf, wie man sagte, schwerfällig und langsam mit halber Kraft. Willi war aufgeregt und unerfahren, er merkte erst, dass er auch mit angezogener Handbremse gefahren war, als die Bremsen nicht mehr gingen und er beim Einparken einem Wartburg eine faustgroße Delle dreinfuhr. Die Felgen waren so heiß geworden, dass der Gümmischutz über den Radmuttern geschmolzen war. Willi musste zur Versicherung, den Schaden klären, ewige Wartezeiten. Guth war ein Pfundskerl, der kannte einen, der ihm neue Bremsen besorgte und eine neue Zündkerze, sodass er wieder auf zwei Töpfen fuhr. Noch auf der Heimfahrt von der Werkstatt war der andere Topf defekt und auch diesmal vergaß Willi die Handbremse, wieder die Bremsen hin, wieder half Guth, der musste ihn für bekloppt halten. Wenigstens bekamen die Erzeuger nichts mit, denn die spukten Gift und Galle, als

Willi mit dem Auto ankam. Keine Miete zahlen wollen, aber großkotzig ein Auto kaufen, gebrauchte Autos kauft man generell nicht, nur Neuwagen, acht Jahre warten ist zumutbar, man nimmt auch kein gebrauchtes Papiertaschentuch. Einmal fuhr Willis Erzeuger mit, er mokierte sich über die wackelnde und scheppernde so genannte Hutablage. Willi, der auf der Suche nach neuen Reifen war, hatte andere Sorgen als ein bisschen klappern. Der Erzeuger tobte, das Auto sei nicht verkehrssicher, es könne einen auch zeichnen und auch andere verletzen und dann, wie immer: Willi sei ein Verbrecher, der das Auto als Mordwaffe nutzen, solche wie er gehören hinter Schloss und Riegel. Da hatte der kommunistische Blödmann noch nicht mal die Reifen gesehen, glatt wie Parkett, wie gesagt. Willi meldete sich an und schon nach neun Monaten war er dran mit einem neuen Satz Sommerräder. Winterreifen gab es eh nicht. Er fuhr zum Reifendienst, dort sagte man ihm, dass das Fahrzeug mit den defekten hinteren Felgen keinen Millimeter mehr bewegt werden könne. (Das war durch die angezogene Handbremse passiert, der Pfuscher von Guth, der die Bremsen repariert hatte, war nicht so streng.) Willi erklärte sich bereit, zwei Felgen zu kaufen. „Wir haben keine“, hieß es. „Dann muss das Auto eben hier stehen bleiben“, sagte Willi, der in Wut geriet. Der Meister machte eine Bewegung, als ob er Willi schlagen wolle, hielt aber inne, als Willi sagte: „Ich zahle jeden Preis.“ Der Meister nahm ihn zur Seite. „20 Mark zusätzlich für jede Felge.“ Wortlos machte sich der Meister an die Arbeit. Dann bezahlte Willi an der Kasse und ging zum Meister. Eigentlich müsste er den jetzt anzeigen, wegen Erpressung. Aber vielleicht hatte er mal eine Reifenpanne und brauchte den Kerl noch. Willi gab ihm wortlos 80 Mark, ein Wunder, dass der kein Westgeld verlangt hatte. Willi bekam die Schlüssel. „Lassen Sie sich ja nicht wieder hier sehen“, rief der Meister noch hinterher, er war wohl ganz sicher. Zeugen gab es für den Deal nicht. Immerhin, Willi hatte erst mal neue Reifen. Im Prinzip war ständig was kaputt an der Karre, der Blinker ging nicht, oder das Licht, nach einem Jahr fiel vorn die Stoßstange ab, er kannte niemanden, der die schweißen konnte, also fuhr er erst vorn, wenig später auch hinten ohne Stoßstange, auch die war abgefallen wegen Rost. Wenig später war das Mittelrohr vom Auspuff durchgerostet. Willi band den nun sinnlos gewordenen Endschalldämpfer mit einem Gürtel fest und fuhr generell mit offenem Fenster, da die Abgase direkt in die Fahrerzelle strömten. Auch musste er niedertourig fahren, denn der Wagen dröhnte jetzt ziemlich laut. Ab und zu half Guth, aber sein Pfuscher konnte nicht schweißen und hatte nur Beziehungen zu Bremsen und Motorersatzteile. Ein Problem war auch die Batterie. Zwei Jahre musste Willi die Batterie, sobald es kalt wurde, jedes Mal ausbauen und mit ins Warme nehmen. Selbst wenn er zu Veranstaltungen fuhr, musste er die ausbauen und mit reinnehmen, andernfalls wäre der Wagen nicht wieder angesprungen. Zum Glück ging das Aus - und Einbauen leicht und selbst ein technisches Rindvieh wie Willi kapierte es. Das Batterie Ladegerät, auch Mangelware, hatte ihm

Wehrmann besorgt.
Immer montags bekamen sie beim Batteriedienst eventuell Ware. Da das Fernstudium immer am Montag war, konnte Willi erst ab Juli 87, sich jeden Montag gegen fünf anstellen, um dann gegen 7.00 Uhr, wenn der Laden öffnete, zu erfahren: Heute keine Lieferung. Willi war zäh und der Batteriedienst war nur 15 Minuten Fußweg von Willis Wohnung entfernt. Woche für Woche klingelte halb fünf der Wecker und Willi machte sich, im Winter dick angezogen, auf den Weg, um zwei Stunden, allerdings dann doch als ziemlich erster, in der Schlange zu stehen. März 88 hatten sie mit dem Orchester am Montag einen Auftritt und gerade an dem Tag war Lieferung, wie Willi eine Woche später erfuhr. Neun Monate anstehen umsonst. Aber der Mann im Kontor hatte Mitleid mit Willi und ihm eine Batterie zurückgelegt. Willi verfügte über Geld, aber er bekam nichts dafür. Wie gerne hätte er den zehnfachen Preis, 1000 Mark bezahlt, aber geholfen hätten nur Westmark und die hatte er nicht. Nach zwei Jahren Wartezeit bekam Willi endlich den Termin für die Durchsicht in der Waldenburger Straße, einer großen Werkstatt für Trabanten. Hier war die einzige Werkstatt, die theoretisch auch Pannen beheben musste. Als der Termin kommen sollte, war Willi gerade zu Besuch bei Wehrmann in Brandenburg. Er bat die Nachbarin, den Briefkasten zu leeren und ihn umgehend zu informieren, einen schon frankierten Brief nach Brandenburg zu schicken. Willi hätte dann sofort den Urlaub abgebrochen, um den so lange herbeigesehnten Termin nicht zu verpassen.

Täglich fuhr Willi mit dem Fahrrad vom Sommerhaus in die Wohnung von Wehrmanns Schwiegereltern, um in den Briefkasten zu schauen. Wehrmann hatte auch gerade kein Auto, seine Kurbelwelle war defekt: Ersatz, undenkbar. Sein Vater hatte nur Beziehungen zu einer Wartburgwerkstatt und Westgeld hatte der auch nicht. Logisch, mit Westverwandtschaft hätte sein Sohn nie bei der Polizei anfangen können. Sicher, ein Studium im zivilen Bereich, bei den seinen schlechten Zensuren in der Oberschule wäre das undenkbar gewesen. Sicher hätte ihm sein Vater einen Berufsausweis besorgt, aber in einem Spitzenorchester hätte er ohne Hochschulabschluss dann doch nicht anfangen können. Da kann man sehen, dass die Politik der DDR manchmal auch nützlich sein konnte und für Karrieren förderlich. Endlich war der große Tag, Willi hatte seinen Werkstatttermin. Erst mal hieß es wieder zwei Stunden warten, dann war er dran und der Meister nahm das Auto an. Er notierte Willis Wünsche, konnte natürlich nicht garantieren, dass Ersatzteile vorhanden waren. Die Werkstatt war am anderen Ende der Stadt, Willi brauchte eine Stunde, bis er zu Hause war. Schon eine Woche später sollte das Auto fertig sein. War es aber nicht, erst übermorgen. Willi kochte vor Wut. Aber die Hoffnung, dass alles repariert werden würde, kühlte die Wut ab. Zwei Jahre warten auf den Termin, über eine Woche warten, bis das Auto fertig ist, so war das eben. Telefonische Info war nicht möglich, Willi hatte kein Telefon, wie die meisten. Am nächsten Tag war das Fahrzeug tatsächlich bereit, um abgeholt zu werden. An der Kasse sagte man ihm, was alles nicht gemacht werden konnte: „Keine Ersatzteile!“ Stoßstangen, Auspuff, Luftfilter, Scheibenwischer, alles Mangelware. Die hatten nur die Bremsen gereinigt und alles mal angeschaut, dafür bezahlte Willi 90 Mark und darauf hatte er zwei Jahre warten müssen und dennoch hatten die eine Woche gebraucht, um ihm das mitzuteilen. „Es lebe der Sozialismus.“ Er nahm die Schrottkarre in Empfang, setzte sich rein, wollte starten und nichts rührte sich. Die Batterie war komplett entladen, das bestätigte dann auch der Meister, der nach zwei Stunden kam. „Sie haben sich eine defekte Batterie andrehen lassen“; sagte der auf Willis Bemerkung: „Die Batterie ist erst vier Monate alt.“ Man erklärte sich bereit, die Batterie über Nacht zu laden, dann müsse er sich nochmal an den Batteriedienst wenden. Der Meister war sichtlich genervt über so einen ekligen Kunden. Am nächsten Tag konnte Willi nach Hause fahren, mit kaputtem Auspuff, dröhnendem Motor und schmierendem Scheibenwischer. Noch auf der Heimfahrt blockierten mitten auf der Kreuzung die Bremsen. Es ging weder vor noch zurück. Passanten versuchten, das Fahrzeug an die Seite zu wuchten. Willi hätte heulen mögen. In der Nähe war eine kleine Werkstatt. Nicht dass die in der Lage und Willens waren, Willi zu helfen, sie gaben ihm nur den Tipp, mit dem Schraubenschlüssel das Spiel der Bremse zu vergrößern. Immerhin gestattete der Meister Willi unlustig, zu telefonieren. Der Busfahrer des Polizeiorchesters war da und hatte auch Zeit, er kam und drehte die Schraube. Damit war auch das Rätsel der entladenen Batterie gelöst. Das Bremsspiel war so knapp eingestellt worden, dass schon die Wärme des Sonnenlichtes die Kontakte zusammenbrachte, die dann dauerhaft brennenden Bremsleuchten hatten für ein Entladen der Batterie gesorgt. Immerhin war durch den Dauerbetrieb die Birne des rechten Bremslichtes durchgebrannt. Ersatzbirne, undenkbar. Nicht, dass es keinen Autoersatzteilladen gab, den gab es durchaus und da waren auch lange Schlangen, wenn man auch am Ende stehend die Verkäuferin nicht verstand, man sah ihre ständig verneinenden Kopfbewegungen. Gleich im Eingangsbereich stand ein Schild: „Keine Felgen, Nachfrage zwecklos." Schwämme gab es und Waschmittel. Oft war Willi in dem Laden, immer umsonst, meist mit dem Fahrrad, um das Auto zu schonen. Ein Problem war auch das Tanken, obwohl Willi Glück hatte, denn im Zentrum der Großstadt war die eine Tankstelle, die rund um die Uhr geöffnet hatte. Meist abends gegen 23.00 Uhr fuhr Willi dann tanken und es standen um die Zeit 4-5 Autos. Selbstbedienung gab es nicht, man wurde von einem missmutigen Tankwart bedient, der möglichst für 25.88 Mark Benzin rein ließ und dann dumm tat, wenn man nicht aufrundete und das tat Willi nie. Warum auch. Pech hatte man, wenn die Tankstelle gerade beliefert wurde, da war die dann eine Stunde oder länger geschlossen. Tanken und nachfüllen zur gleichen Zeit ging aus irgendeinem technischen Grund nicht. In Willis Wohnnähe gab es noch mehrere kleine Tankstellen mit ein oder zwei Zapfsäulen, hier standen aber meistens 20 Autos und mehr. Waren es nur acht und der Kanister oder Tank war leer: Oh nur acht Autos, das ist aber günstig. Kanister waren auch Mangelware, aber Willi hatte auch minimale Beziehungen, Götz hatte ihm einen besorgt. Der offizielle Tank vom Trabant fasste 25 Liter, da kam man 300 km weit, mit einem 20 Liter Kanister, den hatte Willi immer bei sich, war es schon besser und man musste nicht so oft tanken. Bis auf die an der Autobahn und der einem im Stadtzentrum, machten die Tankstellen jeweils abends um 6, am Samstag gegen Mittag, dann allerdings bis Montag früh dicht. Besonders am Samstagvormittag bildeten sich lange Schlangen, Willis Erzeuger stand da mitunter drei Stunden, zumal wenn noch Lieferung kam. Der hatte aber das Auto zur Schonung die ganze Woche über in der Garage und die war am anderen Ende der Stadt. Auch Garagen waren Mangelware und wurden überteuert vermietet oder verkauft. Aber ein Auto war nun mal der pure Luxus. Natürlich fuhr Willis Erzeuger nicht am Freitagabend eine Stunde mit dem Bus in die Garage, um zu tanken und dann das Auto über Nacht draußen stehen zulassen, viel zu kostbar der Wagen. Er stellte sich lieber am Samstag drei Stunden an. Auch Willi tankte mitunter am Samstag, allerdings stellte er sich gegen 08.30 an eine kleine Tankstelle in Wohnnähe, er war dann vielleicht der zehnte, die Tankstelle öffnete 09.00 Uhr, da war er 09.30 Uhr wieder zu Hause. Im Prinzip war Benzin mit 1.50 Mark pro Liter, gemessen an einem Koch oder Lehrergehalt, sehr teuer. Aber eben nur im Prinzip. Viele, wie Willi ja auch, verdienten bedeutend mehr. Bus und Bahn

waren spottbillig und fuhren sehr oft, da überlegte man sich schon, ob man das Auto nahm.
Logistisch zum Problem wurden Fernreisen. Einmal hatte Willi mehrere Veranstaltungen an einem Wochenende bei Schwerin. Voll getankt und mit Kanister kam er gegen Mittag an, hatte nachmittags, abends und Sonntag am Vormittag je eine Veranstaltung und war dann gezwungen, an einer der raren rund um die Uhr geöffneten Autobahntankstellen anzustehen, zwei Stunden dauerte das, durchaus zumutbar, oder? Insgesamt fuhr Willi in viereinhalb Jahren mit dem Trabant gerade mal 25 000 Kilometer, der Wagen hatte dann 93 000 Kilometer rum und war zwölfeinhalb Jahre alt. Ständig war etwas defekt und die Angst, stehen zu bleiben, war immer da. Pannendienste gab es nicht, höchstens Abschleppdienste, aber niemand hätte einem das Auto in Schwerin etwa repariert. Mehrere male blieb Willi unterwegs liegen. Meist wegen Kleinigkeiten, aber Willi selbst hatte keine Ahnung von Autos. Er fuhr dann mit dem Bus oder dem Zug nach Hause, um dann jemanden aus dem Bekanntenkreis zu bitten, ihm das Auto nach Hause zu schleppen. Meist waren es nur Kleinigkeiten, die defekt waren, in der Regel half der Busfahrer des Polizeiorchesters, später lernte Willi dann jemanden kennen, der als Hausmeister bei der Baustoffversorgung an Ersatzteile rankam. Es kotzte Willi schon an, wenn er nach irgendeiner Veranstaltung losfahren wollte und die Karre sprang nicht an. Das passierte gleich September 86. Er spielte eine Aushilfe in einem kleinen Theater. Das heißt, die gastierten in einem Ferienheim, die

einzige Aushilfe, die Willi in seinem Leben jemals am Theater machte. Dann war es noch nicht mal ein richtiges Musiktheaterstück, sondern eine Art Abend mit Liedern von Robert Stolz, das „Orchester“ bestand aus Klarinette, Klavier, Bass und Schlagzeug. Willi wollte noch einmal einparken, weil das Auto schief in der Parklücke stand, da sprang es schon nicht an und als er dann gegen 23.00 Uhr abends nach Hause fahren wollte auch nicht. Der letzte Bus war weg, umständlich fuhr Willi mit stundenlangen Wartezeiten auf Bahnhöfen über Flöha nach Hause. Gegen morgen war er da und ging zum Polizeidienst. Niemand war scharf drauf, mit Willi zum Pannenauto zu fahren, auch wenn der 100 Mark bot, man musste das eigene Auto missbrauchen, was dann vielleicht bei eigenen wichtigen Fahrten streikte und was nutzten 100 Mark, wenn es dafür nichts zu kaufen gab. Schließlich erbarmte sich der Busfahrer. Der hatte einen uralten Moskwitsch und reparierte alles selbst, der konnte den Motor komplett zerlegen und wieder zusammenbauen. Er hatte die verstopfte Benzinleitung bei Willi schnell entdeckt. Den Hunderter hatte er sich verdient. Schlimmer war es, wenn das Auto vor der Fahrt zur Veranstaltung streikte oder dann während der Fahrt stehen blieb. Willi fuhr generell so los, dass er genug Zeit gehabt hätte, zu reagieren. Schon eine Stunde vor der Abfahrt probierte er, ob der Wagen auch startete. Wenn nicht, dann hatte er schon Alternativen vorbereitet. Mit Keyboard und Box konnte er nicht mit der Straßenbahn fahren, wohl aber mit dem Akkordeon, also musste Guth, gar nicht mal selten,

damit Vorlieb nehmen. Natürlich versuchte er, Guth anzurufen, der hatte einen privaten Anschluss, damit der ihn abholt. Kein leichtes Unterfangen, die einzigen zwei Telefonzellen in der Wohnnähe waren entweder defekt oder lange Schlangen standen davor, dann musste Guth anwesend sein und seine Frau durfte nicht gerade ellenlange Gespräche führen. Mitunter fuhr Willi dann erst mal mit der Bahn und dem Akkordeon zu Guth und der fuhr dann noch einmal mit ihm nach Hause, um die Instrumente zu holen, wenn noch genug Zeit war. Guth war immer mobil, notfalls konnte der auf Fahrzeuge seiner Kinder zurückgreifen. Natürlich kam Willi nie auf die Idee, die Erzeuger um Hilfe zu bitten, von denen kamen so schon ständige Vorträge, dass man kein gebrauchtes Auto kauft und lieber wartet. Der alte Idiot gönnte Willi nicht, dass er schon mit 23 ein Auto hatte, er erst mit 40. Außerdem fuhr sein Erzeuger generell nicht bei Nacht und bis der seine Karre aus der Garage geholt hatte...
Bis zur Wende war der Trabant ein ständiges Ärgernis, von Fahrspaß konnte keine Sekunde die Rede sein. Immerhin war Willi, wenn die Karre denn ansprang und unterwegs nicht stehen blieb, dann zwangsweise zwei Stunden vorher am Auftrittsort. Wenn er es vermeiden konnte, fuhr er nicht selbst. Nur wenn er solistisch spielte oder die Zeit zwischen den Veranstaltungen knapp war. Da saß Willi in der ersten wie auf Kohlen, voller Angst, ob er die zweite auch erreichte.
Seine Erzeuger hatte auch keine Beziehungen zu Autoschlossern, steckte die Einbuße an Mobilität

aber klaglos weg, immerhin hatte die Partei gesagt: „Man muss für die Entwicklung des Sozialismus auch Opfer bringen.“ Das sagte auch der Orchesterchef im politischen Gespräch, wenn einer sich aufregte, dass es keine Kurbelwelle gibt und er jetzt mit dem Bus fahren muss. „Wie viele in den kapitalistischen Staaten haben nicht mal preiswerte Busse. Und vielleicht kann sich irgendeiner in Afrika gerade satt essen, weil die DDR das Geld, statt eine Kurbelwelle herzustellen, gespendet hat. Im Kapitalismus kann sich nur eine Oberschicht Autos und Reparaturen leisten. Was nutzt das, wenn Ersatzteile da sind und man hat nicht das Geld, sie zu kaufen und wenn der Westen von Staus spricht, weil die vergammelten Straßen nichts wert sind.“ Genauso dusselig quatschte auch der Erzeuger, mit fanatischem Funkeln in den Augen, bereit jedes Widerwort mit Schild und Schwert der Partei auszurotten. Als Polizist im Westen würde Willi doch wohl zu den begüterten gehören, die sich Ersatzteile leisten können, aber im Westen wäre sein Erzeuger als Arbeiterkind nie Offizier geworden und Willi hätte auch nur ein unterdrückter Arbeiter sein können.
Dass die Wirklichkeit anders aussah, die Kommunisten einfach nicht in der Lage waren, eine Wirtschaft zu führen, das wusste jeder, aber die Alternative, in den Westen zu ziehen, gab es nicht, also hier bleiben und sehen, so gut wie möglich über die Runden zu kommen. Ja, Besitz verpflichtet und bringt Ärger, besonders in einer Mangelwirtschaft, in der man allen möglichen Waren hinterherrennen muss.

Der erste Termin bei der Gebäudewirtschaft war sehr ernüchternd. Das Wartezimmer war übervoll. Steuerbar war das nur, indem Willi bereits 07.00 Uhr anstand, 8.00 Uhr öffneten die und Willi war dann einer der ersten, nicht der erste, denn andere waren auch so schlau. 9.00 Uhr, zum Orchesterdienst, war Willi dann einsatzbereit. Zunächst musste Willi beim Bezirksschornstein-meister vorsprechen, der musste dann seine Öfen anschauen. Willi bekam einen Auftrag der Gebäudewirtschaft. Also hin in die Wohnung des Kerls. Sprechzeit hatte der nur am letzten Donnerstag im Monat, also waren Willi die Hände erst mal gebunden. Es nutzte nichts, schon Möbel zu kaufen und vorzurichten, wenn womöglich die Öfen ausgetauscht werden mussten. Willis Aktivitäten stockten, die Hoffnung, am ersten September einzuziehen, war dahingeschmolzen. Er konnte jetzt den Orchesterdienst genießen und das war ziemlich langweilig, zumal er seine 3. Klarinettenstimme mit links machte. Das hatte er auch schon vor dem Studium, eigentlich war das auf die Tätigkeit bezogen sinnlos. Willi hatte ein paar Muggen mit Guth und ansonsten war alles recht öde und langweilig. Er ging zeitig, meist schon gegen acht, zu Bett und hielt sich bis abends, auch an den Wochenenden, im Probenraum auf, lesend oder er übte Klarinette, immerhin hatte er ja noch ein Jahr zu studieren. Der Bezirksschornstein-meister gab ihm einen Termin, aber erst in zwei Wochen. Also nochmal warten. Inzwischen begann auch das Fernstudium. Jeden Montag mit dem überfüllten Zug nach Berlin, 05.00 Uhr aufstehen und dann hoffen, dass man ein ruhiges Abteil erwischte, um noch etwas zu schlafen. Meist erwischte Willi kein ruhiges Abteil, entweder unterhielten sich welche lautstark oder Kleinstkinder störten brüllend und jauchzend. Nach vier Stunden Zugfahrt und nochmal mindestens 30 Minuten Stadtbahn war zunächst eine Vorlesung: „Sozialistische Musikästhetik." Das Fach war wegen Lehrerkrankheit vom 3. auf das 4. Studienjahr verschoben worden. Willi saß in der letzten Reihe neben Wehrmann, sie spielten "Schiffe versenken" oder "Galgenraten." Die Vorlesung war an Langeweile nicht zu überbieten. Dann war 90 Minuten Hauptfach, anschließend 45 Minuten Korrepetition, also Probe mit Klavierbegleitung, aber nur 14 tägig. Gegen 22.00 Uhr war Willi wieder zu Hause, grauenvoll die Montage und eine Woche war schnell vorbei. Im September begann Willi auch seine Unterrichtstätigkeit. Um die Lehrprobe zu bestehen, musste er nachweislich einen Schüler ein Jahr unterrichtet haben. Willi wandte sich an die städtische Musikschule, die hatten Klarinettenlehrer und brauchten ihn nicht, aber er bekam einen Schüler zugewiesen, als Laie für etwas weniger als 8 Mark die Stunde. Die Schülerin, ein Mädel, war unbegabt und uninteressiert, wie sich schnell herausstellte. Wenig später bekam das Polizeiorchester einen Anruf. Die suchten in einem kleinen Nest mit dem Namen Muthdorf einen Klarinettenlehrer für zehn Stunden. Die hatten dort ein Blasorchester. Willi hatte eigentlich kein Interesse am Unterrichten, er wollte lieber musizieren, aber er brauchte einen guten Schüler

für die Lehrprobe. Zehn waren aber zu viel, also einigte er sich mit einem anderen Orchesterkollegen, jeder fünf. Die Bezahlung sollte auch hier acht Mark betragen, üblich waren an Musikschulen 13 oder 15 Mark die Stunde. Aber Muthdorf hatte keine Musikschule, die Ausbildung erfolgte über Mittel des Pionierorchesters.
Am zweiten Montag im September fuhren sie, der Kollege fuhr, Willi konnte das Auto schonen, nach Muthdorf, einem völlig unbedeutenden Kaff, immerhin mit guter Busanbindung zu Willis zu Hause. Die Schule, in der der Unterricht stattfinden sollte, war etwas abseits der Hauptstraße, ein großer unverputzter vergammelter Altbauklotz. Es roch in ihr intensiv nach Abort, Scheuermehl und Schülerverpflegung, in der Reihenfolge. Die Schule machte nichts her, düstere Gänge, die Wände hatten schon lange keine Farbe mehr gesehen. „Wer hier hauptamtlich anfängt, hat die Talsohle erreicht“, dachte Willi, ohne zu ahnen, dass genau diese Talsohle gar nicht weit weg war... Das erste Mal betrat er die Immobilie, ein schicksalsschwerer Schritt, aber das ahnte er damals noch nicht. Von einem der oberen Stockwerke war Trompetengedudel zu hören. Ein älterer Mann in altmodischen Dederonhosen und kleinkarierten Hemd gab ein paar magenerschütternde Töne von sich. Er war der Leiter der Unterrichtsstätte, hauptamtlich hier und auch der Leiter des Pionierorchesters. Wie schlecht musste der sein, wenn es nicht mal für das jämmerlichste Berufsorchester reichte. Damals wusste Willi nicht, welch komfortables Leben ein hauptamtlicher

Musikschullehrer führte. 24 Pflichtstunden, abzüglich Abminderungsstunden für Leitung und Ensemble, ab 50 noch eine Stunde weniger. Da in der Musikschule am Samstag kein Unterricht gegeben wurde, in den richtigen Schulen aber schon, waren die Musikschullehrer doppelte Gewinner. Sie hatten die gleichen langen Ferien wie die richtigen Lehrer, aber dennoch das volle Wochenende. Der der vor ihm stand, mit Namen Eler, war wohl mal in einem der kleinsten DDR-Theater, hatte aber nicht die Nerven, die im stillen Kämmerlein erarbeitete Leistung in dem Augenblick, wo es darauf ankam, abzurufen. Also ging er an die Musikschule und leitete, gegen kleines Zubrot, das Pionierorchester zusammen mit dem Musiklehrer der Schule, ein jüngerer Mann mit dem Namen Rothenberg. Beide begrüßten die beiden Polizeimusiker herzlich. Obwohl die, wie sich später herausstellte, noch zwei Klarinettenlehrer hatten, die je fünf Schüler machten, brauchten die noch Lehrer für weitere zehn Schüler, das Pionierorchester war mit 50 Mann ziemlich groß. Der Unterricht wurde in einem normalen Klassenzimmer gegeben. Wenn die Reinemachkraft kam, musste unterbrochen werden. Raumpfleger waren rar und schnell verärgert, die konnten überall arbeiten und bei dem Arbeitskräftemangel war es schwer, eine neue zu bekommen. Pünktlich 18.00 Uhr musste der Unterricht beendet sein, ein missmutiger Hausmeister mit ewiger Alkoholfahne schloss dann ab. Willi machte seinen ersten Nachmittag. fünf Neuanfänger. Willi hatte keine Erfahrung und auch keine Lust. Die 45 Minuten wollten und wollten nicht vergehen, zwei Schüler weg und noch immer keine Halbzeit, der dritte Schüler, immer noch zwei, dann der Vorletzte, Licht am Ende des Tunnels, dann der letzte, Gott sei Dank, dann mit dem Bus zurück. Da er Montag in Berlin war, machte er den Unterricht an einem zweiten freien Nachmittag, den es im Orchester meist gab. Den Schüler zu Hause, Musikschule K.-M.-Stadt, konnte er auch mal am Abend nach der Rückfahrt zum Konzert machen. Der Unterricht nervte gewaltig und Willi brachte wohl viel von seiner Lustlosigkeit rüber. Von den fünf Neuanfängern zog nur eine durch und beehrte Willi neun Jahre, aus dem Kind wurde quasi eine junge Dame. Willi fand nie einen Draht zu ihr, obwohl sie fachlich sehr gut wurde. „Ich komme schon irgendwann mal vorbei“, sagte sie in der letzten Stunde. Das „irgendwann“ fand nie statt. Na dann eben nicht... Durch Zufall sah er sie mal 25 Jahre später bei einer Veranstaltung. Eine Unterhaltung kam nicht zustande.

Willi war selten zu Hause. Seine Mutter war wieder nervlich zusammengeklappt: „Weil er in der Schule damals nicht gelernt hat, sind bleibende nervliche Schäden die Folge.“ Sie wollte nicht mehr arbeiten gehen. Willis Erzeuger ließ die Argumente nicht gelten. Der verkommene Balg war an allem schuld, das war unbestreitbar, aber Arbeit musste sein. Der Alte wollte eine aktiv am Leben teilnehmende Ehefrau und keinen Invaliden. Dass die Alte zur Flasche griff, war noch verwerflicher. Im September war die Alte zur Kur und Willis Erzeuger forderte Willi als Hauptschuldigen der Vorgänge auf, regelmäßig Briefe zu schreiben. Willi aber empfand dazu keine Lust und quälte sich ab und zu einen Brief ab. Schon bei der Anschrift: „Liebe Mutti“ verbog sich fast der Kuli, Willi konnte die Alte genauso wenig leiden wie den Alten. Und wenn er noch so sehr gegen das Gefühl ankämpfte, das war einfach so. „Du sollst Vater und Mutter ehren“, sagte die Kirche. Er würde im ewigen Fegefeuer schmoren, jetzt war es wieder gut, dass er in einem atheistischen Staat lebte. Bei den Russen wurden Kinder, die ihre „Antisozialistischen Eltern“ anzeigten, sogar noch zum „Helden der Sowjetunion“ ernannt. Da war die Loyalität zum Staat wichtiger als die zu den Eltern. Das hatte Götz mal gesagt. Aber der sozialistische Staat, das war auch nicht Willis Ding. Eine dumme Situation.

Wenigstens hatte er seine Ruhe, wenn „Die“ nicht da war, der Alte kam erst gegen 6 von der Arbeit und er hoffte, ab 1.10 in die Wohnung einziehen zu können. Der Alte reichte auch aus, ständig kamen giftige Bemerkungen wegen dem sinnlosen Autokauf und vor allem dem Entschluss, auszuziehen, das würde Willis Ende bedeuten. Nie würde er in der Lage sein, eine Wohnung selbst zu unterhalten, im eigenen Dreck würde er ersticken und als asoziales Element im Knast enden. Das hörte Willi täglich. Natürlich erzählte Willi nichts von seiner Unterrichtstätigkeit, wohl schrieb er es der Alten, aber er gab keinen Ort an. Das war dennoch falsch, denn die Alte erzählte es seinem Erzeuger. Der wurde nun aktiv. Er machte auch keinen Hehl daraus, warum er das wurde, er hatte genau das vor, was Willi vermutete, er wollte

anrufen und vor der Laus warnen, die sich da die Musikschule in den Pelz gesetzt hatten. Auf gut Glück meldete er sich in K.-M.-Stadt an der Musikschule, fragte, ob ein Willi Hohl hier Schüler hätte. Man bejahte, aber nur einen einzigen für ein Jahr, um die Lehrprobe in Berlin an der Hochschule zu machen. Nur einen und der verkommene Balg tat so, als ob er fünf hat. Der Alte warnte Willi: Mit seinen Lügen würde er es nicht weit bringen, persönlich würde er dafür sorgen, dass nach einem Jahr Schluss ist mit Unterricht. Einer wie er hatte im Bildungssystem der DDR nichts, aber auch gar nichts verloren. Willi war froh, den Arsch auf die falsche Fährte gelockt zu haben. Immerhin war da noch die Gefahr, dass der in Berlin anrufen würde, um ihn die Lehrprobe zu versauen. Das tat der Alte auch und er warnte: „Einem wie „DEM“ die Lehrbefähigung zu geben, das wäre schon kriminell, der hätte schon Leute ins Grab gebracht. Beinah wenigstens, versucht hat er es.“ Man wandte sich in Berlin an den Leiter der MDI-Abteilung, der war Willi wohlgesonnen und winkte ab. Dennoch waren die Verantwortlichen vorsichtig und ließen Willi erst mal durchfallen, doch dazu später.
Dann war da noch die Wohnung. Endlich kam der Bezirksschornsteinmeister. Der Kerl, arrogant, wie alle raren Handwerker in der DDR, rauchte ungeniert in Willis Wohnung und ließ die Asche auf den Boden fallen. Kurz und gut erklärte er die Öfen für unbrauchbar, neue mussten her. Also wieder eine Stunde bei der Gebäudewirtschaft anstehen und einen Auftrag für den so genannten Ofenprüfer holen, der bestimmte, welcher Ofen eingebaut

werden können.
Der hatte weder Telefon noch Sprechzeit, also musste Willi sehen, wie er ihn auf gut Glück antraf. Jetzt war das Auto wichtig, denn der Prüfer wohnte in einem schwer mit Nahverkehr erreichbarem Gebiet. Das Haus war verschlossen, eine Klingel gab es zwar, aber nie meldete sich jemand. Nach dem fünften Mal suchte Willi wieder die Gebäudewirtschaft auf, er war jetzt richtig wütend, er hatte die Wohnung fünf Wochen und war noch kein bisschen weiter. Man verwies auf eine eventuell defekte Klingel, Willi solle früh warten, irgendwann würde schon jemand rauskommen. Das tat Willi. Eine ältere Dame erklärte, dass die Klingel tatsächlich defekt sei, der Prüfer heute schon früh weg sei, aber gegen 8 eigentlich wiederkommen wollte. Jetzt war es 9 und da endlich kam er, ein stockalter Mann, schon weit über 70. Sie machten einen Termin für übermorgen. Willi wartete und wartete und wartete. Dann platzte ihm der Geduldsfaden, er fuhr zu ihm nach Hause. Der Alte war da und erklärte, sein Auto sei kaputt, er könne erst kommen, wenn er einen Termin in der Werkstatt plus ein seltenes Ersatzteil hätte. Willi packte den Kerl ins Auto und fuhr ihn in seine Wohnung. Es musste was passieren, er hatte keine Zeit, Woche um Woche zu warten. Am liebsten hätte er den Kerl, nachdem er die Unterlagen für die Öfen ausgestellt hatte, einfach rausgeschmissen, sollte er doch sehen, wie er nach Hause kommt. Aber vielleicht brauchte er den ja noch. Als er den Kerl absetzte, kam gerade seine Alte mit seinem auffälligen grünen Trabant, mit dem hatte Willi ihn

schon vor zwei Tagen gesehen. Der Alte lachte zynisch: „Ist wohl doch nicht kaputt mein liebstes Stück.“ Erst später erfuhr Willi, dass der Alte es gewohnt war, bei "Auftragsentgegennahme" ein Trinkgeld von 20 Mark zu bekommen oder eben das seltene Ersatzteil, was der zwar nicht selbst brauchte, aber gegen Westgeld weiter verscherbeln konnte. Als Willi, nach erneutem Anstehen bei der Gebäudewirtschaft, Termine beim Klempner, zum Waschbecken montieren und dem Containerdienst, zum Abtransport der alten Öfen, machte, war er schlauer und krachte gleich jeweils 20 Mark auf den Tisch. Man sagte, dass dies nicht nötig sei und nahm die Mäuse dann doch. Nichts nutzten die 20 Mark im Ofengeschäft: „Wir haben zwar einen Gasherd und einen Beistellherd, aber keinen Kachelofen für die Stube. Wartezeit zwei Jahre.“ Willi kochte vor Wut. Aber da war nichts zu machen. Wenigstens würde erst mal die Küche fertig werden. Er baute die Öfen ab, den großen Berliner Ofen mit Hammer und Meisel, eine mühselige Arbeit, danach war er schwarz wie die Nacht vom Ruß, das Wohnzimmer auch. Vorrichten würde sich aber erst lohnen, wenn der neue Ofen stehen würde. Dann kam der Klempner für die Spüle. Für weitere 20 Mark machte der auch den Wasserboiler an die Wand. Endlich kamen Beistellherd und Gasherd. Leider passten die Brenner nicht, auf dem dann das Gefäß stehen würde. Also wieder zum Geschäft, Willi bekam neue, auch die passten nicht, wieder zurück: „Wir haben keine anderen.“ Egal, es ging auch ohne Brenner. Die Flamme war dann nicht rundum verteilt, sondern groß lodernd, wie bei dem Bunsenbrenner im Chemieunterricht. Auch so konnte man kochen, man musste nur aufpassen, dass nichts reinfiel in die Flamme. Erst zwei Jahre später klaute Willi von einem Gasherd, der auf der Straße stand, wohl ausrangiert, die Metallaufsätze mit Löchern, die das Gas rundum verteilten. Natürlich beobachtete er die Stelle, erst nachdem der Herd zwei Tage draußen gestanden hatte, bediente er sich. Küche und Bad vorrichten ließ er von Handwerkern, die per Annonce ihre Dienste, für nach Feierabend, angeboten hatten. Die kosteten nicht wenig. Auch die kamen erst mal nicht zum vereinbarten Zeitpunkt, also wieder hin, neuer Termin, kein Wort der Entschuldigung: „Die Kunden, die heute dran wären, die warten genauso sinnlos wie sie vorige Woche." Tapete und Farbe, auch Mangelware, hatte Wehrmann besorgt, bei dem Aufhängen der Küchenschränke und Lampen half Götz. Probleme gab es bei den Gardinen. Hier betrug die Wartezeit ebenfalls ein Jahr, die berühmten 20 Mark, auch 50, auch 100 nutzten nichts. Man lachte mitleidig. Die waren Westgeld gewohnt. Natürlich sah die Wohnung ohne Gardinen, das war damals üblich, nicht wohnlich aus, wenigstens nach damaligem Geschmack, aber was sollte Willi tun, im Moment konnte er nichts machen. Die Stube war nicht beheizbar, hier hatte Willi eine Liege aufgeschlagen, auf der er schlief. Außerdem standen hier die Instrumente, die Willi eigentlich hinter einem mit Gardinen abgetrennten Verschlag in der Küche lagern wollte. Auf dem Boden türmten sich Bücher und andere Unterlagen, die eigentlich in den Wohnzimmerschrank sollten. Die Küche war fertig, bis eben auf die fehlenden Gardinen. Aber was soll's, gegenüber wohnte niemand, es ging auch ohne die Dreckfänger. Nachdem Willi mit dem Auto mehrere Fahrten getätigt hatte, Sonntag am Vormittag, da war wenig Verkehr und alle seine Sachen in der neuen Wohnung waren, gab er am 30.09 die Wohnungsschlüssel bei seinem Erzeuger ab. Die meckerten: Am Sonntag fährt kein Mensch einen Umzug und sie gaben der Hoffnung Ausdruck, die vergammelte Wohnung nie sehen zu müssen, prophezeiten Willi, dass er auf Knien angerutscht kommen würde um wieder einzuziehen, fragten ihn, ob er kein Gewissen habe und schlussfolgerten: „So viel wie er haben Kinder Eltern noch nie angetan, er wisse weder was Herz noch Gewissen ist." Dann informierte der Erzeuger Willi: „Es ist üblich, die Eltern regelmäßig einzuladen und zu bewirten." Willi betonte, dass nur ein Zimmer fertig sei. Sein Erzeuger stellte nochmal heraus: „Niemand zieht in eine unfertige Wohnung. Ein Zeichen mehr, dass er nichts auf die Reihe bekomme. Alle im Bekannten-kreis und in auch die in Leipzig schütteln nur mit dem Kopf." Das war die Höhe, was konnte er dafür, wenn es keine Öfen zu kaufen gab, auch keine Gardinen und keine Brenner für seinen Gasherd. Die Politik des Staates, offiziell war der Mangel ja, weil arme Länder unterstützt werden mussten, die zu einer unfertigen Wohnung führte, hatten zur Folge, dass man ihn als „Asozial" einstufte. Handwerker mit Geld des Klassenfeindes bestechen, das war scheinbar „Ehrenhaft." Willi verschwand

grußlos. Endlich raus, eine eigene Wohnung, wenn auch unfertig, aber ein ewiger Traum ging in Erfüllung. Er konnte es nicht fassen. Als er das erste Mal etwas kochen wollte, merkte er: Der mit Kohlen beheizte Beiherd ist nicht dicht, durch die Herdplatte zog der Rauch, Willi hätte vorher mit Sand abdichten sollen, nun löste sich durch den Dampf die Tapete wieder. Kleinigkeiten. Willi klebte sie mit Reißzwecken fest. Das sah nun wirklich assihaft aus, aber was solls.
Der 1. Oktober 1986 war ein besonderer Tag. Endlich hatte er, wenn er denn zu Hause war, seine Ruhe, ohne Wenn und Aber, jeden Tag, nicht nur an den Wochenenden. Wenn er sich am Abend an den Küchentisch setzte und in Ruhe ohne giftige Bemerkungen essen konnte, was und wann er wollte, das war schon toll. Auch einen Kühlschrank besaß er, der war keine Mangelware. Die Klamotten waren mit im Küchenschrank, das bisschen Geschirr, was er besaß, nahm nicht viel Platz im Anspruch. Wenn er in die Küche kam, waren rechts Herd, Gosse und kleiner Schrank, gegenüber die Küchenmöbelwand und in der Mitte ein Tisch mit vier Stühlen. Gegenüber dem Fenster, unter dem war ein Einbauschrank, standen die Instrumente, die später wie ein Verschlag eine Gardine verdecken sollte. Willi heizte elektrisch, den Heizer konnte er sich mit Beziehungen verschaffen, später im Winter beheizte er auch den Beiherd, vor allem wenn er den ganzen Tag zu Hause war. Im Bad waren Wanne und Badeofen, sodass Willi einmal die Woche baden konnte, ohne das ständig jemand drängelte, weil andere das Bad auch nutzen wollten.

Eine eigene Wohnung, ohne Mitnutzer, war die großartigste Sache der Welt. Die noch nicht fertige Stube störte nicht wirklich. Nach einem Jahr waren die Gardinen dran, nach zwei Jahren, Sommer 88, wurde der Ofen geliefert. Willi ließ das Wohnzimmer von Feierabendhandwerkern vorrichten und kaufte mit den schon beschriebenen Schwierigkeiten die Möbel. Am 1. Juli 1988, nach fast zwei Jahren war die Wohnung fertig.
Aber daran war Oktober 86 noch nicht zu denken, bis dahin würde noch eine Menge Dreck die Chemnitz, dem Fluss, der der Stadt den ehemaligen Namen gegeben hatte, runter fließen.
Im Prinzip hatte Willi straff zu tun, er musste Klarinette üben, hatte seine Schüler und den Orchesterdienst musste er auch machen, er hatte seine immer wiederkehrenden Probleme mit dem ewig kaputten Auto und dem Anstehen nach Mangelwaren. Er musizierte nur mit der Truppe von Guth, das war immer unbefriedigend, die Programme mit roten Gedichten vor Parteigruppen waren natürlich stinklangweilig. Die Genossen mussten zuhören, weil es eine Pflicht war, die Versammlung zu besuchen und eine Rede zum Thema: „Der Sozialismus und der Frieden“ war noch langweiliger. Das einzig Positive war, dass Willi überhaupt öffentlich musizierte und Geld verdiente. Er hatte zu Hause mehrere Bücher, getrennt nach Instrumenten. Hier schrieb er alle öffentlichen musikalischen Betätigungen ein, wann hatte er wo mit welchem Ensemble welche Stücke auf welchem Instrument gespielt wurden. Diese Statistik war sein „Buch des Lebens.“ Zu den Weibern, die in

Guths Trupp die Gedichte lasen, hatte er, warum auch immer, keinen guten Draht. Sie setzten sich so an den Tisch, dass Willi keinen Platz mehr hatte. Die Verstärkerbox, sie war nicht schwer, aber unhandlich, ließen sie ihn allein schleppen. Sein Gruß wurde nicht erwidert, er wurde einfach links liegen gelassen. Willi fühlte sich nicht wohl und kam zu den Auftritten in letzter Minute, im Auto vorher wartend, und haute gleich danach wieder ab. Er ignorierte seinerseits die Weiber, grüßte nicht, setzte sich provokativ von selbst an einen anderen Tisch, er machte das, was sie mit ihm machten oder ihm aufzwangen, von selbst, mit dem Resultat, dass sie von Guth forderten, einen anderen Musiker mitzunehmen. Aber der hatte keinen zur Hand, wollte wohl auch keinen zur Hand haben. Also spielte Hohl weiter, die Weiber mussten das zähneknirschend akzeptieren oder sie wären draußen gewesen, aber die brauchten auch das Geld, was es für die Mitwirkung bei den Lesungen gab.
Immerhin mit eigener Wohnung war das Leben viel angenehmer, auch wenn die unvollkommen war, sprich nicht richtig vorgerichtet und eingerichtet. „Heilig Abend“ musste Willi bei seinen Erzeugern verbringen, des lieben Frieden Willens, denn die Gefahr, dass sie ihn beim Studium oder im Orchester madig machten, war immer da. Genutzt hatte es nichts, denn die Erzeuger forderten Willi auf, auch am 1. und 2. Feiertag anwesend zu sein. Alle Kinder sind zu Weihnachten bei ihren Eltern. Aber an diesen Tagen wollte Willi in Ruhe zu Hause sein, ausschlafen, lesen, einfach entspannen.

Fernsehen ging nur bedingt, der Anschluss war im Wohnzimmer und das war noch nicht vor- und eingerichtet. Der Kauf eines Fernsehers lohnte erst nach der Installation des neuen Ofens, die mit viel Ruß und Dreck verbunden war, wenn der Ofen denn mal kommen sollte. Zudem klaffte anstelle des Ofenrohres ein hässliches Loch in der Wand. Aber Willi las auch gern, das Fernsehprogramm mit zwei DDR-Sendern war nicht so prickelnd. Letztlich hätte er sich den Pflichtbesuch am 24.12. auch schenken können, die stellten immer neue Forderungen, um ihn dann als „BÖSE und UNDDANKBAR“ hinzustellen. Silvester hatte er keine Veranstaltung, das war schon frustrierend. Willi stopfte sich Ohrstöpsel in die Ohren und ging deprimiert gegen 22.00 zu Bett.
Das Jahr 1987 begann dann äußerst positiv. Zwei ehemalige Polizeiorchestermitglieder setzten sich mit ihm in Verbindung. Sie wollten eine zivile Blasmusik gründen und Willi sollte Klarinette und Akkordeon spielen. Den Zuschlag bekam er, weil er beides brachte. Die beiden hießen Lehmann und Schulze. Lehmann hatte im zivilen Bereich Musik studiert, war dann, um die Armee zu umgehen, was auch geklappt hatte, er war wie Willi kommandiert, im Polizeiorchester gelandet. Da ihn der Dienst dort nicht befriedigt hatte, muggte er im zivilen Bereich, mehr als fünf Mal im Monat, was ja verboten war. Er bekam die Muggen nicht mehr genehmigt, denn mehr als fünf Mal geht ja auf Kosten des Dienstes. Er muggte ohne Genehmigung, der Orchesterleiter schickte einen Spitzel, Lehmann wurde erwischt und bestraft, Lehmann reichte die Entpflichtung ein

und wurde in Unehren entlassen. Vorher war er noch mit der Alten von Schulze durchgebrannt. Schulze nahm das nicht krumm, ließ sich scheiden und heiratete ein Jahr später schon wieder, diesmal eine mit reicher Westverwandtschaft. Die Polizei stellte ein Ultimatum: Entweder nicht heiraten oder wegen der verbotenen Westverwandtschaft fristlose Entlassung aus dem Polizeiorchester. Schulze ließ sich entlassen. Beide fingen in einem zivilen Blasorchester, dem Blasorchester Karl- Marx-Stadt an, auch Musikantenasyl genannt, weil dort viele abgetakelte Tanzmusiker die letzten Jahre bis zur Rente gut verbrachten. In den Sechzigern gegründet, hatten die damals einen Tag Probe die Woche und nur zur Zeit des Weihnachtsmarktes und des Karl-Marx-Stadt Basars im Mai bisschen Stress. Ansonsten bekamen die in der Vor- und Nachsaison ihr Monatsgehalt für vier Proben. Ab 1982 wehte aber ein anderer Wind, Proben waren täglich, dennoch: Immer noch ein guter Deal. Lehmann und Schulze spielten dort mit und muggten nebenbei bei den Blumenenauer Musikanten. Einmal ließen sie sich krankschreiben, um eine Mugge wahrzunehmen und wurden erwischt. Die Folge, fristlose Entlassung und Verlust des Berufsausweises für ein Jahr. Da es in der DDR eine Arbeitspflicht gab, mussten beide für ein Jahr in die Produktion, Lehmann in eine Ziegelei und Schulze in eine Wäscherei, beide als Hilfsarbeiter, wobei Schulze das gar nicht nötig gehabt hätte. Er verfügte durch Geldgeschäfte über genügend Mittel. Seine neue Westschwiegermutter, die einen Millionär geheiratet hatte, schenkte

Schulze ein Keyboard, in der DDR nicht im Handel, um als Tanzmusiker im Geschäft zu bleiben aber unerlässlich, für 2000 Westmark. Schulz verhökerte es zum Kurs 1 zu 6 für 12000 DDR-Mark, damals durchaus üblich. Pro Auftritt gab es Geld fürs Instrument, zehn oder 20 Mark. Bei 200 Auftritten im Jahr war die Investition bald wieder rein. Schulze ließ sich jedes Jahr so ein Gerät schenken und von der Differenz von 10000 Mark konnte er gut leben. Das war mehr als das Nettogehalt eines Lehrers. Leider gab es eben besagte Arbeitspflicht. Schulze brauchte einen Job, wo er für die Anwesenheit bezahlt wurde. Viel Geld musste er nicht bringen, Hauptsache er hatte eine Arbeit. Jetzt war aber erst mal der Berufsausweis weg. In der DDR konnte man, Vorrausetzung für freiberufliches Wirken, einen Berufsausweis beantragen. Wer einen Hochschulabschluss hatte, bekam den ohne Probleme. 15 Mark gabs maximal für die Stunde Tanzmusik, wobei immer mindestens fünf bezahlt wurden, das war die höchste Einstufung. Wer keinen hatte, musste vorspielen und bekam ihn nicht oder je nach Einschätzung der Jury ab 5 Mark für die Stunde Tanzmusik, fünf Stunden wurden wie gesagt mindestens bezahlt, das war bei 15 Geschäften im Monat ein auskömmlicher Verdienst. Noch besser lief es bei Programmbegleitung, da gab es bei 20% Steuern 80 Mark netto, bei Tanzmusik 10% Steuern abgeführt werden, immer vor dem Hintergrund, ein Rentner hatte auch nur um die 250 Mark. Will brauchte, um zu spielen, auch einen Berufsausweis. Er sprach beim Orchesterleiter vor, der musste eigentlich seine Zustimmung geben, es sprach nichts dagegen, dachte er, er dachte wieder mal falsch. Der Kerl verweigerte seine Zustimmung mit dem Hinweis: „Wenn ich die Veranstaltung genehmige, dann stehen Ihnen, als Mitglied eines Berufsorchesters automatisch 15 Mark zu. Aha, ein schöner Trick, um mehr als fünf Geschäfte im Monat zu kriminalisieren. Reine Schikane, denn bei Wehrmann im Polizeiorchester Potsdam waren Muggen weder genehmigungspflichtig noch limitiert. Willi war fast froh, als die von der Genehmigungsstelle sagten, die Aussage vom Orchesterleiter ist falsch, Berufsorchester hin und her, ein Berufsausweis ist unbedingt erforderlich. Willi bat darum, das dem Orchesterleiter schriftlich mitzuteilen, das tat man und der musste, ob er wollte oder nicht, das Ding genehmigen. Das Genehmigungsverfahren selbst dauerte drei Monate, Willi bekam aber die Erlaubnis, schon vorher zu spielen, vorausgesetzt er stelle sich einer Prüfung. Wie bitte? Willi hatte doch einen Hochschulabschluss. „Aber nur im klassischen Bereich." Willi verwies auf den Zusatz MdI, Ministerium des Innern, das hieß Blasmusik und ist Blasmusik nicht Unterhaltungsmusik, sprich Tanzblasmusik. Das wurde akzeptiert. Der letzte Versuch des Orchesterleiters war gescheitert, denn der persönlich hatte die Kommission auf den Umstand hingewiesen, das hatte Guth erzählt. Den nahm Willi bei der Beschaffung des Ausweises mit ins Boot, denn bei den seinen „Roten Programmen" leistete er immerhin wertvolle erzieherische Arbeit, ganz im Sinne des Kommunismus. Aber auch diese

Einsätze waren genehmigungspflichtig. Letztlich war das Eingreifen von Guth entscheidend. Willi bekam seinen Berufsausweis. Er war das einzige Mal froh, dass auf seinem Hochschulabschluss MDI stand. Er hatte zwar noch nicht ausstudiert, aber nach drei vollendeten Studienjahren konnte er das Ding bekommen, natürlich mit der Auflage zu Ende zu studieren. Der Orchesterleiter kochte vor Wut. Aber er hatte ein großes Stück Macht über Willi verloren. Mit dem Ausweis konnte er auch mehr als fünf Mal im Monat muggen, er war auf die Genehmigung nicht angewiesen, wenigstens nicht, wenn die Gefahr des Erwischens gering war. Lehmann hatte größere Probleme. Der hatte in Dresden an der Musikhochschule studiert, das letzte Jahr im Fernstudium und die Sache schleifen lassen. Er hatte alle Prüfungen abgeschlossen außer Theorie, also Gehörbildung und Tonsatz. Nun gab es eine Reglung, wer das nicht innerhalb von zwei Jahren nachholt, bei dem ist das ganze Studium hinfällig. Lehmann hatte nichts nachgeholt und musste wie ein Laie für den Berufsausweis vorspielen, bekam auch noch nur 7.50 Mark die Stunde, statt 15 Mark. Lehmann spuckte Gift und Galle. Es nutzte nichts, er hatte umsonst studiert. Aus ihrer alten Kapelle waren Lehmann und Schulze rausgeflogen, ohne Berufsausweis konnten sie nur als Laien für noch weniger Geld spielen. Jetzt wollten sie was „Neues“ gründen, erst mal als Amateure. Beide hatten aus ihrer Zeit vor dem Studium noch einen Oberstufenabschluss, mit dem konnten sie 8.50 Euro pro Stunde kassieren, immerhin mehr als

Lehmann mit seinem Berufsausweis, aber sie mussten eben ein halbes Jahr, Strafe muss sein, richtig arbeiten gehen. Die neue Kapelle sollte „Vogelbergmusikanten“ heißen, nach einem Berg, auf dem das Grundstück von Lehmann lag. Mit im Boot die Ehefrau von Lehmann, ehemals die von Schulze, als Sängerin. Sie hatte wohl mal Ökonomie studiert, aber vorzeitig abgebrochen, wegen Schwangerschaft, jetzt war sie ein zweites Mal verheiratet und hatte zwei Kinder, eins von Lehmann, eins von Schulze. Man nannte sie die geile Bia. Schulze sagte, er hatte mal Tripper gehabt, die Hand hätte ihm die Bia nicht gegeben, ihm einen geblasen aber schon. Das war so das Niveau in der Truppe. Tatsächlich bekam Bia dann noch von einem weiteren Kapellenmitglied, Jahre später, ein Kind, der hieß Meyer, galt eigentlich als schwul, war auch mal im Polizeiorchester, vor Willis Zeit und hatte dort auch gekündigt, eben wegen besagten Muggenverbotes des Orchesterleiters. Weiter waren im Orchester zwei freiberufliche Tanzmusiker, die aus anderen Kapellen kamen und sich verbessern wollten und zwei, die hauptamtlich an der Musikschule unterrichteten. Ein weiterer Klarinettist spielte auch im Polizeiorchester, der hatte zusammen mit Willi den Berufsausweis erstritten. Umso mehr von der Polizei dabei waren, umso besser. Der Orchesterleiter konnte nicht zu viele bestrafen und dazu bewegen, sich zu entpflichten, er war auch verpflichtet, eine spielfähige Truppe zu erhalten. Immerhin waren die, die jetzt im zivilen Bereich spielten, allerbeste Musikanten und die hatte er quasi schon rausgeschmissen, wenn man so will. Offiziell wurde aber anders formuliert: „Wichtiger als musikalische Qualität ist die ideologische Reinhaltung des Orchesters.“ Im Moment war das Willi egal. Anderseits, solange er den Hochschulabschluss noch nicht in der Hand hatte, musste er die Spielregeln des Orchesterleiters einigermaßen einhalten. Für die erste Mugge, Ende Januar 87, holte Willi artig die Erlaubnis und bekam sie auch. Die Veranstaltung war in einem Ferienheim. Sie fuhren in ihren privaten PKWs dorthin. Willi fuhr mit. Die Veranstaltung selbst war super. Konzert und Tanz, Willi spielte Klarinette und Akkordeon, sie waren alles junge Leute, spielfreudig und motiviert. Neue einheitliche Kleidung, Pultbehänge, Musik, die die Leute hören wollten, keine „Roten Lieder“, niemand, der nur von der Rente sprach. Bia machte eine spitzenmäßige Ansage. Titel auf Titel, nicht wie beim Bauorchester, wo man nach jedem Stück fünf Minuten pausierte und nicht so blutleer wie bei der Polizei, wo jeder ständig den Blick auf der Uhr hatte: „Wann ist endlich Schluss“, mit einem Ansager, der weder frei stehen noch frei sprechen konnte. Für so was lebte man als Musiker. Die Gage ging in einen Topf und wurde durch alle geteilt, da gab es keinen Neid. 100 Mark sprangen dennoch raus für jeden. Wie fahl war dann der Orchesterdienst am nächsten Tag, in einer Uniform, die zu tragen man sich schämte. Immerhin die Polizei brachte ein erkleckliches sicheres Einkommen und viel wichtiger, Schutz vor Einberufungen zur Reserve, wie es im zivilen Bereich Gang und gäbe war. Willi blies bei der

Polizei Bassklarinette und in der blassen kleinen Besetzung 3. Klarinette. Kein Schwung, keine Aktion. Die Paraden zu den Kampfgruppenappellen, die waren auch nicht das Wahre. Dazu kam noch, dass sein Ansehen im Polizeiorchester einfach nur schlecht war, menschlich, aber auch musikalisch, warum auch immer. Selbst der Posaunist Bruno, genannt Wimmerzahn, ein geexter Pädagogikstudent, der mieseste Musiker, der jemals mit Musik sein Geld verdiente, lästerte über Willis musikalische Leistung. Er konnte das nicht begreifen, hatte aber das Gefühl, wenn man ihn klein machte, war man selbst größer. Egal, der Polizeidienst störte nicht, die wahre Musik spielte sich bei den „zivilen Musikanten" ab. Belastend war die wöchentliche Probe in einem Vorort von Chemnitz. Wenn es ging, fuhr Willi mit dem Zug, aber der Fußmarsch von 20 Minuten, der dann noch folgte, war dann doch belastend. Also musste er das Auto nehmen, wohl wissend, dass es besser wäre, es zu schonen. Blöd war, dass sich auch immer andere mit reinhingen, die sich dann von Willi noch nach Hause fahren ließen. Treff zu den Konzerten war immer bei Schulze, der schon mal besoffen verschlief. Er fuhr generell, um das Fahrgeld zu kassieren, das war üppig, aber was nutzte Willi die Kohle, wenn es dann keine Ersatzteile und Reparaturmöglichkeiten gab. Schulze hatte die Probleme nicht, er bezahlte mit Westgeld, über das er reichlich verfügte. Auch Meyer fuhr, er fuhr leidenschaftlich gern und ein Dritter, der außerhalb von Chemnitz wohnte, gezwungenermaßen sowieso, er hatte einen

Wartburg und fuhr nur ungern in einem Trabant mit, noch dazu in so einem wie dem von Willi, ohne Stoßstange und Heizmöglichkeit, wegen des defekten Auspuffs. Im Großen und Ganzen hatten die, die in der Kapelle das Sagen hatten, kein Vertrauen zu Willis rollenden Schrott. Immerhin wollten sie pünktlich beim Auftritt sein. Es gab aber immer noch genug, die sich von Willi heimkutschieren ließen, besonders zu Proben, wo ein nicht ankommen zu verkraften war, wenn denn das Auto unterwegs streikte, einer wollte bis nach Burgstätt. Der war öfter Aushilfe und sagte: „Wenn ich mitmachen soll, müsst ihr mich von zu Hause holen." Aber das waren Kleinigkeiten, die Kapelle war eine tolle Sache. Nach dem ersten Auftritt Ende Januar waren dann im Februar zwei. Einer davon in einem abgelegenen Erzgebirgsort zum Fasching. Es waren 20 Grad minus. Die Verstärkeranlage war defekt, der Veranstalter tobte, drohte mit Forderungen für entgangene Einnahmen und Umsätze. Die recht gute Anlage hatte sich Schulze aus dem Westen schicken lassen, dort war sie spottbillig, im Osten nicht zu bezahlen, er bekam sie schließlich wieder hin, Gott sei Dank. Aber hier merkte Willi, es ist doch besser, eine feste Anstellung zu haben. Wenn mal irgendwas passiert, noch knappere Ersatzteile oder Benzin rationiert wird, die Kapelle wäre sofort am Ende und mit ihr wären es die „Freiberuflichen Musikanten." Die Polizei bot Sicherheit. Das wurde ihm vor allen bewusst, als einer der Musikanten zur Reserve, Armee, gezogen wurde und damit drei unangenehme Monate vor sich hatte. Die suchten einen Neuen, der erwies sich als besser, der Alte war draußen. Die Veranstaltungen wurden immer mehr, ein Wunder, dass Willi alle unterbrachte und sich mit dem Polizeidienst nichts überschnitt. Es war einfach toll, am Sonntag in irgendein Dorf zu fahren und dort zum Frühschoppen zu musizieren, vor allem als es wärmer wurde. Man konnte die wunderschöne Landschaft genießen, war anerkannt bei den Kollegen und die Musik kam immer an beim Publikum. Niemand verzog das Gesicht, wie das oft der Fall war, wenn ein Orchester in Polizeiuniform kam. Sie verstanden sich gut und die Finanzen, als quasi kleine, aber nicht unwichtige Zugabe, waren auch ok. Es gab natürlich auch harte Tage, früh zwei Stunden in Penig, dann nach Magdeburg, sechs Stunden Tanz, nachts zurück, dann am Sonntag früh und am Nachmittag je zwei Stunden im Tierpark. Müde und zufrieden kam Willi nach solchen Tagen nach Hause. Den ganzen Tag Musik gemacht, wundervoll und noch ordentlich Kohle verdient. Er ging zeitig zu Bett, am Montag musste er ja nach Berlin zum Fernstudium. Mitunter war die Polizei doch störend. Bei der sogenannten Polizeifachlichen Weiterbildung“, wusste man nie, ob sie stattfand oder nicht, meistens nicht, das wurde aber ganz kurzfristig, am gleichen Tag bekannt gegeben. Einmal fand sie statt und Willi saß wie auf glühenden Kohlen, denn der Orchesterleiter erzählte, wie ihn die Zeitungsartikel des Genossen Honecker in seiner Präzision imponierten. Das konnte lange dauern. Noch schlimmer waren die Parteiversammlungen. Endlich das Schlusswort und dann: „Hat noch jemand was“, alle schauten nach unten, jeder hoffte, die Sekunden vergingen, man hörte die Genossen atmen, so ruhig war es und dann, irgendein Idiot, der nicht nach Hause zu seiner Alten wollte, hatte noch eine Frage. Ein Wunder, dass Willi immer zur angegebenen Zeit da war. Ebenso belastend die FDJ, die FREIE DEUTSCHE JUGEND. Regelmäßig kamen Aufforderungen, vor allem zu freiwilligen Arbeitseinsätzen, meist dann, wenn Willi eine Mugge hatte. Willi war wie alle, automatisch bis zum vollendeten wohl 26. Lebensjahr, FDJ Mitglied. Er stand aber nie auf den Listen, die zum Einsatz aufforderten. Er ging also nicht hin und machte seine Muggen bei Guth, die er nie anmeldete. Sein Limit von fünf Muggen war schon mit der Vogelberg Blasmusik ausgeschöpft. Schließlich kam der Tag, wo der Orchesterleiter ihn fragte, warum er nicht am freiwilligen FDJ-Arbeitseinsatz teilgenommen hatte. Nun hätte Willi sagen können, dass er den Aspekt der Freiwilligkeit in den Mittelpunkt gestellt habe. Sinnlos. Er erklärte, dass er nicht auf der Liste gestanden hatte, möglicherweise war ein anderer Arbeitseinsatz für ihn vorgesehen, wo dann die anderen nicht eingeplant waren. Natürlich wusste Willi, dass dies Unsinn war, er war nach seiner Rückkunft vom Studium einfach nicht wieder registriert wurden. Natürlich konnte sich der Orchesterleiter denken, dass Willi eine unangemeldete Mugge gemacht hatte, aber er konnte es ihm nicht beweisen, denn die bei Guth waren immer interne Veranstaltungen, geschlossene Gesellschaften. Dem Orchesterleiter passte die ganze Sache mit der zivilen Blasmusik überhaupt

nicht. Er ärgerte sich, weil er nicht schon von Anfang an die Sache verboten hatte. Er gönnte dem Hohl vor allem das viele Geld nicht. Anderseits hatte er auch Angst, dass sich so ein labiler Typ entpflichten könnte. Von dessen panischer Angst vor dem Reservedienst bei der NVA wusste er nicht. Es musste gehandelt werden, er war sogar sicher, dass Hohl eher früher als später versuchen würde, sich aus dem Polizeiorchester zu entfernen. Es musste also gehandelt werden, und zwar auch besser früher als später. Anderseits, wenn Hohl das war, was er vermutete, eine Stasispitzel, der gute Beziehungen nach oben hatte, dann konnte er auch nicht so schnell abhauen. Wie gern hätte der Orchesterleiter auch zur „Firma“ gehört, aber zu mehr als zum Mitglied einer Sicherheitstruppe, die ab und zu Stimmungsberichte schreiben musste, hatte es nie gereicht. Für eine Strafrente reichte es aber wegen zu viel Systemnähe dann später noch. Wie gern hätte er auch einen Ausweis gehabt, der ihn als Mitarbeiter der Stasi bestätigte. Dennoch entschied sich der Orchesterleiter, gegen Hohl vorzugehen. Möglicherweise provozierte Hohl auch nur, um seine revolutionäre Wachsamkeit auf die Probe zu stellen.
Er ließ Hohl die auswendig zu beherrschenden Märsche vor dem ganzen Orchester vorspielen. Nichts zu machen, Hohl machte nicht den kleinsten Fehler. Er setzte ihn an die erste Klarinette und forderte, in einer Woche die neuen Marschstimmen auswendig zu beherrschen. Nichts zu machen, Hohl brachte das geforderte und zwar fehlerlos. Wieder nichts. Der Orchesterleiter rief in Berlin an und bat

um Hilfe. Er schilderte Hohl als jemanden, der sich direkt nach Abschluss des Studiums entpflichten wollte: „Erst die Sahne abschöpfen und dann abhauen“ Der Inspizient glaubte dem Orchesterleiter leider sofort, er war empört. Ihn durchs Examen sausen zu lassen, wie der Orchesterleiter vorgeschlagen hatte, ging aber auch nicht, Hohl war bei den klassischen Konzerten zwar keine Leuchte, aber weit weg von einem „Ungenügend“. Man einigte sich darauf, ihn durch die Lehrprobe sausen zu lassen, das war relativ einfach, er bekam zwar seinen Abschluss, musste aber bei der Polizei bleiben, um sie im nächsten Jahr wiederholen zu können. Also bekam der Abteilungsleiter der Hochschule die Anweisung, den MDI- Studenten Hohl auf jeden Fall durchfallen zu lassen, man hätte Informationen, dass der sich entpflichten wolle und da war es besser, ihn noch ein Jahr zappeln lassen. Nun war die MDI-Abteilung bei den Zivilisten sowieso extrem verhasst, wenn die sich gegenseitig fertig machen wollten, bitte sehr. Zudem hatte man schon einen Hinweis vom Vater des Willi Hohl bekommen. Der wollte wieder nur verhindern, dass sein Sohn als Lehrer arbeiten konnte, wegen politischer Unreife. Der MDI Abteilungsleiter konnte zwar das alles nicht glauben, beugte sich aber den Befehlen von oben.

Der Orchesterleiter war erst mal vollkommen befriedigt, zudem hatte sich im Rahmen der sehr ergiebigen Konsultation mit dem Inspizienten herausgestellt: Der Hohl ist nicht beim MfS. Mai 87 fuhr Willi mit dem Zug zusammen mit seiner besten

Schülerin und deren Mutter zur Lehrprobe nach Berlin. Er führte vor einer Kommission eine Unterrichtsstunde durch und war vollkommen zufrieden mit sich. Dann der Hammer, durchgefallen. Der Inspizient heuchelte: „Sie bleiben ja weiter bei der Polizei, da können sie ja im nächsten Jahr wiederholen.“ Nun hatte Willi nicht vor, bei der Polizei aufzuhören, hier war was im Busche. Das begeisterte Zittern in der Stimme des Inspizienten verriet ihm das. Es wunderte ihn also nicht, dass er wenig später eine Vorladung von der politischen Abteilung in Karl-Marx-Stadt bekam. Auf die Idee, dass es das Beste für ihn wäre, in seiner Freizeit musizieren zu lassen so viel er wolle, er würde schon wegen der Armeereserve nie aufhören, kamen die nicht. Ein fetter Major, der natürlich vorher mit dem Orchesterleiter die Taktik besprochen hatte, erklärte ihm kurz und bündig: „Es ist künftig verboten, bei den zivilen Vogelberg Blasmusikanten mitzuspielen. Es gibt da Gründe, die dürfe er nicht sagen, aber es hat nichts mit den ehemaligen Polizeimitgliedern zu tun oder denen, die im Blasorchester K.-M.-St. spielen.“ Willi schaute erstaunt hoch. Nur einer der Musiker war kein ehemaliger Polizist und von dem war die Gattin bei der Polizei. "Was bitte sind das für Gründe?" Der fette Major konterte: „An dieser Stelle breche ich die Diskussion ab, sie haben das Verbot vernommen, das genügt. Zuwiderhandlungen werden bestraft und können zur Entlassung aus den Reihen der Polizei führen.“ Damit konnte Willi gehen. Der Orchesterleiter war vollkommen zufrieden. Nach der Niederlage mit dem Berufsausweis endlich ein Sieg.

Entweder der Hohl spielte nicht mehr mit oder man würde ihm androhen, ihn zu entlassen, dann Entzug der Möglichkeit zu unterrichten, er hatte ja keinen Abschluss. Irgendeinen Formfehler würde man schon finden, um ihm den Berufsausweis entziehen zu können und dann eine kleiner Reservelehrgang bei der Armee... Den Hohl würde man schon klein kriegen. Die Panne mit den Gründen für das Verbot, nicht wegen der ehemaligen Polizisten und denen aus dem Blasorchester K.-M.-St.? Nicht schlimm die Tatsache, dass man ihn auch unter Angaben von sinnlosen Gründen was verbieten konnte, zeigte dem auch mal die Macht, die man über ihn hatte. Der Orchesterleiter war nicht sicher, ob Hohl klein beigab oder nicht, eins war aber sicher, wenn nicht, würde man seine weitere musikalische Laufbahn beenden. Die anderen Abtrünnigen waren viel zu billig davongekommen, eine eigene Kapelle gründen und dann noch als Konkurrenz zum Polizeiblasorchester, wo gibt's denn so was. Der Orchesterleiter und Alkoholiker sowie stramme Kommunist und Honeckerverehrer, der in Unfrieden mit seiner Frau lebte und bei dem Weihnachten öfter war als Sex, nur Weihnachten war schöner, hatte ein neues Lebensziel. Hatte er eigentlich Hohl nur das Geld nicht gegönnt, so wollte er ihn jetzt vernichten, ein Exempel statuieren und ihn stellvertretend für die anderen ehemaligen mit bestrafen. Hatte er den Hohl nicht erst seine Musikerlaufbahn ermöglicht? Dass eine weitere Entlassung, also die von Hohl, die Spielfähigkeit des Orchesters weiter einschränken würde, das konnte auch brutal gegen den Orchesterleiter zurückschlagen, das war aber erst mal zweitens.

Willi ahnte, was auf ihn zukam, er musste höllisch aufpassen. Noch hatte er den Hochschulabschluss nicht in der Hand, er hatte zwar alle Abschlüsse, aber bis zur Zeugnisübergabe waren es noch drei Wochen. Der Pädagogikabschluss war fakultativ, zusätzlich also freiwillig. Willi sah aber gar nicht ein, dass er sich nicht in seiner Freizeit musikalisch betätigen solle, zu Hause sitzen, statt zu musizieren, nur weil es dem Arsch vom Orchesterleiter nicht passte, zumal er mit dem Polizeidienst nicht in Konflikt geriet. Natürlich war ihm klar, dass er seinen Hochschulabschluss riskierte. Hatte er den, konnte er spielen so viel er wolle, anderseits, wenn die wollen, konnten sie ihm den auch sicher wieder aberkennen oder den Berufsausweis wegnehmen. Willi entschied sich dafür, die Veranstaltungen, trotz Verbot, zu machen. Den Kollegen von den zivilen Blasmusikanten sagte er nichts, womöglich würden sie ihn nicht mitnehmen, wenn sie von seinen Konflikten wüssten, immerhin war es nicht ungefährlich, einen Polizeimusiker zu beschäftigen, der quasi Spielverbot in ihrer Kapelle hatte. Dass selbst bei denen ein Stasispitzel saß, wusste Willi nicht, auch nichts von der Gefahr. Die flächendeckende Überwachung wurde erst nach der Wende bekannt. Damals tröstete sich Willi, dass die Veranstaltungen weit weg von seinem Heimatort waren. Dennoch wäre er aufgeflogen, wenn er sich nicht Guth anvertraut hätte, und zwar umfassend. Immerhin spielte er bei dem regelmäßig „Rote

Veranstaltungen." Guth kümmerte sich, er war zwar nicht pünktlich und unzuverlässig, aber wie immer, wenn etwas wichtig war, dann bewegte er sich dann doch. Tatsächlich existiere bei der Stasi ein Protokoll über den Fall Hohl. Guth war empört. Es konnte nicht sein, dass ein Genosse, der zu all seinen Veranstaltungen pünktlich und parteilich spielte, wegen persönlicher Racheakte mit unlogischen Argumenten ins Abseits gedrängt werden sollte. Guth schnauzte den Politoffizier ordentlich an und der telefonierte mit dem Orchesterleiter: „Der Hohl kann in seiner Freizeit spielen wo er will und so lange er will, wenn es nicht in der Dienstzeit ist. Klar? Keine Einschüchterungs-versuche mehr. Wenn er unbedingt die musikalische Nebentätigkeit verbieten will, soll er es bei anderen versuchen, aber bitte nicht so stümperhaft." Guth war zufrieden und versprach seinerseits, alle Aktivitäten bei ihm zu melden. Zugleich schlug er Hohl für eine Auszeichnung vor: Für den „Preis für künstlerisches Volksschaffen." Der Orchesterleiter tobte. Der Hohl bekam einen Preis aufgrund nicht angemeldeter, quasi illegaler musikalischer Betätigungen, überreicht. Nicht irgendeinen Preis, sondern einen, der mit einer nicht unerheblichen Geldprämie verbunden war. Obendrein konnte sich der Hohl im zivilen dumm und dusselig verdienen. Denn würde er Hohl vernichten, mit der Schnauze im Dreck wollte der ihn sehen, egal ob sein Orchester dann einen Mann weniger hatte. Um jeden Verdacht von sich zu lenken, besorgte er Hohl sogar zwei Muggen beim Blasorchester Grünhein. Der Orchesterleiter atmete tief durch. Sein Ansehen war nicht ramponiert wurden. Dennoch hatte zumindest ein Trompeter entsprechendes Wissen, der war auch bei dem Verbotsgespräch dabei, hielt sich aber dran, weil er mitten im Studium war. Der wunderte sich, dass Hohl munter weiter machte und nichts passierte. Natürlich sprach sich das im Polizeiorchester rum. Man vermutete jetzt, dass Hohl nun doch Stasi war, provozierte ihn, um die Reaktion der anderen zu sehen. Unter der Maske des vertrottelten Weicheis: „Keine Frau, der sitzt den ganzen Tag auf der Bettkante und wichst wie ein wild gewordener Teufel", verbarg sich ein ausgekochter Gauner. Willi war dieser Ruf ganz angenehm. Den genannten Satz getraute sich jetzt keiner mehr zu sagen. Natürlich bekam auch der Orchesterleiter das mit. Er war jetzt auch nicht mehr sicher. Inspizient hin, Inspizient her. War der Hohl am Ende doch Stasi? Auf jeden Fall hatte er mindestens einen einflussreichen Gönner, was ja auch stimmte. Willi bekam seinen Preis und 400 Mark Prämie. Die musikalische Umrahmung besorgte er selbst, mit einem inzwischen von Schulze gekauftem Yamaha-Keyboard, der höchsten Qualität, im Osten nicht erhältlich. 12 000 Mark hatte er 1 zu 6 getauscht, das war natürlich illegal. Immerhin setzte er das locker bei allen Veranstaltungen von Guth ein. Man staunte und lobte die Flexibilität des Instrumentes. Ein Wunder, dass sich keine Veranstaltungen überschnitten. Willi ahnte, dass er auf einem Pulverfass saß, aber eigentlich saß er aufgrund der Initiative von Guth ja nicht mehr drauf. Er wusste nicht, dass es kein

Zufall war, dass ihn noch niemand bei den zivilen Muggen entdeckt hatte. Er bemühte sich, nicht zu provozieren und als das Orchester zum Turn- und Sportfest nach Leipzig fuhr, wie 1983, schnitt er sich freiwillig einen Igelhaarschnitt. Warum auch nicht. Der Orchesterleiter registrierte das mit der Faust in der Tasche: "Warte Bürschlein, dich kriege ich schon noch." Endlich hatte Willi den Hochschulabschluss in der Hand. Jetzt war er Berufsmusiker, es fehlte nur noch die Lehrbefähigung. Er fuhr nach Dresden, um nachzufragen, ob er hier die Lehrprobe machen dürfe, für alle Fälle. Man verneinte. Willi müsse vorher ein paar Stunden Unterricht nehmen und nochmal vorspielen, damit man ihn kennenlernte. Das war keine Alternative. Willi war froh, dass er seine Vorspiele weghatte, drei große klassische Konzerte und eine Sonate auf der Bassklarinette. Das war kein Zuckerschlecken, schon um das kräftemäßig durchzuhalten musste Willi musste ordentlich üben, natürlich muggte er lieber und so schloss er nur mit einer drei ab. Egal, Abschluss ist Abschluss. Natürlich bekam die Polizei über die Stasi Wind von der Sache in Dresden. Guth wurde informiert: „Jetzt war das Indiz da, Hohl wollte aussteigen aus der Polizei.“ „Unsinn“, sagte Guth, „Er hat sich nur nach Möglichkeiten erkundigt, was passiert, wenn er aus der Polizei fliegt. Der weiß doch nicht, dass ihm im Prinzip nichts passieren kann.“ Dann kam der Sommerurlaub. Vier Wochen würde Willi nichts sehen und hören von der Polizei. Vier Wochen konnte ihn niemand bestrafen. Willi war sich im Klaren darüber, er musste verlieren, der

Orchesterleiter war ein staatlicher Leiter, der die Gnade der Partei für sich beanspruchen konnte, von dem Wirken und der Macht von Guth ahnte er nur etwas. Käme wirklich mal die Entscheidung: Muggen oder Polizei, er würde letzteres wählen. Eine neue musikalische Betätigung zu finden wäre immerhin möglich, ein Weg zurück zur Polizei und die damit zusammenhängende Sicherheit nicht. Das wurde ihm bewusst, als wieder ein Musiker aus seinem Umfeld zur Reserve gezogen wurde, bereits das zweite Mal nach der Wehrpflicht, innerhalb von vier Jahren.
Während des Turn- und Sportfestes in Leipzig spielte er als Aushilfe im Orchester Frankfurt-Oder und Willi merkte, dass wohl das seinige Orchester so ziemlich das mit der schlechtesten Qualität war. Kein Wunder, die guten Leute hauten ab oder wurden rausgeekelt. Laien wurden eingestellt, zum Beispiel Klaus Dietrich Elbe, ein völliger Laie, der den musikalischen Stand des ersten Unterrichtsjahres noch unterschritt. Mit dem musste Willi an der 3. Klarinette spielen, ab und zu, wenn besetzt, nahm er die Bassklarinette, was ihn etwas aufwertete. Ursprünglich war noch ein weiterer Laie mit Elbe zusammen, die beiden brachten nichts auf die Reihe. Willi selbst machte den Vorschlag, besser ein alter und ein neuer zusammen an der Stimme. Wie wurde es dann ausgelegt: „Der neue, der jetzt an der 2. Klarinette sitzt, ist nicht ohne Grund dort, er hat mehr drauf als Hohl nach vier Jahren Studium.“ Rumgereicht wurde auch die Info, dass er die Lehrprobe nicht gepackt hatte. Natürlich konnte Willi nicht offiziell

mit seinen vielen Muggen punkten. Anderseits besorgte ihm der Orchesterleiter persönlich die Aushilfe in Frankfurt-Oder. Allgemein galt Willi als ein Jammerlappen, der aber nicht zu unterschätzen war. Im Orchester galt er als einer der schlechten Musiker, wenigstens bei den jüngeren. Wie schon erwähnt, selbst Elbes Freundin, ein primitives Weibsbild, mit kratzender Stimme, spindeldürren Vater, klatschfetter Mutter und gefühlten halbes Dutzend Geschwistern, bemerkte: „Was will so ein Mann im Orchester.“ Es gab auch neutrale Musiker, mit denen Willi sich bei der Polizei abgab. Im Prinzip waren es nur zwei studierte Jugendliche und vier Laien, die sich früher vom Pionierblasorchester kannten und die bildeten eine Fraktion gegen ihn. Aber mit den meisten, auch älteren, kam Willi gut aus, vor allem, weil musikalisch Qualitäten im Orchester bei den meisten keinen Stellenwert hatten. Die Älteren pfiffen selbst zum Teil auf dem letzten Loch und viele wären lieber heute als morgen in Rente, auch wenn sie erst 50 waren. In den Ferien genoss Willi das Dasein eines freiberuflichen Musikanten, mit dem Unterschied, er bekam zusätzlich Geld von der Polizei. Immer noch verstanden sie sich bei der zivilen Blasmusik hervorragend. Sie spielten jetzt vier Tage die Woche jeweils 16.00-22.00 Uhr in einem Biergarten. An den Wochenenden waren sie zusätzlich unterwegs, in ganz Sachsen. Lehmann und Schulze waren jetzt freiberuflich, sie hatten ihre Berufsausweise wieder. Die Auftragslage für 1987 und darüber hinaus war glänzend. Das Problem war: Die meisten waren noch irgendwo angestellt, zum Beispiel im Blasorchester K.-M.-Stadt und da gab es Überschneidungen. Das ärgerte Lehmann und Schulze, denn Aushilfen waren nicht leicht zu finden und immer ein Kompromiss, was die Qualität betraf. Kurz und gut, die beiden forderten auch die anderen auf, den Schritt in die Selbstständigkeit zu gehen. Meier tat das, er war ledig, risikobereit und sparsam. Die anderen beiden vom Blasorchester K.-M.-Stadt zögerten. Sie wussten ihre soziale Sicherheit wohl zu schätzen, natürlich bedingt durch den festen Arbeitsplatz und das höhere Einkommen. Einer schob die Kündigung geschickt auf die lange Bank: „Er hatte eine Westreise zu Verwandten beantragt und da brauche er den Betrieb, der für ihn bürge, aber ab März 88 wäre er dann da." Das wurde akzeptiert. Der zweite, Müller mit Namen, kündigte, er hatte zwei kleine Kinder, bekam aber dann kalte Füße und zog die Kündigung zurück. Das war dumm und gab Ärger. Er wurde besonders von Lehmann ordentlich in die Mangel genommen, entweder er kündigt zum 31.12 oder er ist draußen. Müller kündigte dann doch, das Einkommen bei Lehmanns Truppe war höher als das beim Blasorchester K.-M.-Stadt. Mit der Wende hatten beide Orchester ihr Ende erreicht, das staatliche spielte letztmalig zum ersten Tag der Einheit am 3.10.90, die anderen waren am 31.12. 90 am Ende, hatten aber schon ab der Währungsunion Juli 90 nichts mehr zu tun. Immerhin, wäre Müller beim Blasorchester geblieben, dann hätte der noch Arbeitslosengeld bekommen und drei Monate länger verdient. Schwer zu vergleichen, denn das Westarbeitslosengeld hatte ja doch einen anderen Wert als die DDR-Mark. Besser wäre es gewesen, im Staatsdienst zu bleiben und die Lehmanns Truppe als Zuverdienst zu betrachten. Aber da machten Lehmann und Schulze nicht mit. Nicht nur wegen der Problematik des Überschneidens von Veranstaltungen. Der Schlagzeuger war fest an der Musikschule angestellt, hier gab es keine Überschneidungen, aber der verdiente doppelt und das passte Lehmann auch nicht. Auf Honorarbasis an der Musikschule zu wirken, das „erlaubten" sie, aber nicht als Festangestellter. Immerhin wollten die auch Sicherheit. Ein Freiberufler kann nicht so schnell abhauen und ist mehr an die Kapelle gebunden. Der Schlagzeuger entschied sich für seine feste Arbeit und flog raus. Ein neuer war da ziemlich schnell gefunden, immerhin Polka, Walzer, Marsch und ein paar Tanzmusiktitel sind nicht so schwer zu spielen. Bei Willi setzte man ganz selbstverständlich voraus, dass er sich bei der Polizei entpflichtet. Wie sollten sie auch ohne grundlegende Strukturveränderung ohne ihn auskommen. Willi hatte Verantwortung für die Kapelle und man setzte voraus, dass er der gerecht wurde. Einer, der Klarinette, Saxofon und Akkordeon spielte, war tatsächlich nicht so leicht zu bekommen. Willi selbst war sich nicht sicher, ob er den Anforderungen gerecht werden würde. Jetzt kam ihm die misslungene Lehrprobe gerade recht. Die musste er noch schaffen. Kündigung danach, August 88 etwa. Damit gab man sich zufrieden. Natürlich erfuhren auch die Stasi und Guth davon. Guth war enttäuscht, konnte natürlich mit Willi nicht darüber reden, denn dann wäre seine Identität aufgeflogen. Der Orchesterleiter saß jetzt am längeren Hebel und hatte freie Bahn. Zugute kam ihm Willis Keyboardkauf, tauschen 1 zu 6, illegaler Kontakt zu Personen aus dem „Nicht Sozialistischen Ausland“, streng verboten und meldepflichtig, natürlich hatte Willi auch mal ein paar Worte mit der Oma von Schulze gewechselt. Das reichte: Nicht nur für eine Entlassung aus der Polizei, sondern auch für eine Anklage wegen Devisenvergehen. Für eine Verhaftung. Das Exempel konnte salutiert werden. Der Orchesterleiter fühlte sich ganz als glühender Patriot. Er hatte eine antisozialistische Verschwörung aufgedeckt, er half quasi direkt mit, den Frieden zu erhalten, nicht nur mit Worten, auch mit Taten. Ein überzeugter Arbeiter für den Frieden. Das ging Guth dann aber doch zu weit. Immerhin brauchte er Willi auch für seine Zwecke und auch vor der Polizei hatte er schon oft dienstlich mit dem Keyboard aus feindlicher Produktion gespielt, als Alleinunterhalter war er auch in den Chefetagen bekannt und beliebt. Man einigte sich: Man würde Willi vor die Wahl stellen: Lehmanns Truppe oder Polizei. Entschied er sich für ersteres, sollte gar nichts geschehen, sollte er doch als Freiberufler spielen, man würde ihn laufen lassen. Der Orchesterleiter knirschte mit den Zähnen. In aller Demut wagte er zu behaupten: Der Hohl würde skrupellos unterschreiben, nie mehr zu muggen, um danach sofort zur Mugge zu fahren. Guth darauf: „Es ist Ihr Bier, wie Sie das hinkriegen, dass er tatsächlich nicht mehr mitmacht, wenn Sie es nicht hinbekommen, sind Sie vielleicht selbst als staatlicher Leiter ungeeignet. Oder soll ich lieber sagen, es ist Ihr Schnaps?“ Natürlich wusste die Stasi und damit auch Guth, dass der Kerl ein ständiger Freund von „Edlem Kognak“ war. Der Orchesterleiter knirschte mit den Zähnen. Er verstand die Anspielung und die darin enthaltene Gefahr für die eigene Karriere natürlich sofort. Wieder ein Freibrief für das Assi Hohl, wenn der weiter bei den zivilen Blasmusikern spielte, trotz Verbot und dass er das immer weiter tun würde, davon war er überzeugt, konnte er ihn nicht mal hochgehen lassen, ohne sich selbst als unfähig hinzustellen. Die Aussprache sollte der Orchesterleiter mit der Parteileitung ganz allein führen, und zwar Ende Oktober. Bis dahin wolle man Hohl noch beobachten. Natürlich hoffte der Orchesterleiter, dass sich bis dahin noch was Neues, negatives, Hohl belastendes, ergeben würde. Die Zeit bis dahin zog sich ewig. Der Orchesterleiter war nervös und unruhig, die Selbstzufriedenheit war weg. Selbst das Trinken der so geliebten Goldkrone war eher Vergessen als Genuss. Der Orchesterleiter wurde aggressiver und nahm sich erst mal die anderen Jugendlichen vor, um sie zu bestrafen. Drei von denen provozierten, vor allem über die Behandlung mit unterschiedlichen Maßstäben. Die alten übten nicht und musizierten nur widerwillig, hatten keinerlei Abschluss, bekamen aber die höchsten Leistungszulagen und ständig Prämien. Die Provokation sah so aus, dass die jungen Kerle erst im letzten Augenblick zum Dienst kamen, notfalls im Auto warteten, um dann zu beweisen, dass sie auch ohne „Einblasen“ die besten waren. Die Alten hatten sich natürlich auch nicht eingeblasen, obwohl das auf dem Dienstplan stand, sie quatschten und rauchten, waren aber pünktlich da. Wenn die sich nicht einblasen, warum sollen wir dann pünktlich zum Dienst da sein, sagten die sich die Jungen. Der Orchesterleiter reagierte bissig. Dem einen verbot er, Unterricht zu geben, nicht wegen der Sache mit dem zu spät kommen, sondern wegen seinem dreckigen, der Polizei unwürdigen Auto. Da er noch im Grundwehrdienst war, vollkomandiert im Orchester, wie es bei Willi nicht mehr geklappt hatte, musste er klein beigeben, ansonsten wäre er in die Kaserne zurückgeschickt wurden. Der zweite Jugendliche hatte mal die Abfahrt des Busses verpasst, war dann zwar privat hinterher-gekommen, aber das reichte: Der musste sich künftig generell eine Stunde vor Abfahrt in der Bezirksbehörde melden, auch wenn die Route des Orchester Busses an seinem Wohnort vorbeiführte, er durfte auch nicht unterwegs vorher aussteigen. Natürlich tobte die Jugend, vor allem auch, weil Hohls Auto ohne Stoßstange noch vergammelter war und dem trotz illegalem muggens nichts passierte. Einmal ging eine Tanzveranstaltung der Blasmusik 15 Minuten länger. Der dritte der Jugendlichen blies wie ein wilder absichtlich falsche Töne, was den Orchesterleiter ein willkommener Vorwand war, ihm alle Leistungszulagen zu streichen. Und der Hohl behielt sie, obwohl er an die 3. Klarinette zurückversetzt wurde. Das war die Situation im Orchester, im September 87, nach der

Sommerpause. Willi hatte traumhafte Musikerferien hinter sich, mit vielen tollen Veranstaltungen. Eigentlich hatte er sich schon als Junge gewünscht, nach dem ersten Akkordeonunterricht, so mit einer Kapelle umherzufahren und sein Geld zu verdienen. Sie fuhren quer durch ganz Sachsen. Willi fuhr meist mit den anderen Klarinettisten mit, bei dem mit der Westreise, ein ruhiger netter Typ, 35, Familienvater, Wagner mit Namen. Ab und zu fuhr er auch selbst, dann fuhr Lehmanns Alte mit ihm mit, die geile Bia, wie die anderen sie nannten, natürlich hatte Lehmann keine Bedenken, Willi war als Mann völlig uninteressant und keine Gefahr. Auch der hatte seinerseits 0 Interesse an der Bia. Was sollte er mit einer verheirateten Frau mit zwei Kindern. Im Übrigen war Bia nicht dumm und erledigte alle finanziellen und vertraglichen Belange der Kapelle. Sie und ihr Ehemann lebten beide freiberuflich. Zu Willi waren sie besonders nett, den brauchten sie dringend.
Mit Müller war er auch mal eine Woche in Urlaub in Schwerin. Lehmann hatte dort seine Verwandtschaft und Müller war scharf auf die Tochter eines Schwagers von Lehmann, die war zwar erst 15, aber ihr Vater hatte ihn zu der ihre Jugendweihe eingeladen und gesagt: „In fünf Jahren hauen wir die Hochzeit drauf.“ Das ließ hoffen. Die Kleine war zwar zehn Jahre jünger als Müller, aber in drei Jahren würde sie 18 sein und dann.... Sie hausten in der Sommerlaube des künftigen Schwiegervaters. Tatsächlich gab sich Müller mehr mit dem 12-jährigen Bruder des Girls ab. Wenn sie Pilze sammelten oder grillten oder mal

an die Ostsee wanderten, waren immer beide Kinder dabei, das Girl eher still, der Junge immer an der Seite von Müller. Tatsächlich war Müller schwul. Männer allein reichten ihm aber nicht, sie mussten auch jung sein. Später sollte das Müller noch oft Ärger bringen, aber im Jahr 87 gab Müller noch vor, sich mehr für das Girl zu interessieren, auch wenn die Tatsachen dagegensprachen.
Dann ging der Orchesterdienst wieder los und auch der Unterricht begann in Muthdorf, wie auch in K.-M.-St. mit dem einen Schüler. Unterricht absolvierte Willi mehr oder weniger lustlos, quasi nebenbei. Die Bedingungen in Muthdorf, in der vergammelten Schule, waren nicht gut. Der Unterricht war immer noch in dem vergammelten Klassenzimmer. Im Gegensatz zur nur 20 Km entfernten Stadt eine andere Welt. Das Angebot in den Läden des Dorfes sehr bescheiden. Brot bekam man beim Bäcker nur, wenn man es angemeldet hatte. Staubige Konserven und Tüten mit klebrigen Bonbons prägten das Angebot des Mini Super Marktes. Der Fraß der Schülerverpflegung war zwar billig, aber genauso ungenießbar wie schon zu Willis Schulzeit. Ein einziges Mal versuchte er einer Gaststätte des Ortes Mittag zu essen. Die war natürlich, wie alle Lokale in der DDR, überfüllt. Der einzige Kellner war völlig überfordert. Nach 50 Minuten haute Willi einfach ab, das Essen war aber immer noch nicht da und in zehn Minuten kam der erste Schüler. Er hatte aber schon ein Getränk bestellt und vergessen das zu bezahlen, sprich das Geld auf den Tisch zu legen. Jetzt rannte ihm der Kellner hinterher. Aber Willi war schneller und

konnte entwischen. Das hätte gefährlich werden können. Diebstahl, nicht bezahlte Rechnung. Das wäre dem Orchesterleiter gerade recht gekommen, aber nix passierte.
Das Hauptproblem in der Musikschule waren die völlig unzureichenden vergammelten Instrumente. Willi gab sich wenigstens noch Mühe, selbst was zu reparieren und er sorgte für ordentliche Mundstücke und Blätter, die auf das Mundstück zu binden waren, um auf der Klarinette den Ton zu erzeugen. Seine Schüler schienen nicht ganz schlecht zu sein, denn gleich am Anfang des Schuljahres fragte ihn die Leitung in Thum, ob er sich vorstellen könne, nach seiner Polizeizeit, also zum Schuljahr 1991/92, nach dem Ende der zehnjährigen Verpflichtungszeit, hier hauptamtlich als Klarinettenlehrer anzufangen. Willi zog hämisch die Mundwinkel hoch und verdrehte die Augen. „Wer hier hauptamtlich anfängt, hat die Talsohle erreicht. Dann lieber freiberuflich und Unterricht nebenbei als Sicherheit für an Muggen armen Zeiten. Das Risiko, zur Armee gezogen zu werden, war so und auch so da. Das Gehalt, die Hälfte des Polizeiorchesters.“ Dennoch sagte Willi zu seiner eigenen Überraschung: „Ja, das könnte ich mir sehr gut vorstellen. Das werde ich tun.“ Das sagte er natürlich auch mit Blick auf die verfahrene Situation im Polizeiorchester, vor allem um sich eine Option offen zu halten. Immerhin hatte Muthdorf einen Vorteil, die hatten ein großes 50 Mann starkes Jugendorchester, man wusste, wofür man die Leute ausbildete. In K.-M.-St., wenn sie nicht gerade Musik zum Beruf machen wollten, war

die Ausbildung maximal sieben Jahre, dann hieß es Instrument abgeben, das war's. Nur immer je zwei Klarinettisten kamen im dortigen Jugendsinfonieorchester unter. Blasorchester waren in der eitlen Musikschule K.-M.-Stadt verpönt. Ex-Lehrer Montag scheute sich nicht, in Willis Beisein in der Klarinettenprüfung Juni 87 einem Schüler zu empfehlen: „Gehen Sie zu Herrn Hohl zum Blasorchester, wir machen ordentliche Ausbildung." Eine Frechheit, ausgerechnet Montag, Willi kannte dem seine so genannte ordentliche Ausbildung nur zu gut. In Muthdorf spielte jedes fünfte Kind im Blasorchester, es war integriert als ganz selbstverständlicher Teil des dörflichen und schulischen Lebens, zu den Jahreskonzerten war fast das ganze Dorf anwesend, die Stimmung war wie bei einem Fußballspiel. Etwas was Willi, trotz der miserablen technischen Voraussetzungen, durchaus beeindruckte. Zudem waren die Flöten und Blechbläser hervorragend, auch wenn es im Endeffekt die Masse machte. Nur die Klarinetten klangen wie Fußballschalmei, außer Willis Schüler wohl, sonst hätte man ihm nicht das Angebot gemacht. Willi erhöhte seine Unterrichtstätigkeit auf zwei Nachmittage, da er ja am Montag nicht mehr nach Berlin musste. Zudem gab er jetzt Notenlehre, oder vornehmer ausgedrückt: „Musiktheorie." Er stand also erstmalig vor einer Klasse. Nun waren hier alle freiwillig und Willi kam gut zurecht. Im Gegensatz zur Polizei war er hier wer, noch war er wer, um das mal schon hinzuzufügen. So ging der September 87 also los. Willi hatte schön zu tun, Unterricht, Konzerte mit Lehmanns Truppe,

Muggen mit Guth und Polizeidienst. Wenn die ihn von der Polizei nur in Ruhe lassen würden. Er würde einfach solange so weiter machen, wie es eben ging. Im Leben würde er bei der Polizei nicht aufhören. Vielleicht ließen sie ihn auch gewähren. Willi hatte ja jetzt das neue Keyboard und übte schon mal kräftig als Alleinunterhalter. Noten, auch von Westschlagern, hatte er noch von der Bereitschaftscombo, aber auch von einem Musiker des Berliner Bauorchesters, der Beziehungen zu Westverlagen hatte. Willi wartete ab, es verging der September, nichts passierte, er zog draußen rum, genoss die Zeit: Musizieren in hoher Qualität, er verdiente gut, das heißt der Zuverdienest floss komplett in das Keyboard, eine Box und ein Mikro mit Kabel und Ständer. Finanziell stand er gut da, er hätte gern ein neues Auto gehabt oder die Wohnung fertig gemacht, aber ein Zimmer für sich war besser als bei den Erzeugern zu wohnen, bei denen meldete er sich ab und zu zum Pflichtbesuch, meist am Wochenende zum Mittagessen. Er hörte sich ergeben an: „Andere Kinder kommen öfter und bringen immer große Geschenke mit.“ Das war inzwischen ein Nebenschauplatz Willi hörte sich ergeben die Kritik am völlig vergammelten Auto an und war froh, wieder verschwinden zu können. Mehr als einmal im Monat tat er sich diese Besuche nicht an und er hütete sich, was von sich zu erzählen. Dann kam der Tag der letzten Mugge mit Lehmanns Trupp, das heißt Willi wusste noch nicht, dass es die letzte sein würde. Es war die letzte Oktoberwoche, an sich eine typische Woche im Dasein des Willi Hohl. Am Montag Polizeiorchesterprobe und Unterricht in Muhtdorf, dienstags Probe, nachmittags Konzert in einen Polizeiferienheim. Am Mittwoch Probe gesamtes Orchester, am Nachmittag wieder Unterricht, auch mit dem Schüler an der Musikschule in Karl-Marx-Stadt. Am Donnerstag früh Probe, dann Mugge mit der Truppe von Guth, abends Probe mit den zivilen Blasmusikanten. Freitag am Vormittag eine Beerdigung, am Nachmittag Parteiversammlung, also kein Stress, viel Zeit, um Mangelwaren hinterher zu rennen, aber auch um die Ruhe in der eigenen Wohnung zu genießen. Am Samstagnachmittag dann Treff bei Schulze und dann Abfahrt zu einem Bockbieranstich mit Blasmusik und Tanz. Willi fuhr selbst, mit dem eigenen PKW, eine wundervolle Veranstaltung mit guter Musik und viel Stimmung. Dann am Sonntag hatte Willi frei, ausschlafen, nachmittags nochmal hinlegen, was lesen. Dann in der Woche darauf bekam Willi eine Vorladung für Donnerstag-nachmittag zur Parteileitung. Die Bombe sollte wohl an diesem Tag platzen. Der Orchesterleiter war da und noch drei ältere Orchestermitglieder, sowie einer von der „Politabteilung." Das große Wort führte der Orchesterleiter. Er stellte nochmal Hohls Untaten heraus, bei der Wehrpflicht, während des Studiums bei der Reserve und so weiter, immer hatte er sich hinter Willi gestellt, aber jetzt sei Schluss. Er betonte die Sache mit dem Devisenvergehen, dem Kauf des Westkeyboards, jetzt konnte er nichts mehr tun. Entweder die Unterschrift unter ein Schriftstück, in dem Willi erklärte, dass er nie wieder in Lehmanns Truppe mitwirken würde oder die baldige Entlassung. Der einzige nicht zum Orchester gehörende von der Politabteilung betonte: „Die Lehmann Truppe wird nie hochkommen, Funk, Fernsehen, da wird nichts draus, Pustekuchen, dafür sorgte der Staat mit seiner Partei. Er könne sofort aufhören und dort mitmachen, aber besser wäre es bei der Polizei zu bleiben, man würde dann von jeder Bestrafung absehen." Willi blickte nicht mehr durch. Einerseits hatte er sich eines Devisenvergehens schuldig gemacht, Kontakte mit einem Bürger der in den Krieg verliebten BRD nicht gemeldet, ein Vergehen, eigentlich ein Verbrechen, welches mit der sofortigen Entlassung geahndet wird, mindestens, wenn nicht mit Knast, anderseits, wenn er nicht mehr bei Lehmann mitmacht, kann er bleiben und wird nicht bestraft. Was garantiert denen eigentlich, dass er nicht dennoch Kontakt zu Meier hält, um sich, früher oder später, ein besseres Keyboard zu besorgen. Wenn Willi etwas Arsch in der Hose gehabt hätte, er wäre raus aus der Polizei und da ihm auch in den Fall Straffreiheit zugesagt wurde, kein Berufsverbot, keine Bewährung in der Produktion hätte er sofort bei dem „Lehmann" anfangen können. Willi war aber feige und er hatte Angst vor Reservearmeediensten und vor den Risiken des Freiberuflers. So gesehen waren die Disziplinierungsmaßnahmen im Rahmen der Wehrpflicht bei Willi auf fruchtbaren Boden gefallen. Also wollte er das Schriftstück zum Erstaunen des Orchesterleiters sofort unterschreiben. Zu Willis Erstaunen wiederum wurde das nicht akzeptiert, er sollte erst mal drüber schlafen, man gewährte ihm 24 Stunden Bedenkzeit, die er gar nicht wollte. Der Orchesterleiter war sicher, Hohl hatte es eilig, weil er zur nächsten Mugge wollte. Aber Hohl wollte nicht, er war auch nicht so mutig wie er eingeschätzt wurde. Er war feige und fuhr sofort zu Lehmann und Frau, um mitzuteilen, dass er nicht mehr zur Verfügung stehen würde. Beide waren angewidert und enttäuscht. Willi hätte sich ins Gesicht spucken können und unterschrieb am nächsten Tag das Schriftstück. Der Orchesterleiter war höchst unzufrieden. Die Sache mit dem Keyboard klärte sich durch das Missverständnis: Der Orchesterwart sagte: „Das Keyboard ist von uns, von der Polizei, eingetragen und verliehen an Genossen Hohl." Das wurde geglaubt und der Sache wurde nicht weiter nachgegangen. Das war das eigentliche Glück für Hohl, auf einem Missverständnis basierend, tatsächlich hatte Hohl ein neu erworbenes Gerät von der Polizei übernommen. Ein Devisenvergehen, ein ans Licht gekommener Schwarztausch, das wäre das Ende gewesen, womöglich auch mit Haft geahndet wurden. Der Orchesterleiter drohte Willi mit furchtbaren Folgen, wenn er dort je wieder bei Lehmann mitspielen sollte. Das juckte Willi nicht, er konnte gar nicht mitspielen, weil sie ihn nie wieder nehmen würden. Verspielt, die Freunde im Stich gelassen, verraten. War das ein Fehler? „Eine feste Arbeitsstelle gibt man nicht auf", hatte Guth mal gesagt. Und der sollte Recht behalten. Für Willi wurde bei den „Vogelbergmusikanten" ein Akkordeonist eingestellt, fortan musizierte man mit einer Klarinette. 1988 und auch 1989 war die Kapelle super im Geschäft, wenn Willi erfuhr die haben 20 Geschäfte im Monat, die spielen dort und dort, zuckte er schmerzhaft zusammen und es wurde dafür gesorgt, dass Willi es erfuhr. Sein Ansehen bei den jugendlichen Mitmusikern im Orchester sank noch mehr, hier wurde er als das, was er wirklich war, als Feigling, hingestellt. Eigenartig, er galt musikalisch als 0 doch eigentlich, aber man verurteilte sein ziviles musizieren. Allerdings waren diese Kritiker zum Teil auch nicht in der Lage, im zivilen Bereich zu bestehen. Die kamen nie in die Versuchung, auf eine Möglichkeit, wie sie Willi hatte, einzugehen. Mit der Währungsunion zwischen BRD und DDR im Juli 90 endete die Hochzeit von Lehmanns Trupp. Sie hatten, wie viele Kapellen, nichts mehr zu tun. Die Ferienheime existierten nicht mehr, die Gemeinden hatten kein Geld mehr, Betriebe wurden geschlossen, Feiertage wie „Tag des Schwermaschinenbauers“ fielen weg oder wurden nicht mehr mit Musik garniert, wie noch zu DDR-Zeiten, z.B. auch der 1. Mai oder der Frauentag. Der neue Staat hatte es nicht nötig, irgendwelche Mängel durch ein reiches kulturelles Angebot zu kaschieren und die neuen Möglichkeiten Autos, Konsum, Reisen und ähnliches taten das ihrige. Also mussten die „Lehmänner“ von Reserven leben, mit der Hoffnung auf bessere Zeiten. Die meisten hatten aber keine Reserven, gleich nach der Wende wurden neue Autos bekauft und sie mussten wieder richtig arbeiten. Zeitung austragen oder in eine Fabrik oder auf den Bau gehen. Um zu existieren, verkleinerte Lehmann seine Truppe und schmiss diejenigen, die erst auf sein Reden hin freiberuflich geworden waren, einfach raus. Marktwirtschaft. Er spielte nur noch zu viert, Key mit elektrischem Rhythmus, Trompete, er selbst Posaune und Bass plus Sängerin. Schulze kannte aber keine Bassgitarre und zupfte leer, also Vollplayback. Technische Geräte waren nun billig und man brauchte Schulze und seine Westbeziehungen nicht mehr, also flog er auch raus. Er versuchte sich dann jeweils erfolglos als Immobilienmakler und Auswanderer: Kneiper in Brasilien. Selbstredend waren seine "Portugiesischkenntnisse" wie die auf der Bassgitarre, Ersparnisse ließ er sich klauen, natürlich war auch die zweite Ehe längst geschieden worden. 2005 sah Willi Schulze das letzte Mal in einer Bratwurstbude, aber an die Kasse ließ man ihn nicht ran. Lehmanns Ehe mit der geilen Bia wurde auch bald nach der Wende geschieden, Bia zog in eine Neubauwohnung und sang weiter in der Kapelle des numehr Ex-Mannes. Der gemeinsame Sohn mit Lehmann starb noch als Kind an Krebs. Lehmann konnte sich danach günstig mit der Inhaberin eines Bestattungsinstitutes liieren, allerdings hätte man der beinah die Lizenz entzogen, weil sie als Hauptsponsor für ein Sommerfest im Altersheim auftrat. Lehmann saß jetzt an der Quelle und verdiente sein Geld hauptsächlich auf dem Friedhof, eine sicher sprudelnde Einnahmequelle: „Gestorben wird immer.“ Von den Geldern kaufte Lehmann eine teure Luxuslimousine, verhob sich und unterschlug Geld der restlichen Kollegen. Als man das

entdeckte, flog Lehmann aus seiner eigenen Kapelle. Er gründete dann was Neues, spielte weiter auf dem Friedhof und hatte immer mehr Schulden als ein Pferd Haare. Die Bia beendete ihre Sängerkarriere nach dem Tod ihres Kindes. Vorher ließ sie sich noch vom, eigentlich schwulen, Müller ein Kind machen und der musste ordentlich Alimente bezahlen. Er verdiente sich als allein spielender Trompeter auf dem Friedhof eine goldene Nase in einem Bestattungsinstitut, welches auch ein Schwuler leitete und die Schwulen halten zusammen. 80 bis 120 Euro nahm Müller pro Veranstaltung und der hatte mindestens zwei pro Tag. Mindestens, dazu gab er Unterricht und leitete Lehmanns ehemalige Truppe, als letztes der Gründungsmitglieder. Einer seiner ehemals jungen Schüler machte noch mit, wohl auch schwul, aber plötzlich hatte er einen anderen, ein schwerer Schlag für Müller, aber Jungen werden immer geboren und immer mal wieder musste Müller mit Geld empörte Eltern beruhigen. Er hatte Glück, nie wurde er vor Gericht gezerrt. Die „Vogelberg Musikanten“, nunmehr zu dritt spielend, waren auch nicht mehr das Wahre, ein junger Kerl und zwei sehr selbstbewusste ältere Männer mit Bauch und Glatze. Die Bia lebte recht gut von Müllers Alimenten, arbeitete nebenher als Trauerredner und lernte einen neuen Mann kennen, einen ehemaligen Alkoholiker zu dem sie, er hatte seine Sucht überwunden, mit Achtung aufblicken konnte.
So gesehen hatten die 1987 Recht, Lehmanns Trupp kam nicht hoch, kein überregionaler Ruhm in Funk und Fernsehen.

Natürlich konnte Willi die Entwicklung 1987 nicht im Mindesten vorausahnen. Er hockte auf einmal zu Hause und hatte nichts zu tun. Immerhin verbot der Orchesterleiter aus schon beschriebenen Gründen den anderen Kollegen, weiter Unterricht zu geben und Willi musste seine Schüler übernehmen. Er fuhr jetzt jede freie Minute nach Muhtdorf zum Unterricht. Im Dezember hatte er auch bei Guth viel zu tun, so dass es nicht zu langweilig wurde. Dazu kam noch ein neues Projekt. Er hatte bei einer Lesung einen hauptamtlichen Gewerkschafts-funktionär kennengelernt, der von seinem Keyboardspiel, besser von seinem Instrument, begeistert war. Über seinen Tisch gingen alle Betriebsvergnügen, es gab quasi einen Zuschuss von der Gewerkschaft. Er konnte also Willi Muggen als Alleinunterhalter ohne Ende besorgen, wollte aber selbst mitspielen. Er hatte einen Oberstufenabschluss als Schlagzeuger, er wollte einfach zu Willis Keyboard dazu spielen, zusätzlich zur Automatik, er könne ja das Schlagzeug rausnehmen und die Automatik würde nur noch Bass und Umspielung bedienen. Willi sagte sofort zu und schon im November waren die ersten beiden Geschäfte. Willi verdiente in sechs Stunden Tanzmusik 81 Euro, der andere 51 Euro. Dazu gab es 30 Mark für Noten, Anlage, Instrument und so weiter. Jeder hatte also ca. 80 Mark am Abend, eine Gage ähnlich der bei den Vogelbergmusikanten. So einfach wie der andere, er hieß Heinrich, es sich vorgestellt hatte, war es dann aber nicht. Er stellte eine altersschwache Anlage mit kaputter Verteilerdose, sodass mitten im Lied der Saft weg war. Heinrich kloppte aber auf seinem Schlagzeug munter weiter, ohne es zu merken. Auch wenn wieder Saft da war, drosch Heinrich munter weiter, Willi hatte aber den Bass automatisch laufen und konnte sein Tempo nicht an den anderen anpassen, also drehte er seine eigene Rhythmusmaschine an und zwang Heinrich sein Tempo auf. Es donnerte praktisch zweimal Schlagzeug. Die ersten zwei Auftritte waren superpeinlich. Heinrich hatte früher auch Disco gemacht und machte mit kratziger Stimme auch blutarme Ansagen. Dennoch einigten sie sich, weiterzumachen. Willi kaufte sogar für 2000 Mark einen Autoanhänger, um alles transportieren zu können. Bei den ersten zwei Geschäften hatte Heinrich einen Hänger geborgt. Die 2000 Mark entsprachen in etwa dem, was Willi mit Heinrich in einem knappen Jahr einspielte, also ein Nullrundenspiel, er finanzierte sein Hobby, ohne wirklich Gewinne zu machen. Bis zur Wende hielten sich dann Einnahmen und Ausgaben auch die Waage. Verdienen tat er nun nur durch die Polizei und den Unterricht.

Heinrich hatte eine hässliche enge Neubauwohnung, völlig verqualmt, denn auch seine fette blasse Alte rauchte ununterbrochen. „Eine Zigarette ist wie Geschlechtsverkehr nach einer Woche Dienstreise.“ So pflegte Heinrich zu sagen. Um Gottes Willen, nur das nicht, Willi schüttelte sich. Heinrich hatte einen schönen ruhigen Posten beim „Freien Deutschen Gewerkschaftsbund“, der einzigen, von der Partei kontrollierten, Gewerkschaft der DDR. Er verdiente sicher recht gut, verqualmte aber mit Frau und Tochter 20 Mark am Tag. Da reichte es nicht für einen neuen Lada auf dem schwarzen Markt und das war das Ziel von Heinrich. Zum Proben hatten weder Willi noch Heinrich Lust, der sollte sich einfach zurückhalten und genau auf die Automatik hören. Ohne Heinrich wären die Veranstaltungen ganz gut gelaufen, Willi hatte sein Gerät im Griff und seine Schlager und Stimmungslieder konnte er auch ganz gut singen. Dennoch musste er genau auf Heinrich hören. Sobald der "raus war", musste er die eigene Rhythmusautomatik so laut stellen, dass der wieder "reinkommt". Natürlich klangen zwei Schlagzeuge auf einmal grauenvoll. Willi musste sich so sehr auf Heinrich konzentrieren, dass er sich dann tatsächlich versang oder was mit dem Text vermehrte. Peinlich, das merkten auch die Leute. „Lasst euch euer Lehrgeld wiedergeben“, sagten die einmal: „Hebt lieber Kabelschächte aus.“ Heinrich schob alles auf Willi, seine kaputte Anlage, das angeblich veraltete Repertoire und seine Alte hätte wohl gesagt: Lass dich nicht mit dem ein, der macht deinen Ruf kaputt. Erst die Erkenntnis, dass tatsächlich die Verteilerdose von Heinrich schuld an den technischen Aussetzern war, machte ihn ruhiger. Er war geldgierig und wollte unbedingt weitermachen. Nun hätte er auch allein Disco machen können, aber er hatte nur eine Spielerlaubnis mit geringst möglicher Einstufung, durch Willi verdiente er mehr als das doppelte, denn sie warfen alles in einen Topf und teilten durch zwei. Das überzeugte auch seine Alte und ließ sie weiter Sympathie heucheln. Dazu kam noch eine, obwohl die Eltern eher klein waren, zwei Meter große Tochter, 15 Jahre und auch die rauchte wie die Alten. Ihre Meinung zu Willi Hohl war: „Was ist denn das für ein komischer Kauz.“ Nun gut, bei den Vogelbergmusikanten oder bei der Polizei war er einer von vielen, hier waren sie zu zweit und Heinrich war wohl der attraktivere. Man einigte sich, dass Willi mit Heinrich nur gelegentlich live spielte, etwa Tischmusik, leichten und leisen Swing, dann könnte Willi einige Stimmungsrunden live singen, ohne Schlagzeug und zur Polonaise mit dem Akkordeon vorweg marschieren. Ansonsten sollte die Tanzmusik vom Band kommen. Das Konzept ging ganz gut auf und der musikalische Erfolg stellte sich ein. Eine Katastrophe wurde ein Familientanzabend in Thalheim, da wurde ausdrücklich nur Livemusik verlangt. Aber ansonsten ging es. Die Leute, vor denen sie spielten, alle Muggen kamen von Heinrich über seinen Job, waren zufrieden, aber nicht so überschwänglich wie bei den „Vogelbergmusikanten“. Man nahm sie hin, etwa wie das Polizeiorchester in den Ferienheimen oder zu den Wohngebietsfesten. Insgesamt muss man sagen, dass die Veranstaltungen sehr aufwendig waren. Zunächst lud Willi zu Hause ein: Keyboard, Gestell, Box, Notenkoffer und so weiter, dann ging es zu Heinrich, dort musste die Anlage, große schwere Boxen und das umfangreiche Schlagzeug aus einem Kellerverschlag in Heinrichs Neubauwohnung über enge Gänge und Hausflure zum ziemlich weit entfernten Parkplatz gewuchtet werden. Heinrich nahm immer das ganze Schlagzeug mit, angeblich um den Livecharakter zu unterstreichen, aber er wollte sich auch als Musiker für eventuell andere Bands, wo er noch besser verdienen konnte, präsentieren. Im Prinzip hätte eine Minimalausstattung gelangt, umso leiser und unauffälliger sein Geklopfe, umso besser. Dann ging es mit zwei voll beladenen PKW-Trabanten plus Hänger zum Auftrittsort, in der Regel war der in Chemnitz. Nun musste alles wieder ausgeladen und aufgebaut werden, auch die Autobatterie musste Willi aus schon erläuterten Gründen immer mit ausbauen. Immer dabei eine kleine 3-Mann-Gruppe, von Heinrich organisiert, die so eine Art Bänkelliederprogramm machte von ca. 30 Minuten, sie kassierten da 40 Mark pro Person. Sie sangen Lieder, die weit unter der Gürtellinie angesiedelt waren, aber die kamen gut an. Heinrich organisierte denen die Auftritte und spielte sich als Gönner und Mäzene auf. Vor Willi pflegte Heinrich anzudeuten: „So präsentiert man sich in der Öffentlichkeit." Immer wieder forderte er Willi auf: „Schau dir das an, zum Todlachen." Gewiss doch. Nach einer Veranstaltung im September 88 merkte Willi, wie der sich lange mit der Truppe unterhielt, dann zog er ihn zur Seite und verkündete das Ende der Zusammenarbeit in der Form. Seine Truppe hätte ihn nochmals eingeschärft, die Zusammenarbeit zu beenden, Heinrich wäre bereits ramponiert, da er mit ihm zusammenarbeite. Willi zuckte mit den Achseln, dann eben nicht. Natürlich war die „Livemusik" besonders dann nicht super, wenn Heinrich zur Schlagzeugautomatik, wild draufhauend, quasi alles verdoppelte und dann noch „rauskommend" weiter wild kloppte. Ihm schob man nun die Schuld in die Schuhe. Dass dies nicht so gerechtfertigt war, bewies folgender Umstand: Unmittelbar nach seinem peinlichen Ausstieg bei den Vogelbergmusikanten, machte sich ein Mitglied der Parteileitung des Orchesters an ihn ran. Der hieß Hans und hatte den Auftrag des Orchesterleiters, Willis Freundschaft zu suchen, um seine musikalische Tätigkeit außerhalb des Polizeidienstes unter Kontrolle zu bekommen. Hans hatte sich schon bewährt und war zum Beispiel Lehmann, als der noch im Polizeiorchester war, heimlich hinterhergefahren, um ihn einer unangemeldeten musikalischen Tätigkeit zu überführen. Dank sorgsamer parteilicher Ermittlung von Hans konnte nicht nur Lehmann überführt werden, sondern auch Müller, Schulze und ein weiteres Orchestermitglied konnten ihrer gerechten Bestrafung zugeführt werden, Entzug der Leistungszulage und Streichung der Quartalsprämie. Da letzteres dann auf die anderen Orchestermitglieder mit verteilt wurde, sprang auch für den Orchesterleiter, der immer das Mehrfache wie ein normaler Musiker bekam, ein Hunderter mehr raus. Das waren paar schöne Flaschen Schnaps extra. Dass drei der vier Ertappten jetzt nicht mehr dabei waren, nun damit musste und konnte man leben. Wichtig war die ideologische Reinheit des Orchesters und wer dem staatlichen Leiter widerspricht, der wird auch im Ernstfall, wenn es gegen den imperialistischen Feind auf Leben und Tod geht, keifen. Der Untergebene muss mehr Angst vor den Vorgesetzten als vor dem Feind haben, nur dann ist er auch bereit, sein Leben für

die gute Sache des Sozialismus in einem gerechten Krieg einzusetzen, wie zum Beispiel in Afghanistan, so wie es die Sowjetunion gerade tut. Gut, die Amis führten auch Kriege, aber die behaupteten ja auch nicht von sich, die Heilsbringer der Menschheit zu sein, oder doch? Befehle und Anweisungen des Vorgesetzten sind, ohne sie zu hinterfragen widerspruchslos umzusetzen, auch zum eigenen Nachteil. Entscheidend ist nicht der einzelne, sondern die gesamte Entwicklung des sozialistischen Weltsystems, welches wissenschaftlich fundiert ist. Freilich ist es wichtig, dass die Führung, als die Linie vorgebende, stärkste Kraft sich nicht sinnlos hinschlachten lässt, sondern sich bis zuletzt aufspart. Man denke nur an die lange und kostbare Ausbildung an der Parteischule. Der Orchesterleiter war stolz auf sein Wissen. Nun ja, Hohl kannte sich aus. Größer als die Angst vor dem Feind war der Hass auf die Vorgesetzten und davor sollten diese Angst haben, denn im Ernstfall, davon war Willi überzeugt, würden die eher drauf gehen als der Feind...
Leider hatte sich besagter Hans bei seinen Ermittlungen mal nicht richtig im Gebüsch versteckt und war entdeckt wurden. Dennoch setzte er ihn jetzt auf Hohl an, der war im Orchester isoliert und würde wohl jeden, der ihm die Freundschaft anbietet, dankbar sein. Hans wiederum wollte den Stand von Hohl für sich ausnutzen. Die Tatsache, dass er immer noch im Orchester, sprich bei der Polizei war und nicht einmal eine Bestrafung bekommen hatte, zeigte auch Hans: „Der musste mächtige Freunde haben.

Möglicherweise war der selbst bei der Stasi, sprich Staatssicherheit und hatte den Auftrag, zu provozieren." Dieses Gerücht hielt sich hartnäckig. Hans überlegte: Wie kam man am besten an Hohl heran? Man musste ihm Muggen besorgen. Hans hatte in einem Ort namens Klausdorf ein Sommerhaus, dort war auch ein Volkspolizeiferienheim und Hans kannte den Kulturchef dort. Er bot ihm an, zu zweit Keyboard/Saxofon dort zu spielen. Keinen Tanz, da hatte Hans keine Lust, sondern Kaffeehausmusik, denn die hatten dort ein sehr schönes historisches Kaffee eingebaut. Der Kulturchef lud sie ein, war begeistert und ab Januar 88 spielten sie jeden Durchgang einmal, 14 Tage waren die Urlauber jeweils da, also zweimal im Monat. Sie bekamen das extra bezahlt und der Kulturchef, der mächtige Freunde in der Politabteilung hatte, sorgte dafür, dass die Mugge offiziell im Dienstplan des Polizeiorchesters erschien. Die anderen hatten „Polizeifachliche Weiterbildung", Hohl und Hans fuhren zur extra bezahlten Mugge. Im Ferienheim war es im Prinzip egal, welchen Tag sie kamen, also konnte Hohl die Veranstaltung so eintakten, dass sie sich nicht mit anderen überschnitt. Natürlich hatte Willi nicht so viel Vertrauen zu Hans, dass er von den Muggen mit Heinrich erzählte. Er wusste schon, dass Hans damals im Gebüsch versteckt Spitzeldienste geleistet hatte. Einmal war der Bezirkschef der Polizei K.-M.-St. Gast in Klausdorf und der war so begeistert, dass er das Duo H&H, so nannten sie sich inzwischen, unbedingt zu seinen eigenen Feierlichkeiten haben wollte. Sie spielten also zum Tanz, zur Unterhaltung immer öfter, vor dem Bezirkschef, wenn er zu irgendwelchen Feierlichkeiten einlud, auch vor dem Stasichef oder dem Armeechef, der Politleitung, der Bezirksleitung, sie hatten zu tun. So gesehen brauchte Willi Heinrich auch nicht mehr. Mit Hans klappte es besser, der sorgte für eine top Verstärkeranlage von der Polizei und sein Saxofonspiel störte nicht so sehr wie das Schlagzeug von Heinrich. Er spielte den Refrain mit und gut. Willi musste Hans allerdings jede Note aufschreiben, aus dem Hut konnte der nicht spielen. Sie verdienten ordentlich dazu und Hans gefiel das. Alle Muggen waren angemeldet, quasi Dienst, wurden aber extra bezahlt und es waren immer mehr als fünf Veranstaltungen im Monat. Die Muggen mit Heinrich hatte Willi nie angemeldet, jetzt wo es mit Hans so gut lief, würde er es auch nicht mehr riskieren, aber Heinrich hatte ja im richtigen Augenblick von sich aus die Reissleine gezogen. Frech anmelden tat Hohl jetzt die Muggen mit Guth. Der Orchesterleiter kannte Guth nur zu gut und hätte sich nie getraut, hier was zu verbieten. Der Bezirkschef kritisierte den Orchesterleiter: „Wieso haben Sie Genossen Hohl nicht schon eher empfohlen und immer das MDI-Sextett mit alten Männern geschickt?“ Der Orchesterleiter hätte jetzt sagen können, dass das MDI-Sextett sich keiner Devisenvergehen schuldig gemacht hatte und auf DDR-Instrumenten spielte, die sind nun mal nicht so gut. Aber es gibt wichtigeres als in die Entwicklung von Instrumenten zu investieren, zum Beispiel in die Landesverteidigung. Das wagte der

Orchesterleiter natürlich nicht vorzubringen, noch nicht: „Aber auch auf höchster Ebene gibt es eben Leute, die die reine Lehre des Kommunismus noch nicht kapiert hatten und nur auf eigene Vorteile scharf waren." Der Orchesterleiter erschrak über diesen Gedanken und fürchtete, eine unsichtbare Hand könnte ihm die Kehle zudrücken. Widerspruch gegen die Vorgesetzten, ein absolutes Tabu. Um Gottes Willen... Oder besser um Marx' Willen... Aber keine Hand erschien und er beruhigte sich. Ein paar Gläschen Konjak und alles wurde wieder gut. Jedenfalls wusste der Orchesterleiter jetzt über alle Aktivitäten von Hohl Bescheid, denn Hans versicherte, er habe ein perfektes freundschaftliches Verhältnis aufgebaut. Perfekt war es bei weitem nicht, aber Hans hatte wegen seiner Spitzele keinen guten Ruf und Willi aus vielerlei Gründen auch keinen und tatsächlich hatten sie ein recht gutes Verhältnis. Das dachte Hans, bis eines Tages ein Werbefoto der Vogelbergmusikanten im Orchesterbus auftauchte. Niemand wusste, wer es in Umlauf gebracht hatte. Ganz groß dabei, mit der Klarinette in der Hand: Willi Hohl. Er war es nicht, niemand wusste das besser als Willi selbst, er sah dem neuen nach ihm eingestiegenen Klarinettisten aber sehr ähnlich, sicher, der Hut tat das seinige. Willi war es jedenfalls nicht. Hans sah es, der Orchesterleiter sah es, die Parteileitung sah es, alle sahen das Foto. Der Orchesterleiter war fassungslos, aber er lächelte. Eine Last fiel von ihm ab, er hatte alles versucht, den Kerl zu stürzen. Wenn er ihn jetzt bei der politischen Leitung anzeigen würde, dann wäre er selbst dran, wegen Unfähigkeit bei der Kontrolle und politischen Erziehung seiner Leute. Besser also, das Foto einfach zu ignorieren. Und Hans, hatte der nicht immer versichert, den Hohl im Griff zu haben? Hohl hatte gesiegt, er hatte sie im Griff, wie auch immer, er verdiente mehr Geld, er machte was er wolle. Der Orchesterleiter hatte immerhin Lehmann und Schulze und Müller geschmissen, gut o.k., man konnte nicht immer gewinnen. Die Jugend im Orchester staunte über Willis Frechheit, sich so einfach fotografieren zu lassen, und vor allem staunten sie, dass nichts passierte. Der musste einfach bei der Stasi sein, der provozierte, man ging Willi noch mehr aus dem Weg. Willi gab sich jetzt mehr mit Hans ab, ihm versuchte er zu erklären: „Ich bin das nicht auf dem Foto." Hans lachte, die Frechheit schlug dem Fass den Boden aus. Willi gab es auf, sich weiter zu rechtfertigen, zumal Tag um Tag verging und keine Vorladung vor die „Hohen" kam. Er wusste: Wollte man ihm ans Leder, wäre es ein leichtes zu beweisen, dass er es nicht war auf dem Foto, also stritt er nichts mehr ab. Die Tatsache, dass man ihn sogar in der Dienstzeit in Ruhe muggen ließ und seine weitere Tätigkeit bei den Vogelbergmusikanten akzeptierte, die gingen ja davon aus, dass er da kräftig mitmischte, diese Tatsachen zeigten ihm, dass er erstmal gewonnen hatte. Er hatte sich durchgesetzt. Das machte ihn stolz. Neu war, dass er zu den Veranstaltungen der Chefleitungen mit dem Dienstauto inklusiv Fahrer abgeholt und wieder nach Hause geschafft wurde. Willi war auf der Spitze seines „Ruhmes" bei der Polizei. Nicht im

Orchester, ein paar kleine Nadelstiche hatte der Orchesterleiter schon noch. So durfte Willi zu den Jugendweihen 88 nicht mehr, wie noch 87, das Klavier im Orchester spielen, das übernahm ein „neu Eingestellter, ein „Unstudierter". Der Orchesterleiter wollte beweisen, dass er auch erkannt hatte: „Selbst ein Laie ist besser als das Großmaul Hohl." Mit der Maßnahme wollte er auch bei der Jugend punkten, die ja von Hohls musikalischer Leistung die allerschlechteste Meinung hatte. Das ging gründlich schief. Der neue „Klavierspieler" bekam kein Bein auf die Erde. Der Orchesterleiter vergaß sich so weit, dass er den „Neuen" auch noch vor Willi zusammendonnerte. Dennoch setzte er Willi nie wieder am Klavier ein, ein bisschen Demütigung musste schon sein. Hohl sollte an seiner 3. Klarinettenstimme alt und grau werden. Wurde er aber nicht, er hatte genug zu tun in der Freizeit, eigentlich war es ja sogar Dienst, wenn auch extra bezahlt und im Gegensatz zu Heinrich, war mit Hans jeder Auftritt musikalisch ein Erfolg. Willi hatte eins der besten Keyboards, die es derzeit auf dem Weltmarkt gab. Gut, er hätte auch gern bei den Vogelbergmusikanten weiter mitgemacht, aber man konnte eben nicht alles haben und ein festes sicheres Gehalt bei der Polizei war nicht zu verachten. Alles in allem war die Situation Oktober 88, nach dem Ende der Zusammenarbeit mit Heinrich, nicht die schlechteste, zumal jetzt jede Woche eine Veranstaltung im Ferienheim Klausdorf stattfand. Das hieß: Polizeidienst, drei Nachmittage Unterricht die Woche, mindestens drei Mal Duo H&H im Monat und zweimal eine Mugge mit Guth. Willi hatte also zu tun, ohne totalen Stress zu haben, konnte die Ruhe der eigenen Wohnung genießen. Nebenbei, Juni 88 bestand er auch die Lehrprobe in Berlin. Er war unsicher, denn er hätte ja nie gedacht, dass er das erste Mal durchfallen würde, er kannte die Hintergründe nicht, demnach wusste er auch nicht, was er beim zweiten Mal hätte anders machen sollen. Aber er bekam die Lehrbefähigung nun endlich und das war das Wichtigste. Damit war das Kapitel Berlin abgeschlossen. Bauorchester, Studentendasein, Schule, „Lernen" generell, alles Vergangenheit. Jetzt konnte er das Dasein mehr oder weniger genießen. Zu seinem 25. Geburtstag lud er Götz ein, um über das Leben zu philosophieren. Er hatte eigentlich alles, was er wollte: Wohnung, Auto, genug Geld für seine Ansprüche und eine Arbeit, die ihn befriedigte. Er hatte genug Auftritte und Schüler. Gut, er konnte nicht reisen. Im Westen wäre das sicher kein Problem, da hätte er wegen dem Musikerüberschuss auch nie in dem Beruf Fuß fassen können. Was Willi sich noch wünschte waren Beziehungen zu einem Autoschlosser. Da diese nicht zu bekommen waren, kaufte er August 88 ein Moped. Für diese Geräte waren Ersatzteile keine Mangelware. Dennoch krachte schon nach vier Wochen der Krümmer beim Auspuff ab. Das Gerät war zwar noch fahrbar, aber entsprechend laut, die Reparatur nutzte nichts. Vier Wochen später war das Moped wieder laut. Da ließ sich eben nichts machen. Jetzt konnte er zur Polizei und zum Unterricht mit dem Moped fahren, das Auto für wirklich wichtige Fahrten, wie zum Beispiel nach Klausdorf, nutzen. Trotz des Fahrgeldes drückte sich Hans gern, er wusste genau: „Was nutzte das Geld, wenn es keine Ersatzteile gibt.“ Aber Willi machte klar, er hatte das Keyboard gekauft, 12 000 Mark investiert, da sollte Hans gefälligst fahren. Das tat er dann auch. April 88 ging es dann mit Götz und einem neuen Kabarett wieder los. Sie nannten sich jetzt „Kabarettkollegium“, kamen aber nie richtig auf die Beine. Gefördert wurden sie von Robotron/Bürotechnik, wo Götz arbeitete. Es waren jede Woche Proben, aber Auftritte konnten nur selten realisiert werden. Entweder war die eine der ca. 40-jährigen Frauen krank, oder die andere fuhr in den Urlaub. Dann hatte die Großmutter Halsweh oder der Mann musste auf Montage und wer sollte jetzt auf die Kinder aufpassen. Die Weiber lernten die Texte nicht richtig und Götz schrieb die immer wieder um. Sie kamen zu keinem ordentlichen Ergebnis. Bis Oktober 89 hatten sie vielleicht 15 Auftritte, die nie so befriedigend liefen. Willi war nicht scharf auf mehr, denn dann hätte er nicht mehr gewusst, wie er alles hätte absichern sollen. Seine Lehrerkarriere an der Musikschule Karl-Marx-Stadt endete zum Ende des Schuljahres 87/88, da die einzige Schülerin aufhörte. In Muhtdorf hatte Willi jetzt zwei volle Nachmittage plus einen halben. Der Kollege aus dem Polizeiorchester hatte endgültig aufgehört und eine Tätigkeit an einer anderen Musikschule mehr in Wohnnähe aufgenommen. Willi war nicht böse darüber, er war nicht scharf darauf, dass ihn einer von der Polizei in die Suppe spuckte und etwa denen sagt, wie viele Schüler er hatte. Außerdem war sich Willi seiner Sache nie sicher. Wenn der andere, der auch immer durchblicken ließ, dass er nichts von der Polizei hielt, in Muthdorf etwa hauptamtlich anfing, hatte er den Fuß raus aus der Tür. Außerdem verstand es der andere vorzüglich, sich als der bessere Lehrer darzustellen. Der hatte zwar auch keine besseren Schüler, konnte aber die und sich besser verkaufen. Anderseits wenn im Winter mal die Heizung nicht ging und die ging oft nicht, fuhr er einfach nach Hause, ohne den Unterricht zu machen, schrieb aber doch die Stunden auf. Im Endeffekt waren die in Muthdorf froh, dass Willi die Schüler von dem noch mit übernahm. Wie sah es mit Weibern aus, nix, kein Problem. Eher „Gott oder wie die Kommunisten sagten: „Marx sei Dank.“ Götz war jetzt verheiratet, hatte eine per Annonce kennengelernt. (Der musste es ja nötig haben) Nun hatte er den Salat. Willi kannte seine Gattin, nun ja, sie kochte sicher sehr gut und die Wohnung war immer sauber. Sicher hatte sie ihre Qualitäten, aber Götz wirkte nicht unbedingt hoch zufrieden. Immerhin hatte er nach wie vor jeden Tag was anderes: Kabarett, Fotozirkel und so weiter, um, das deutete er an, nicht nach Hause zu müssen, denn, er war jetzt fünf Jahre liiert und alles war bisschen abgekühlt. Dennoch fand es Götz unnormal, dass Willi keine hatte. Mitte 89 setzte er, ohne dass Willi es wusste, heimlich eine Partneranzeige in die Zeitung. 16 Wochen dauerte es übrigens, bis die Anzeige erschien, war ebenso in der fortschrittlichsten Gesellschaftsordnung der Welt. Dann hatte Willi drei Zuschriften, zwei mit Kind. Jetzt war er doch neugierig und Götz ermunterte ihn: „Geh doch mal hin…“ Die erste besuchte er zu Hause. Sie war paar Jahre älter als Willi, hatte einen Arsch wie ein Brauereipferd, war aber dafür vorn schön flach. Aber es geht ja nach Charakter… Sie redeten über belangloses Zeug, dann zeigte sie ihm den Sohn, der auf dem Arm der Mutter weiterschlief. Naja. Willi wollte sich erstmal die anderen anschauen. Die zweite war eine, sorry, suppendumme Tussi, die Wohnung sah aus wie Sau, es roch durchdringend nach Windeln und den Brief hatte eine, wohl bedeutend intelligentere, Bekannte geschrieben, wie die ihm auch noch ganz naiv erzählte. Nun ja, niemand kann was für seinen Intelligenzgrad und sein Äußeres, es sollte schon nach dem Charakter gehen. Mit der dritten wollte er sich in der Stadt treffen. Willi beobachtete den Treffpunkt, um sich schon vorher ein Bild zu machen. Die Dame machte, was das Optische betraf, keinen schlechten Eindruck und sie kam auch fünf Minuten vor der Zeit. Allerdings wartete sie nicht eine Sekunde, obwohl es noch nicht 14.00 Uhr war stieg sie in den gerade kommenden Bus und war wieder weg, bevor sich Willi zeigen konnte. Er rief sie am nächsten Tag an, man machte einen neuen Treff aus, man redete ein paar Höflichkeiten, die Braut war nicht schlecht, arbeitete in höhere Funktion bei der Bahn. Zwei Tage später kam ein Brief, in dem sie mit dürren Worten mitteilte, dass sie von einer Weiterführung des Kontaktes absehen wollte. Bei der ging es wohl auch nicht nach dem Charakter. Ok. Willi meldete sich nochmal bei der ersten, aber

die hatte inzwischen auch auf andere Anzeigen geantwortet und was „Besseres“ gefunden. Soll vorkommen, nun ja.
Einmal, nach einer Veranstaltung, gab es für jeden Musiker einen Strauß Blumen. Die mussten hellsehen können, zu Willi sagten sie: „Bei Ihnen für die Mutti, denn sie haben sicher keine Frau.“ Bingo, genau getroffen. Verblüffend. Entweder er sah frischer aus als die anderen verheirateten oder sein Äußeres ließ auf den entsprechenden Familienstand schließen… Das gab Kraft.
Dennoch, immer mal wieder laufen einem die falschen Leute über den Weg und aus ist es mit dem gemütlich behaglichen Dasein…
Bereits Januar 88 war eine düstere Wolke zu sehen, die sich langsam vorschob, September 88 war sie dann deutlich sichtbar und November 88 auch sehr unangenehm spürbar. Das Leben hätte schön sein können ohne diese Wolke, die bis Januar 91 über alle Aktivitäten Willis schweben sollte, unangenehm und bedrohlich, erst Mai 93 sollte sie ganz verschwinden. Aber da war die nächste schon in Sichtweite…
Januar 88 sprach ihn eine Frau auf der Straße an. „Sie sei Lehrerin in der Erweiterten Oberschule (EOS), früher Gymnasium, wohne aber auch hier im Wohngebiet und da sie beim Vorbeigehen ab und zu Klavier aus dem Fenster höre, wollte sie mal fragen, ob da jemand wohnt, der privat unterrichten könnte. Eine Schülerin der neunten Klasse wollte unbedingt Klavier lernen. Diese Schülerin wohnt ebenfalls gleich um die Ecke, sie spielt schon perfekt Trompete, hat aber was mit den Zähnen,

könnte das nicht beruflich machen und wolle nun Klavier lernen. In die Musikschule käme sie nicht rein, denn sie wohnt allein mit der Mutter, aber sie hätten da einen Fond in der Schule, sodass sie zehn Mark pro Stunde bezahlen könnten.“ Nun in Muhtdorf bekam Willi weniger Geld, er sagte zu. Er warf der künftigen Schülerin einen Zettel in den Briefkasten, dann und dann geht es los und schenkte der Sache keine Beachtung weiter, noch nicht! Als der Termin rankam, war niemand da. Unten im Hausflur saß eine junge Frau von ca. 20 auf der Treppe, die wartete wohl auf jemanden. Willi ging wieder in die Wohnung. Nach 20 Minuten saß die immer noch dort. Willi fragte nach, ob die ein ca. 15-jähriges Mädel habe kommen sehen. Die scheinbar 20-jährige gab sich als eben diese 15-jährige zu erkennen. Einmal die Woche bekam sie Klavierunterricht und sie war unwahrscheinlich gut. Willi fragte seine ehemalige Klavierlehrerin der städtischen Musikschule um Rat, er wollte nichts falsch machen, sie war sein erster Klavierschüler. Die Alte über ihm nahm die wöchentlichen 45 Minuten Klaviergedudel zum Anlass ihrerseits, jeden Tag das Radio bis zum Anschlag aufzudrehen, sodass Willi sich mit der Nachtruhe nach der Hörgewohnheit der Alten hätte richten müssen, aber er nahm Ohrstöpsel, im Prinzip auch am Tag, wenn er zu Hause war. Dann hatte er mal eine Auseinandersetzung mit der Alten. 45 Minuten Klavier sei kein Freibrief, jetzt am Sonntagabend 22.00 Uhr das Radio bis zum Anschlag aufzudrehen. Die Alte bezeichnete das Radio als leise und auch ihr Nachbar, ein Mann in Willis

Alter, bestärkte sie: „Der ist blöde, das muss er aushalten.“ Er selbst hatte Pech und Frust, denn die Alte unter ihm war auch extrem schwerhörig und drehte immer bis zum Anschlag auf. Willi als Nachbar hörte nichts, aber der über ihr konnte seine Wohnung quasi nicht nutzen und hauste weiter bei seiner Mutter. Der darunter hatte eine Kriegsverletzung an den Trommelfellen und war auch schwerhörig. Der schaltete sein Hörgerät einfach ab, wenn er zu Hause war. Also musste Willi generell mit Ohrenstöpsel herumrennen. Natürlich war das Ohr irgendwann mal zu und Willi musste zum Spülen, zum HNO- Arzt, das erste Mal August 88. Da der polizeieigene Ohrenarzt gerade Urlaub hatte, musste Willi in ein Ärztehaus der Umgebung, in das die normale zivile Bevölkerung hinging, also die herrschende Arbeiterklasse. Willi wartete, obwohl er für 9.00 Uhr bestellt war, bis 14.00 Uhr in einem übervollen Warteraum. Ohne erkennbares System kamen die Patienten dran. Manche kamen nach Willi und waren schon wieder weg. Manche, die vor Willi angekommen waren, saßen immer noch. 14.00 Uhr gab Willi es auf und wartete die 14 Tage, bis der Polizeiarzt wieder da war. Dort war Willi in zehn Minuten fertig. Es war doch nicht ganz schlecht, bei der Polizei zu sein. Es begann das neue Schuljahr, er musste die Alte über ihm ertragen, wenn er weiter unterrichten wollte. Ein hoher Preis. 45 Minuten Klavier die Woche, dafür sieben Tage rund um die Uhr Krach. Er selbst übte am Keyboard oder gar nicht mehr. Er hatte in seinem Leben genug geübt. Die Schülerin hieß Marie Liebig und war nach den Ferien in Hochform, sie spielte gern, war auch hochbegabt, aber es gab ein Problem. Ihre Mutter hatte Geldprobleme und verkaufte das Klavier. Marie wirkte wie versteinert, sie heulte nicht, sie brachte das nüchtern rüber, als ob sie von jemand anderem erzählte. Das tat Willi nun unwahrscheinlich leid. Sofort gab er ihr seinen Wohnungsschlüssel, sie wohnte nur ein paar Straßen weiter, wann immer sie Lust hatte, konnte sie in Willis Wohnung üben. Das nahm sie dankbar an. Willi schlug ihr vor, sich an der Spezialschule vorzustellen, aber das wollte sie nicht. Sie wollte Schullehrer werden und kein Musiker und außerdem wollte sie bei Willi im Unterricht bleiben. Das schmeichelte Willi natürlich. Dennoch brachte er Bedenken hervor. Er sei kein Berufspianist, Klavier war nur Pflichtfach und er habe seine Grenzen, auch keine Erfahrung im Klavierunterricht. Regelmäßige Konsultationen an einer Musikschule, besser einer Hochschule, seien unerlässlich. Es gab eine Regelung, die für musisch besonders Begabte eine Förderung ermöglichte: Einmal die Woche Konsultation an einer Musikhochschule, zusätzlich zum Unterricht am Heimatort, dafür entfällt der, bei Mädchen auch besonders verhasste, Unterricht in der Produktion. Willi organisierte ein Vorspiel, sinnigerweise gleich in Berlin an der Musikhochschule, bei seiner ehemaligen Klavierlehrerin. Die kannte ihn noch und hatte Willi in positiver Erinnerung. An einem Montag Ende Dezember würde er also mit Marie zur Konsultation fahren. Mit dem Zug, sein Auto hätte möglicherweise unterwegs schlappgemacht. Willi freute sich sehr auf die Fahrt, einen Tag würde er

mit Marie zusammen sein. Im Zug dann las sie und quatschte auch mit ihm. Ihre Mutter ignorierte ihn aber so ziemlich. Ihr passte es nicht, dass er der Tochter den Wohnungsschlüssel gegeben hatte und dass der Kerl das mit dem verkauften Klavier wusste. Sie brauchte das Geld, hatte Schulden und wenn die Tochter mit weniger guten Klavier-vorkenntnissen zum Studium kommt, na und, sie ist doch so gut. In fünf Studienjahren kann man viel lernen, Musiklehrer wurden gesucht in der DDR. Die Mutter sah angewidert auf Willi. Dieser blöde Vogel, wie er schon aussah, wie wichtig er den Gutmenschen mimte. Der hatte doch ganz andere Pläne, was der sich einbildete, die Tochter war zehnte Klasse, noch nicht mal 16. Nur die Federn wollte der Fuchs, aber er fraß die Gans. Sie kannte sich aus mit Männern, nicht umsonst war sie schon zweimal geschieden. Es gab schlimmeres als keinen Klavierunterricht zu bekommen. Schließlich war der Exmann dafür verantwortlich, dass sie die Schulden hatte, der hatte geklaut. Jetzt saß er ein und sie durfte mit blechen. Klar, dass sie sich sofort nach der Verurteilung hatte scheiden lassen. Und jetzt dieser aufdringliche Kerl. Der hatte sicher noch nie eine gehabt und versuchte, sich über die Hintertür an sie ranzumachen. Sie würde nicht zögern, ihn wegen Verführung Minderjähriger anzuzeigen, dann wäre die schöne Karriere zu Ende. Ein angenehmer Gedanke.
Immerhin wurde die Fahrt nach Berlin ein Erfolg. Die Mutter ging einkaufen und Willi war mit ihr allein, konnte viel freier mit ihr reden, zeigte ihr die Hochschule und erzählte vom Studium. Den

Fördervertrag bekam sie. Einmal im Monat würde er jetzt, immer am Montag, mit ihr nach Berlin fahren, dann wenn das Orchester spielfrei hatte. Immerhin gab es jetzt auch Probleme, den Unterricht durchzuführen, er hatte wieder mehr Schüler in Muhtdorf, da ein weiterer älterer Klarinettenlehrer aufgehört hatte. Willi musste in den Ferien Stunden nachmachen, auch mal am Samstagvormittag. Er wollte aber auch gern zu Hause sein, wenn Marie bei ihm übte, oft quatschten sie noch hinterher, das war ganz angenehm. So gesehen war er froh, dass sich die Sache mit Heinrich erledigt hatte. Zufällig sah er einen Film, in dem ein Klavierlehrer die zehn Jahre jüngere Schülerin ehelicht. Um Gottes Willen, wenn den die Mutter auch gesehen hatte, die würde sich gleich bedroht fühlen. Vorsicht war also geboten, er brachte es aber auch nicht fertig, den Unterricht von sich aus zu beenden. Diese Feigheit machte ihm zu schaffen, falsches Mitgefühl, jeder sollte sich doch selbst der nächste sein und solche Situationen vermeiden. Weihnachten und Silvester 88/89 war sie nicht da, bei irgendwelchen Verwandten. Willi war eigentlich froh, denn es entfiel der Zwang, immer die Wohnung top in Ordnung zu halten. Er wollte sich vor ihr auch nicht blamieren. So gesehen war die Zeit über den Jahreswechsel, als sie nicht da war, eine sehr angenehme. Er spielte mit Hans auch Silvester, als Zweimannkapelle und der Pflichtbesuch bei den Erzeugern war wie immer mit dem gleichen Geschwätz verbunden. Als neue Farbe wurde er jetzt so bekoffert: „Er sei zu dumm, sich eine Frau zu suchen.“ Er ging gar nicht darauf ein. Jede

würde sofort abhauen, wenn die diese Vögel, also quasi Schwiegereltern, kennenlernen würden. Und außerdem hatte er null Interesse, die bisherigen Erfahrungen reichten... Umso näher der Tag rückte, an dem Marie aus dem Urlaub zurückkommen würde, umso unwohler fühlte er sich. Blöderweise traf er sie auch noch mit der Mutter auf der Straße. Willi wünschte artig ein „Gesundes neues Jahr" und fragte, ob sie noch üben kommen wolle. Darf ich, fragte sie die Mutter und die: „Was willst du denn von meiner Tochter?" Willi war peinlich berührt: „Na eigentlich nichts." stammelte er blöde, von der Situation überfordert. Natürlich wollte er nichts, aber einfach zu sagen: „Jetzt reichts mir, Schlüssel her und Schluss.", das brachte er auch nicht fertig. Ihn schwante, dass die Mutter einen Hass auf Männer hatte. Das wusste er von Marie und auch, dass sie wohl den Hass der letzten Jahre gebündelt auf ihn entladen wollte. „Es gibt da so gewisse Paragraphen, was Mädels unter 18 betrifft." setzte sie noch hinzu. Gefahr! Wenn da was passierte und die ihn anzeigte, wäre es das gewesen. Der Orchesterleiter wäre sicher sofort mit auf den Zug aufgesprungen.
Aber aus irgendeinem Grund packte er es auch jetzt nicht, den Kontakt sofort zu beenden. Dann zwei Stunden später war sie bei ihm. Die Situation war und blieb aber genau wie vor seiner sicher dummen Frage. Sie kam zum Unterricht und zum Üben und quatschte auch mit ihm, als ob die für Willi peinliche Situation nie stattgefunden hatte. Eines Tages sah Willi, wie sie aus einem Auto stieg, einem Lada der teureren Sorte. Er fragte sie dann später,

wer sie gefahren hatte. Ein gewisser Micha, der von ihr und da war sie stolz drauf, ganz begeistert war. Bewusster Micha ging in Klasse zwölf, war aber schon 18 und hatte die Fahrerlaubnis, musste Beziehungen gehabt haben, denn normalerweise war die Wartezeit 6-8 Jahre für die Fahrerlaubnis. Sein Vater war Prof. an der Technischen Uni und Micha war von der Armee zurückgestellt, er würde erstmal studieren, und zwar Mathematik. Marie erzählte das mit begeistertem Zittern in der Stimme, wohl um ihn an ihrer Freude teilhaben zu lassen. Micha fuhr sie jetzt immer in die Schule und brachte sie. Sie küssten sich zum Abschied und zur Begrüßung und gingen und er übernachtete auch bei ihr. Nun ja, das war mal wirklich eine gute Info, die der Mutter den Wind aus den Segeln nehmen würde.
Einmal erzählte sie: „Meine Schwester erzählt überall, dass unser Bett so quietscht, da müssen wir was tun.“ Willi war peinlich berührt, sowas wollte er bestimmt nicht wissen, das sollte sie mit sonst jemandem klären. Dass sie einen Lover hatte, beruhigte zwar, aber die Angst vor der Mutter blieb, warum auch immer. Die Kraft, die ganze Sache zu beenden, fehlte. Es gab eigentlich keinen Grund Angst zu haben, aber das interessierte die Angst nicht, sie umfasste mit spitzen Krallen seinen Hals, jede Ruhe nehmend. Absurd und sinnlos. Wie damals die Aktionen vor nunmehr 15 Jahren mit dem Fenster, aber wenigstens war es diesmal nicht lebensgefährlich. Die damalige Situation kam wieder hoch und es kam zur Angst die Angst, dass es wieder losgehen könnte wie damals...

Durch Zufall sah Willi in der Stadt den Micha mit einer anderen Arm im Arm. Der Kerl hatte also zwei Freundinnen, ging quasi fremd. Pikanterweise hatte sie das auch erfahren, dass ihr Lover mit einer anderen rumgemehrt hatte, denn sie erzählte es ihm von selbst. Aber sie würde ihren Micha schon erziehen, immerhin liebte sie ihn. Willi mischte sich ein und sagte ihr, dass der Micha vielleicht eine Luftnummer sein könnte. Das wiederum erzählte sie ihrer Mutter zu Hause und die sprach ihn auf der Straße darauf an: „Er solle sich bitte aus allem raushalten, jede Bemerkung unterlassen. Sicher wo kein Kläger ist, ist kein Richter, das betrifft den Micha, aber mit seinem Einmischen hätte er sich selbst und seine Absichten entlarvt und bei ihm könnte sie sich vorstellen, zu klagen“ Damit ließ sie ihn stehen. Nach wie vor, er brachte es nicht fertig, die Sache zu beenden, fühlte sich quasi wohl mit seiner Angst, die ja eigentlich unbegründet war. Immerhin konzentrierte er sich jetzt darauf, jedes Gespräch über das musikalische hinaus abzublocken. Das gelang, die Angst blieb. Absurd. Aber parallel lief irgendwie alles andere weiter: Unterricht, Musik, er musste einkaufen, die Wohnung in Ordnung halten, das Auto fahrtüchtig halten, nur das über allen Aktionen die Angst klebte. Ja das Auto, das fiel immer mehr in sich zusammen, die Stoßfänger waren abgefallen, Rost, der Tacho ging nicht mehr, der Auspuff war völlig hin, der Fensterheber war defekt, aber das Fenster musste eh aufbleiben, sonst wäre er an den eintretenden Abgasen womöglich erstickt. Das Auto lärmte immer extremer, eben weil der

Nachschalldämpfer abgerostet und mit dem Zwischenrohr zum Vorschalldämpfer nicht mehr verbunden war. Mit einem Ledergürtel hatte Willi ihn festgebunden, er war noch da, aber ohne Funktion. Die verchromten Zierringe um die Scheinwerfer waren völlig verrostet. Ersatzteile undenkbar. Das Moped war zwar eine Ersatzlösung, aber nicht in der kalten Jahreszeit. Willi verdiente gut. Viele Möglichkeiten sein Geld auszugeben hatte er im Sozialismus nicht, zum Beispiel reisen oder Videorekorder, so was gab es, aber nur hintenrum. Also setzte er eine Anzeige in die Zeitung: „Suche Wartburg." August 89 bekam er zwei Angebote. Die geforderten Summen für die in beiden Fällen fast 20 Jahre alten Fahrzeuge waren gepfeffert und überstiegen den Neupreis bei weitem. Das zweite Angebot war das weniger schlechte und so standen die Verkäufer dann vor der Tür. Willi hatte den Sohn eines Orchestermitgliedes eingeladen, der angeblich ein „Kenner der Materie" war. Viel Ahnung hatte der aber auch nicht, der rüttelte mal am Rad und sah in den Motorraum, um zu sagen: „Kann man nehmen." Dann wurde die Kaufsumme auf gewaltige 23 000 Mark festgelegt. Neu hatte der wohl nicht mal 20 000 gekostet. Immerhin die Karosse wirkte gepflegt, die Sitze waren mit Fell überzogen, die Lehne ging in die Kopfstützen über, Gurte, Anhängerkupplung und Kasettenradio waren auch da. Für letzteres allein forderten die noch mal 2000 Mark. Willi war so dumm und kaufte das Auto, nicht wissend, ob das Ding nicht am nächsten Tag auseinander fallen würde. Aber er hatte keine Wahl, die Wende sah er nicht voraus, leider, denn ein Jahr später würde die Karre nahezu unverkäuflich sein... Willi legte die Summe auf den Tisch, in dem Kaufvertrag wurde wieder eine bedeutend niedrigere angegeben und dann verlangten die Verkäufer noch frech, dass Willi sie im Rahmen einer verlängerten Probefahrt nach Hause fahren solle, in eine etwa eine Stunde Fahrtzeit entfernte Stadt. Gerade am Sonntag gäbe es nur schlechte Verbindungen mit Nahverkehrsmittel. Jetzt wurde Willi pampig, die hatten die Kohle, eine fette Summe: „Nehmen Sie doch ein Taxi", empfahl er und wies mit den Augen auf das Geldbündel. Natürlich gab es im Sozialismus auch kein Taxi so schnell und leicht, aber die sollten bleiben, wo der Pfeffer wächst. Zornig machte sich das Ehepaar auf den Weg zur Telefonzelle. Dort war eine schöne Schlange. Als Willi nach vier Stunden das Haus verließ, standen die immer noch dort und warteten wohl auf jemanden, der sie abholen wollte. Im Prinzip für beide ein schlechtes Geschäft. Ein halbes Jahr später hätte er ein solches Fahrzeug schon für ein paar 100 Mark bekommen. Die 25 000 Mark hätte er in 12 500 umtauschen können und dafür einen neuen Lada gekriegt oder er hätte ein gebrauchtes Westauto gekauft und wäre auch auf die Nase gefallen. Immerhin hatten die Verkäufer einen neuen Viertaktwartburg für 30 000 gekauft, darum der Verkauf des alten Autos an ihn, der ein Jahr später auch nur noch ein paar Tausender wert sein sollte.

Am Abend des Kauftages hatte Willi eine Veranstaltung mit Marie, bei Guth, Klavier vierhändig, sie war ganz begeistert vom neuen Auto. Willis Angst verstärkte sich und kam wie ein Untier neu angekrochen: Was, wenn ihre Mutter davon ausgehen würde, er hat das Auto nur gekauft, um einer Minderjährigen zu imponieren? Ein Indiez mehr, um ihn vor Gericht zu bringen. Eigentlich unwahrscheinlich, aber die Angst war präsent.

Alles in allem war das Schuljahr 1988/89 vor allem durch diese unglücksselige Angst geprägt. Immerhin ganz unrealistisch war die Angst nicht. Entweder die Tochter bestätigt vor Gericht, dass er was von ihr wollte, Mutter und Tochter können auch zusammen halten... Oder die Tochter entlastet ihn. Dann würde Aussage gegen Aussage stehen und die Sache mit dem Wohnungsschlüssel, den er ihr gegeben hatte, würde nicht gerade für ihn sprechen. Also konnte er den Kontakt auch halten, den Unterricht weiter machen, auch eine Beendigung desselben würde nichts nützen. Er konnte die Sache mit dem Schlüssel nicht rückgängig machen. Die könnte ihn noch Jahre später vor den Kadi zerren. Immerhin bekam niemand was mit von seinem Ärger. Die bei der Polizei nicht, Hans nicht, Götz und das Kabarett wussten nichts, auch Guth war nicht eingeweiht und in Muhtdorf, wo er Unterricht gab, ahnte auch niemand etwas. Die Erzeuger blieben erst recht außen vor. Die sah er nur selten bei entsprechenden Pflichtbesuchen. Als er das erste Mal mit dem neuen Auto vorfuhr, war das Theater groß. Alles Geld für Autos ausgeben, niemand macht das, er konnte nicht mit Geld umgehen, ein Auto müsse man auch unterhalten können und so

weiter.
Dass die Wende nahte, war Anfang 88 weder im Polizeiorchester, noch sonst wo zu spüren, alles war wie immer. Sicher bekam Willi die Verhaftung von Dissertanten nach der Demo zu Ehren von Rosa Luxemburg mit, aber so etwas hatte es auch schon früher gegeben. Die Wirtschaft war eine Mangelwirtschaft wie immer, aber das war die in der Sowjetunion auch und dort hatten sie den Kommunismus schon 70 Jahre. Man musste sich mit den Gegebenheiten abfinden. Als dann Sommer 89 die Ausreisewelle in den Westen begann, zeigte es sich, dass es gut war, dass nur zur Polizei durfte, wer keine Westverwandtschaft hatte. Niemand war persönlich betroffen, Willi hatte in seinem Bekanntenkreis nicht einen einzigen, der wegen Opposition saß oder der abgehauen war. Sicher waren es Tausende, die gingen. Aber Tausende verloren auch jedes Jahr den Führerschein, wegen irgendwelcher Delikte, und Zehntausende saßen in den USA im Knast. Für sich gesehen eine große Zahl, aber auf die Bevölkerung bezogen keine Rolle spielend. „Millionen sind es aber, die im Kapitalismus keine Arbeit haben und hungern, auch in der BRD. Dort vielleicht, da es ein reicheres Land ist, nicht so krass, aber man muss den gesamten Kapitalismus sehen und im gesamten sozialistischen Lager hungert niemand mehr.“ (Oder doch, etwa in Rumänien oder Albanien?) „Also seid zufrieden, dass ihr satt zu essen habt, alles andere ist zweitens.“, so die Oberen in der Politschulung. „Und wenn das Auto steht, weil Ersatzteile fehlen: Fahrt Bus! Lieber einen billigen Bus für alle, als

60% haben Autos, die immer fahren und der Rest ist nicht mobil, weil die Buspreise zu teuer sind, wie in der BRD. Und wenn die Betriebe manchmal nicht arbeiten, weil Rohstoffe fehlen, dann ist der Westen schuld, der die Lieferung blockiert." (Immer die gleiche Leier! Warum lässt die starke DDR sich das bieten? Ach so, sie will eine Konfrontation vermeiden, der Kapitalismus ist unberechenbar und ballert sicher gleich mit Atomwaffen los) „Die Arbeiter bekommen weiter ihr Geld, der Arbeitsplatz ist sicher. Lieber mal keine Anbauwand, dafür erfriert niemand unter der Brücke, wie im Westen. Wollt ihr Obdachlose, Rauchgift und Prostitution? Der Sozialismus ist so gut und wir sind stolz, in ihm zu wohnen. Nur der Sozialismus sichert Frieden und Wohlstand, letzteres zwar auf niedrigerem Niveau, vordergründig, aber sichere Arbeitsplätze und in die ganze Welt verreisen und 20 Sorten Käse, das geht nicht. Vier Käsesorten sind auch genug." Tatsächlich war Willi lieber in der DDR-Musiker als in der BRD-Koch: Vielleicht reichte es dort nicht mal zum Koch, denn dort gab es in der Küche keinen ständigen Mangel und bei der Bevölkerung womöglich entsprechende Ansprüche ans Essen. Auch waren dort Gaststätten nicht knapp. Da musste man als Koch auch noch gut sein. Alles in allem war die Situation bis September 89 wie immer, außerdem hatte Willi mit der Marie Liebig noch ganz andere Probleme.
Ende August 89 hatte Willi mit Guths Zirkel noch eine Moskau/Leningradreise, in einem Freundschaftszug. Im Prinzip sollten die Reise über Reisebüro verkauft werden, ging aber nicht, da die

Leute die Schnauze voll hatten von der verordneten Deutsch-Sowjetischen-Freundschaft. Nach dem Motto: „Von der Sowjetunion lernen heißt siegen lernen." Natürlich nur so lange, wie es den Oberen in den Kram passte. Früher wurde einem die sowjetische Propagandazeitung „Sputnik" aufgedrängelt. Jetzt, wo mal was Sozialismuskritisches drinstand, wurde sie schnell verboten. Einer der Orchestermitglieder wollte mal das Magazin abonnieren, eine an sich langweilige DDR-Illustrierte im Din A5 Format, aber mit Aktfoto, deshalb Mangelware. Der musste die „Einheit" und den „Parteiarbeiter" mit abonnieren, zuzüglich die „Armeerundschau", alles Zeitungen übelster Sorte, die kein Mensch las und Willi war sicher, auch der Politoffizier und der Orchesterleiter, die diese Zeitungen immer über den grünen Klee lobten, fanden die Artikel über die wirtschaftlichen Erfolge in der DDR langweilig. Jedenfalls hatte kein Mensch die Reise gebucht, vor allem wohl wegen der ewigen Zugfahrt nicht. Aber die Idee des Freundschaftszuges musste unbedingt umgesetzt werden. Also bekamen verdienstvolle Personen oder eben Zirkel, wie der von Guth geleitete, die Reise, zwar nicht geschenkt, aber sie mussten keinen Urlaub nehmen, wurden von der Arbeit freigestellt. Guth brauchte für irgendeinen Orden für seinen Zirkel noch einen nachgewiesenen Auftritt im Freundesland und schon war sein Zirkel auch dabei. Es fuhren allerdings nur Lehrlinge als Leser mit, für Studenten und Schüler wäre ja der Vorteil: „Freistellung von der Arbeit entfallen." Insgesamt 2 Mädels, Guths Enkel, der Kochlehrling war und seine Ehegattin fuhren mit. Die Reise begann auf dem Bahnhof in K.-M.-Stadt. Es ging in reservierten Abteilen eines ganz normalen Zuges zunächst nach Berlin, an sich kein Höhepunkt. Als sie noch auf die Abfahrt warteten, lieferten Arbeiter Kisten, die sie vor dem Zug 30 Minuten in die pralle Sonne stellten. Transportarbeiter waren gesucht, wie Arbeiter generell, also machten die sich auch keine Platte, etwa auf die Suche nach dem Verantwortlichen für das Verladen. Der wirtschaftete im Zug rum und lud die Kisten nach 30 Minuten Sonnenbad ein, es waren übrigens die Verpflegungsbeutel für die Reisenden. Ein durchdringender Apfelgeruch ließ Willi den seinigen sofort entsorgen. Auch die Salami- und Käsesemmeln sahen nicht wirklich appetitlich aus. Die anderen machten es übrigens wie er. Man ließ sich die Vorfreude nicht verderben, zwei Wochen zusätzlich Urlaub, was soll's, besser als arbeiten war die Reise allemal und die 900 Mark Reisepreis. Die meisten hatten Geld, um einen Fernseher für 8000 zu kaufen, aber es reichte nicht, oder man wollte keine sichtbar überteuerten Preise bezahlen, Klamotten oder Autos: Fehlanzeige... In Berlin dann hieß es: „Aussteigen und warten auf den Sonderzug!“ Der war noch nicht da. Obwohl nur noch zehn Minuten bis zur Abfahrt fehlten, tat die gelangweilte Angestellte, die in ihren Glaskasten auf den Bahnsteig saß, keine Anstalten mal das Maul aufzutun, etwa um zu sagen: „Liebe Reisende, in zehn Minuten fährt ihr Zug ab, natürlich schaffen sie es nicht, in zehn Minuten einzusteigen, leider kann ich Ihnen im Zeitalter der Technik nicht sagen, wann der Zug bereitgestellt wird.“ Immerhin wurde er bereitgestellt, pünktlich zur Abfahrt. Jeder hatte Platzkarten, Willi im Wagen Nummer fünf. Leider hatten die Wagen keine Namen. Man stritt sich, ob von vorn oder von hinten gezählt wird. Die Rangierlok war an der einen Seite, von der Richtung her, hätte aber der Zug in die andere, nach Osten fahren müssen. Die Hitze war schier unerträglich, alle stolperten in die Waggons, die mit der Nummer auf der Platzkarte übereinstimmen könnten. Missmutige sowjetische Zugbegleiter kannten kein Deutsch. Alle versuchten, in den engen Gängen mit ihrem sperrigen Gepäck an die richtige Stelle zu kommen. Obendrein waren noch die Wagentüren zwischen den Waggons verschlossen. Das blieb auch so. Man war fest geklemmt, erst als der Zug sich in Bewegung setzte, begann wohl der Dienst der Zugbegleiter, denn jetzt lüfteten sie das Geheimnis, ob Wagen eins hinten oder vorn ist und öffneten die Türen zwischen den Waggons. Endlich. Manche hatten Glück, andere Pech, Willi hatte letzteres, er musste sich zum anderen Ende durchquälen. Dann hatte er endlich seinen Platz, sogar am Fenster. Mit im Zug zwei Rentner, die die Reise von der Volkssolidarität geschenkt bekommen hatten und die drei Leser aus Guths Zirkel. Guth und Gattin waren in einem anderen Abteil. Die Fenster waren klein bei den sowjetischen Waggons, aber am Fenster sitzend sah man schon genug. Es ging durch Volkspolen, das Essen wurde pünktlich serviert, es war ein geiler Kick, wie immer, wenn man in einem anderen Land war. In Minsk wurden dann auf sowjetische Schienengröße umgespurt,

eine langweilige und langwierige Prozedur, auch wenn es eigentlich schnell ging. Dann mussten alle raus auf den Gang und die Zöllner nahmen die Abteile, Sitze und Gepäckstücke auseinander, als ob die ganze Welt Schlange steht, um illegal in die ruhmreiche Sowjetunion einzureisen.
Viel sah man von der SU nicht, als sich dann der Zug im Mutterland des Sozialismus in Bewegung setzte. Bäume rechts und links, quasi fuhr der Zug in einer Schneise, die die Aussicht versperrte. Die Nachtruhe in den zu Liegen umgebauten Waggons war nicht so erquickend. Die sanitären Anlagen gingen, waren zum Zähneputzen oder Rasieren aber nicht geeignet. Gegen Abend, es war schon dunkel, kam man dann in Moskau an. Der Zug wurde aus Freundschaftszug angekündigt, es flog aber auch Dreck an die Fenster, wohl von Feinden der staatsverordneten Freundschaft. Man stieg aus, Busse standen bereit, Willi musste in Bus Nummer 7, aber welcher war Nummer 7? Zahlen waren nicht an den Fahrzeugen. Alle standen sinnlos rum und der Reiseleiter der Gruppe von Willi, ein gewisser Normen, sagte: „Auch „Das“ ist ein sozialistisches Land“, worüber sich Guth furchtbar aufregte. Vorsichtig versuchten die Verantwortlichen, die Busnummern herauszubekommen, von den desinteressierten Fahrern war aber nur Schulterzucken zu vernehmen. „Nix verstehen.“ Da setzten sich die ersten Busse leer in Bewegung, fuhren weg. Niemand war eingestiegen und der Dienstschluss der Busfahrer stand wohl vor der Tür. Ein Russe, wohl ein Verantwortlicher, stellte sich jetzt vor den ersten Bus und hinderte ihn am

Wegfahren. Der Busfahrer stieg aus, er wirkte gereizt und wurde ungemütlich. Die Busse nach ihnen hupten, schließlich machte der Chef eine Geste: „Alles einsteigen!“ Dann wurde es erst richtig chaotisch, denn Bus A fuhr zum Hotel so und so und nicht alle im Bus mussten dort hin. Also hieß es, auch für Willi, lange warten, bis sie in einem PKW zum richtigen Ort gebracht wurden. Diese erste unfreiwillige Stadtrundfahrt störte Willi nicht, er wollte so viel wie möglich sehen. Das Hotel war gut, sauber und das Essen war Spitze. Das war aber nur in ihrem Hotel so, denn hier waren die Bosse, auch Guth gehörte dazu, untergebracht. Und der hatte dafür gesorgt, dass sie auch mit hier wohnten. Am nächsten Morgen ging ein Sturm von Beschwerden über die Verantwortlichen nieder. Dreckige Zimmer, fauliges Wasser, kein Frühstück. Das mochte stimmen. Wehrmann war mal mit einem Militärorchester zum Gastspiel in Moskau und hatte von gleichen Problemen geredet. „Tja, es ist eben ein sozialistisches Land“, resümierte der Reiseleiter namens Normen wieder, ein arroganter Kerl, der Russisch kannte und auf die anderen mit Verachtung sah. Die sowjetische Reiseleiterin hieß Nina und betreute sie in Moskau. Norman verließ sie am ersten Nachmittag: „Zu einer anderen Nina“, wie er eitel betonte. Sicher hatte der Kerl in jeder sozialistischen Großstadt eine Ische, die nur darauf lauerte, sich von ihm aufs Kreuz legen zu lassen. Ansonsten war das Flair der Stadt durchaus interessant. Sie besuchten die typischen Ausflugsziele, Roter Platz, Leninmauseleum, eine orthodoxe Kirche, dann war noch ein

Spezialitätenessen mit Kaviar ohne Limit und anderen leckeren Sachen, letzteres nur für die Chefs, inkl. Guths Truppe. Guth, obwohl Diabetiker und schwer herzkrank, langte tüchtig zu putzte dann aber seine Frau herunter: Sie hatte den Süßstoff vergessen und jetzt musste er den abschließenden Mokka mit Zucker trinken. Die Alte stichelte die ganze Zeit über den am Nachbartisch sitzenden Normen und seine Aussage: „Auch das ist ein sozialistisches Land", ohne freilich ihren Mann zu einer verbindlichen negativen Folge für Normen zu bewegen: Wenn Guth fraß und soff, dann fraß und soff er, selbst wenn ganz Moskau brennen würde. Immerhin fand Willi den Wodka total eklig, ein reines Brechmittel, da konnte er auch den Finger in den Hals stecken. Was die Russen nur an dem Gebräu fanden. Da war der Kwas, ein Getränk aus gegorenem Brotteig, welches an jeder Ecke aus Fässern verkauft wurde, schon besser und sehr lecker. Auch Cola gab es, Pepsicola, allerdings war alles sehr teuer. Ein Rubel zu 3 DDR-Mark war der Kurs. Die Kaufkraft eines Rubel entsprach aber eher einer Mark. Egal, wenn auch die Pepsicola nicht so gut war wie die Cocacola, besser als die DDR-Imitate waren beide Getränke. Die richtigen Männer tranken natürlich Bier, aber das fand Willi immer noch zu bitter. Als Kind hatte man ihm gesagt: „Nur der erwachsene Mann weiß das Bittere zu schätzen." Nun war Willi 26, aber er schätzte es immer noch nicht. Wenn die Kollegen sagten: „Fünf Flaschen Pilsner, da mach ich mir einen schönen Abend" oder nach dem Genuss eines Flaschenbieres aus dem Laden, welches noch nicht mal kühl war:

„Bier ist doch ein phantastisches Getränk“, dann wurde ihm auch bewusst: Im Prinzip war er auch kein richtiger Mann, etwas fehlte. Das wurde ihn auch beim so genannten Freundschaftstreffen bewusst. Es fand im Kellerlokal eines Neubaublocks in einer der zahlreichen riesigen Neubausiedlungen statt. Willi fiel auf, es gab hier bei dieser Masse von Einwohnern keinerlei große Kaufhallen. „Die Leute kaufen in der Stadt oder auf Arbeit ein“, sagte man. Nun gut, möglicherweise gab es auch nichts groß zu kaufen. Willi wusste, dass die hier in der Perestroika steckten, einen Umbruch, weg vom Saufen und Nichtarbeiten. Immerhin es war viel Verkehr, die Leute waren sauber und ordentlich angezogen, Wohnungen waren wohl knapp, aber das ist in allen sozialistischen Ländern so. Beim Klassenfeind sind die Wohnungen entsprechend teuer und wer sie sich nicht leisten kann, wird eben obdachlos. „Wollt ihr das“, fragte Frau Guth Willi und ihren Enkel. Zwei der Weiber aus Guths Truppe hatten sich Shorts mit der Aufschrift Glasnowsk &Perestroika gekauft und diese angezogen: „Berichtet mir doch mal, was die zwei über die DDR negatives sagen“, fragte Frau Guth mit einschmeichelnder Stimme. Es soll der Schaden nicht sein. Willi sagte gar nichts zu der Alten und selbst das Enkelkind sprach leise zu Willi: „Die Oma ist falsch.“ Immerhin für die Mädels hatten die T-Shirts einschneidende Folgen. Beide durften nach Beruf mit Abitur aus irgendwelchen Gründen zum Beginn des Studienjahres 89/90 nicht studieren. Überkapazität sagte man offiziell, kein Beinbruch, denn sie wollten etwas machen, was in der bald

kommenden BRD keine Chance gehabt hätte. So studierten sie ein Jahr später was anderes und schenkten sich ein sinnloses Jahr im Studiengang „Kulturpolitik."
Das Freundschaftstreffen fand im Rahmen einer Disco statt, es gab erst Reden über die unverbrüchliche Freundschaft und den bevorstehenden Sieg des Sozialismus, der notwendig ist, um den Frieden zu wahren. Der Sowjetbürger sprach von der Wichtigkeit von Perestroika und Glasnowsk, um das in den Griff zu bekommen. Frau Guth zog ein säuerliches Gesicht: „Jetzt helfen die noch, die oppositionellen Ratten aus ihrem Kellerloch zu ziehen", zischte sie zu ihrem Mann. Der hatte andere Sorgen, der wollte unbedingt sein Leseprogramm aufführen, wegen des Ordens und der Prämie, durfte vom Veranstalter aus aber nicht. Guth juckte das wenig. Er ging einfach ans Mikro und kündigte eine 20-minütige Lesung an. Willi musste ein Eröffnungsstück auf dem dort stehenden, total verstimmten Klavier spielen, dann folgten die Gedichte, die dann sehr unsicher und bruchstückhaft übersetzt wurden. Nach kurzem pflichtgemäßem Beifall setzte sich Guth zufrieden hin und die Disko begann. Die sowjetischen Girls stürzten sich auf die deutschen Boys als begehrte Tanzpartner. Möglicherweise wollten die einen Deutschen, um ins vermeintlich bessere Land zu kommen. Vielleicht wussten die gar nicht, dass sie aus der DDR waren oder dass die DDR keine BRD war. Sei es wie es sei, kein deutscher Mann, außer Willi, saß mehr. Selbst der geistig leicht schwachsinnige, der die Hilfsschule für

Lernbehinderte besucht hatte, man sah das auch, war vergeben. Nur Willi saß drei Stunden fest. Er kotzte ab, aber da war nichts zu machen. Sehr deprimierend. Mit dem Nachtzug ging es dann nach Leningrad. Direkt nach der Ankunft war eine Stadtrundfahrt, Guth und viele andere schliefen tief und fest. Die Reiseleiterin merkte das und wurde leicht aggressiv, machte alles provokativ knapp und kurz. Hätten sie eben die Rundfahrt zu einem anderen Zeitpunkt machen sollen, klar dass im Nachtzug keiner richtig schläft und nach einer durchwachten Nacht nicht mehr frisch ist. Willi schlief nicht, er fand Leningrad interessanter als Moskau, er sah aber auch, dass hinter vielen prächtigen Häuserfassaden alles verfallen war. „Auch „DAS“ ist ein sozialistisches Land.“ Gewiss doch. Die Eremitage war im Besichtigungsprogramm nicht enthalten. „Sehen Sie nicht die Schlange davor?“ Natürlich sah Willi die, er hätte sich auch gerne ein paar Stunden angestellt, aber um rein zu kommen: „Da brauchen Sie West-Mark, Dollar, Devisen, verstehen Sie?“ Die Reiseleiterin, eine spindeldürre, grell geschminkte Zippe um die 40, sie sah aber älter aus, wurde ungemütlich. Scheinbar hatte Willi einen wunden Punkt berührt: Das von den Ostlern nicht zu bekommende Trinkgeld in Form besagter Devisen. Dennoch deprimierend, der Klassenfeind, der den Krieg und den Untergang der Menschheit will, wird dem Brudervolk vorgezogen, wie damals in Ungarn. Immerhin durften sie dafür umso länger und intensiver den Heldenfriedhof besichtigen, für die Opfer des 2. Weltkrieges. Eine Westreisegruppe wäre hier sicher auch nicht willkommen, immerhin besteht sie aus den inzwischen alt gewordenen Faschisten, die den 2. Weltkrieg angefangen hatten und denjenigen, die gern einen dritten wollen, also den jüngeren. Die DDR-Gruppe besteht aus alten Antifaschisten und jungen Kriegsgegnern. Alles klar. In den Schlossanlagen in Petershof war die Innenbesichtigung wieder nur den Klassenfeinden vorbehalten. Sie, die Brüder vom Brudervolk DDR, durften nur durch die Fenster zusehen, wie die Feinde in Pantoffeln die wertvolle Inneneinrichtung genießen konnten. Eigenartig, die DDR ist ökonomisch nicht ganz so stark wie die BRD, siehe Kosten für Landesverteidigung, um sich vor jener BRD zu schützen, die nach der DDR ja auch Volkspolen und dann die SU überfallen würden. Das wurde nicht honoriert, man bevorzugte die kriegsliebenden BRD-Bürger, die ja deshalb reicher waren, weil sie eben nicht so hohe Kosten für Rüstung hatten, die wurden ja nicht bedroht. So arm war die DDR ja nun auch nicht. Immerhin eine der zehntstärksten Industrienationen der Welt, sagte die offizielle Statistik. Warum hatte die DDR dann keine Währung, die einen Wert hatte, in anderen Ländern? Entweder der Abstand zwischen Rang neun und zehn war enorm, aber Portugal war ja schwächer als die DDR und hatte auch ordentliches Geld, oder die Statistik war falsch, wie ja Götz schon vor Jahren gesagt hatte. War sie dann auch, wie sich nach der Wende herausstellte, angesichts der verkommenen Anlagen und die Wessis machten alles platt. „Die DDR-Wirtschaft war top", sagten die Kommunisten nach der Wende:

„Die Westler haben die starke wirtschaftliche Konkurrenz aus dem Osten platt gemacht.“. Und dann immer wieder: „Der Westen hat keine Rohstoffe geliefert, deshalb mussten wir im Osten darben. Warum? In der Sowjetunion haben die Kommunisten trotz überreichlicher Rohstoffe nichts auf die Beine gebracht. Klar, die heute in der BRD lebenden Nazis haben alles im Krieg kaputt gemacht.“ Warum ist dann Japan wieder auf die Beine gekommen? Da war doch auch alles kaputt. Nein, selbst Willi merkte immer mehr, es lag am System, die sozialistische Planwirtschaft taugt einfach nichts. Eine Erkenntnis, die Willi nichts brachte. In die Eremitage konnte er trotzdem nicht rein. Aber zwei elektrische Heizer, die es in der DDR nicht gab, konnte er kaufen und den nach Finnland mit Tragflächenboden zum Tagesausflug fahrenden Westtouristen hinterher schauen. Auch drei Flaschen Pepsi nahm er mit heim. Alles in allem war es schon geil, als Tourist nicht erkennbar, durch die Straßen einer fremden Stadt zu flanieren und die Eindrücke auf sich wirken zu lassen. Auffällig waren die oft zu sehenden langen Schlangen vor den Geschäften. Hier gab es wohl Mangelwaren. Und dann die Ineffizienz beim Verkaufen, Ware raussuchen, bezahlen, dann mit Bon zur Ausgabe. Aber er war eben in einem sozialistischen Land. Die Rückfahrt im heißen Zug, natürlich ohne Klimaanlage, war dann nur noch zum Kotzen und Willi war froh, als er endlich wieder zu Hause war. Immerhin wäre er gern öfter gereist, aber das ging eben nicht im Sozialismus. Klar das DDR-Geld war nichts wert und die Leute wären

drübengeblieben. Warum als Koch im Sozialismus schuften? Dann schon lieber für mehr und richtiges Geld als Hilfsarbeiter im Westen. Arbeit musste nicht Spaß machen und man musste auch nicht gleich Drogen nehmen. Aber im Westen arbeitete man wenigstens, um zu leben. Im Osten lebte man, um zu arbeiten, damit spätere Generationen es besser haben. Dass sie es nicht wirklich besser hatten, sah man ja in der rumreichen Sowjetunion, die schon zwei Generationen weiter war. Warum warten, wenn man im Westen das bessere Leben schon gleich genießen konnte? Und, auch das war inzwischen klar: Der Westdeutsche Arbeitslose lebt immer noch besser als der Ostdeutsche Koch in Vollarbeitszeit. Nicht jeder hatte wie Willi nur im Sozialismus die Möglichkeit seinen Traumberuf auszuüben. Anderseits, wenn alle abhauten, dann wurde der Westen immer stärker werden und ein Krieg anfangen. Also musste man die Leute zwingen, dazubleiben.
Im Orchester wie auch in der Musikschule in Muhtdorf ging September 89 erst mal alles so weiter wie bisher. Das Jugendorchester bereitete sich auf den Fackelzug der FDJ in Berlin zum 40. Jahrestag der DDR vor. Mit Guth waren vielfältige festliche SED-Mitgliederversammlungen zu diesem Anlass auszugestalten. Im Polizeiorchester merkte man, dass Veranstaltungen in Ferienheimen seltener wurden. Die nutzten ihren wehrpolitischen Fond nicht aus, wollten wohl den Urlaubern in der Ferienzeit Zeit keine roten Lieder und Uniformen der verhassten Staatsmacht zumuten, auch wenn viele über das Polizeiorchester sagten: „Die machen

auch nur ihren Job.“ Die Leiter der Heime riskierten lieber Strafen, als das Orchester in Zeiten der Botschaftsflüchtlinge zu engagieren. Man konnte nicht alle Heimleiter absetzen, oder doch? Weniger mutige nahmen das Orchester und ließen es eben parallel zur Nachtwäschemodenschau vor 35 Leuten oder im leeren Foyer während der Essenszeit spielen. Dafür hatte das Orchester umso mehr Veranstaltungen zum 40. Jahrestag, vor Kreisleitungen und Kampfgruppeneinheiten. Ein Konzert mit roten Liedern, die die Schönheit des Sozialismus besangen, aber auch die Begeisterung der Werktätigen, die hier leben durften, um zehn Jahre auf ein Auto zu warten. Willi war das egal, er hatte noch seine Muggen mit Hans in Klausdorf und nachdem noch ein Klarinettenlehrer in Muhtdorf aufgehört hatte, nunmehr 20 Schüler. Jede freie Minute, auch an den Wochenenden, rammelte er dorthin. Was er nicht schaffte, musste er dann in den Ferien nachholen. Am Montag ohne Mittagessen, von 12.30 Uhr elf Schüler à 45 Minuten, dann an den anderen Tagen abends nochmal einen oder zwei, wie die Veranstaltungen es hergaben. Auf der Rückfahrt von Klausdorf zum Beispiel, dazu Samstag früh Unterricht, Sonntagabend Unterricht. Erschwerend, niemand hatte ein Telefon. Änderungen musste er per Postkarte klären. Wenn die andere Seite nicht konnte, Pech gehabt. Willi fragte sich selbst: „Wie willst du das auf ewig schaffen?“ Dann war da noch die Marie und vor allen ihre Mutter, als ständig über allen Aktionen schwebende Belastung, die jede Gemütsruhe und Zufriedenheit abwürgte.

Natürlich merkte Willi bei zivilen Veranstaltungen, wie die Leute meckerten, zum Beispiel über die Bemerkung Honeckers: „Wir weinen den Abgehauenen keine Träne nach.“ Aber in Muhtdorf war keiner im Bekanntenkreis, der abgehauen war, sicher waren es viele, aber auf die Gesamtbevölkerung gesehen eben doch nicht die Massen. Durch die Medien war das Thema aber immer präsent. Das war auch die Meinung des Orchesterleiters, der sich ganz als kämpferischen Kommunisten und scharfen Hund sah. Abgesehen vom Alkohol, war er fehlerlos. Es war üblich, dass er und auch andere von den alten Musikern kräftig soff, vor allem, wenn sie in den Ferienheimen spielten, dann aber mit dem Auto nach Hause fuhren. Einer der Jugendlichen im Orchester, genannt der „Vornehme“, hatte es immerhin schon bis zum Stellvertreter gebracht. Neben einem Blasinstrument sollte er wohl auch gut Klavier spielen, auch wenn er nie was zum Besten gegeben hatte. Er wählte nicht den Weg der Opposition, sondern den zu den Herrschenden hin. Kleine Unannehmlichkeiten, wie Parteischule nahm er in Kauf, aber er bediente sich der Opposition, wohl auch, um schneller Chef zu werden. Ein Blasorchester zu dirigieren war nicht das Problem, besonders bei dem Niveau, mit dem das Polizeiorchester spielte. Das sollte Willi später auch noch erfahren. Jedenfalls informierte der Vornehme die Opposition, also die anderen Jugendlichen, die Künstler, mit ins Boot nehmend, die Wache der BDVP, an der der Orchesterleiter vorbeifahren musste, über die geplante Alkoholfahrt. Der

Orchesterleiter hatte nach dem Konzert im Bus ordentlich gebechert und der Vornehme fragte besorgt: „Genosse Oberstleutnant, Sie wollen doch nicht etwa jetzt noch nach Hause fahren?“ „Halten Sie den Mund, das geht Sie gar nichts an.“ Aber was nicht sein darf, ist auch nicht, dass zum Beispiel ein glühender Kommunist und hoher Dienstgrad besoffen am Steuer erwischt wird. Der Wachhabende entschied sich: „Schnauze halten und lieber nicht in eventuelle Nesseln setzen. Ist eben woanders lang gefahren, der Genosse Orchesterleiter.“ Aber einen anderen vom Orchester nahm er raus. Er konnte eh nur einen kontrollieren, ließ ihn blasen und der Kerl, ein Älterer, so 58, kurz vor der heiß ersehnten Rente, der wurde überführt. Am nächsten Tag kam einer von der Politabteilung zum Orchester und kündigte den Rausschmiss des Genossen aus der Partei an, das passierte dann aber doch nicht. Ein halbes Jahr Fahrverbot war die eigentliche Strafe für die Alkoholfahrt. Der Orchesterleiter wusste genau, wer eigentlich erwischt werden sollte. Der Vornehme, der die Strippen gezogen hatte, hatte sich schön im Hintergrund gehalten, angerufen hatte ein anderer. Die waren so doof, für ihn das Risiko einzugehen und jetzt hatte der Orchesterleiter den im Visier. Der Vornehme wäre zu gerne selbst Leiter geworden, schade. Der Anrufer kam nicht ungeschoren davon. Er ließ sich beim streng verbotenen Musizieren in der Kirche erwischen. Der Orchesterleiter jubelte, im Einvernehmen mit dem Vorgesetzten sollte ein Exempel statuiert werden. Der Genosse sollte nicht nur aus der Polizei fliegen,

Ende des Fernstudiums inkl., sondern auch verhaftet werden. Leider war dann schon die Absetzung des Genossen Honecker, die Wende zu weit fortgeschritten und die Vorgesetzten machten einen Rückzieher. Es erfolgte lediglich eine Entlassung wegen „Verbreitung von Geschlechtskrankheiten im Wohngebiet." Der Genosse, er hieß Bird, stand stramm, als der Orchesterleiter das verkündete. „Verlassen Sie sofort das Objekt." Grußlos ging Bird nach sieben Jahren Dienst. „Du Lump, du hast einen Eid geschworen", rief ihm der fette Sänger und Parteisekretär hinterher, um dann ein paar Tage später, um Zustimmung bittend in die Runde zu schauen: „Mich hat man am meisten angeschissen, wegen meiner offenen und ehrlichen Meinung." Bird bekam dann eine Stelle in einem zivilen Orchester, das wäre dann etwas später nach der Wende, sprich Währungsunion, als die Westmusiker sich mitbeworben, nicht mehr oder nur sehr schwer möglich gewesen. Aber zum damaligen Zeitpunkt gab es genug freie Stellen. Bird war immer schon ein Fan klassischer Musik und in einem Sinfonieorchester zu spielen, das war sein Traum. Den konnte er nun schon drei Jahre zeitiger umsetzen. Letztlich war Bird nur zur Polizei gegangen, weil seine Leistung für ein Studium, selbst in der Berliner MdI-Abteilung, nicht ausreichend war. Also begann er als Amateur im Orchester, um sich nach einigen Jahren im Fernstudium zu qualifizieren. Er gehörte zu denen, die mit der Fresse immer der Leistung voraus waren und das nicht zu ihrem Nachteil. Er gehörte auch zu denen, die Willi Hohl und dessen angebliches musikalisches Unvermögen immer sehr kritisierten. Immerhin, Bird etablierte sich als Klassiker recht gut und wurde dann sogar „Orchesterdirektor". Eigentlich hätte Bird der DDR sehr dankbar sein müssen. Ohne die hätte die Karriere nie so stattfinden können und Bird war nie so gut, dass er nach der Wende, dann gegen die internationale Konkurrenz spielend, eine Stelle bekommen hätte.

Damit war die Alkoholaffäre beendet. Das Orchester hatte nun im Dienst absolut trocken zu sein, das ordnete der Orchesterleiter jetzt an. An sich richtig und Willi, dem Bier eh zu bitter war, störte das nicht. Aber es gab Situationen, die waren eben anders als bei einem Streifenpolizisten: Nach einem Festkonzert zu Ehren des Jahrestages lud der Kreischef das Orchester zum Essen ein. Natürlich gab es Bier. Das war jetzt verboten. Unter den feixenden Blick der Ordonanzen wurde das Bier wieder abtransportiert und es gab Brause. Ein komischer Anblick. Die meisten Musiker verzichteten ganz aufs Trinken. Es ging ja auch nicht um Bier, sondern um Schnapskonsum. Das Bier war bei Ankunft des Busses am Standort des Orchesters dreimal abgebaut, der Schnaps nicht. Aber der Orchesterleiter rächte sich auf seine Art. Er war vollkommen zufrieden. Er sollte keinen Schnaps trinken, also mussten die anderen auch Limo saufen, ein sehr hinkender Vergleich. Wenn das Orchester im Getriebe der Polizei nicht so völlig unwichtig gewesen wäre: „Wenn wir es nicht hätten, brauchten wir es gar nicht", es wäre noch mehr zur Lachnummer geworden. War es sowieso schon, zum

Schießen, wenn die Fettbäuche in Stiefelhosen und mit Plastehelm zur Parade die strammen Schenkel hochwarfen.
Richtig negative Auswirkungen auf Willi hatte die Wende ab der dritten Septemberwoche. Als ob er nicht logistisch sowieso schon an der Grenze war, verkündete der Orchesterleiter erhöhte Einsatzbereitschaft. Das hieß: „Außerhalb der Zeit in der Dienststelle die Wohnung nicht verlassen, einkaufen kann der Ehepartner oder man selbst unmittelbar nach dem Dienst auf dem Weg nach Hause." Nun hatte Willi Glück, seine Veranstaltungen in Klausdorf und bei den hohen Tieren waren, wenn auch extra bezahlt, Dienst. Guth war gerade krank, seine Veranstaltungen fielen für 14 Tage aus. Aber der Unterricht, Willi konnte und wollte hier nicht auf unbegrenzte Zeit alles absagen. Natürlich hatte er keine Genehmigung für inzwischen 22 Schüler, zwölf war das maximale, wo der Orchesterleiter nichts gesagt hätte und das auch nur, weil der Kollege einen Kranken vertrat. Natürlich hatte der Orchesterleiter sofort Willi im besonderen Blickfeld. Würde der weiter muggen, trotz Verbot? Jetzt war eine besondere Situation. Der Klassenfeind rüstete direkt in der DDR zum Krieg. Eine nicht genehmigte Mugge war jetzt ganz anders zu bewerten. Konnte er Hohl jetzt endlich fassen? Konnten jetzt alte Rechnungen beglichen werden? Zu dumm, wegen der „erhöhten Einsatzbereitschaft" konnte er niemanden zu den Auftritten der „Vogelbergmusikanten" schicken, um Hohl auf frischer Tat zu überführen. Und Hans, der

profitierte inzwischen so von Hohl, der war als Zuträger völlig unbrauchbar. Mai 89 hatte der Orchesterleiter Willi angeboten, Offizier zu werden und damit Satzführer der Klarinetten. Nicht, weil er den Hohl mochte, aber er würde bei einer Zusage dann drei Monate zum Direktstudium auf die Parteischule müssen und dann: „Ade Mugge." Der Hohl hatte die Frechheit, nicht vor Dankbarkeit auf die Knie zu fallen, sondern sich für so was noch nicht reif zu fühlen. Er konnte sich vor allem nicht vorstellen, wie er die anderen, doch musikalisch so viel besseren Klarinettisten in einer Satzprobe führen sollte. Vor allem den, der jetzt, obwohl Amateur, so sehr viel besser im Orchester Klavier spielte. Der Hohl hatte die Waffe des Orchesterleiters gegen ihn zurück gerichtet. Aber der Wusste: Der Hohl wollte nur nicht auf die Parteischule. Natürlich wollte Willi das nicht, vor allem wollte er aber auch alles vermeiden, was ihn länger in der Dienststelle festhalten würde als unbedingt notwendig. Natürlich würde er als Satzführer extra Beratungen haben, wäre dann im „Künstlerischen Beirat." Auch so eine demokratische Einrichtung. Entweder man war der Meinung des musikalischen Chefs oder der entschied als Einzelleiter. Satzführer war sowieso Quatsch. Bei den Klarinetten hatten sie einen Registerführer, der das ganze Holz befehligte, einen Soloklarinettisten, einen Korpsführer, eine Art Innendienstleiter, einen Leiter der Singegruppe und dann Willi als Satzführer, der würde dann mit den Registerführer und Soloklarinettisten die Klarinettenproben leiten. Nur ein Klarinettist war kein Offizier und hatte keine Funktion. Tatsächlich galt Willi nach wie vor als Musiker niedrigerer Kategorie, der in einem Berufsorchester eigentlich nichts zu suchen hatte. Die Tatsache, dass er Muggen ohne Ende hatte, sogar noch bedeutend mehr als die tatsächlich wussten, da konnte er doch nicht so schlecht sein, wurde ignoriert. Willi kam nie richtig dahinter, warum er als derart unfähig eingeschätzt wurde. Einmal spielte er zu einer Feierlichkeit Akkordeon. Einer der Bläser, ein kompletter Laie, rief immer wieder dazwischen: „Falsch. Falsch", wie ein geistig behinderter, bis Willi entnervt aufhörte. War der bescheuert. Jedenfalls traute er sich ehrlichen Herzens, abgesehen von der Parteischule, die Leitung einer Registerprobe tatsächlich nicht zu. Die anderen würden ihm auf der Nase herumtanzen. Der Orchesterleiter stolperte über sich selbst. Natürlich gefiel es ihm, dass der Hohl allgemein als musikalische Flasche galt, aber er wusste natürlich auch, dass dies eigentlich nicht der Fall war und er war sich sicher, dass der Hohl auch soweit denken konnte. Jedenfalls wollte Willi kein Offizier werden. Der Chef drohte Willi über Hans, der ja als Korpsführer auch zur Orchesterleitung gehörte: „Wir wissen, warum du kein Offizier werden willst, aber es gibt eine neue Reglung. Auch wer kein Offizier ist, kann zur Parteischule drei Monate im Direktstudium delegiert werden, das ist eine Ehre und du bist für 1991 vorgesehen, noch vor dem Ende deiner offiziellen zehnjährigen Dienstzeit. Also auch wenn du dann aufhören würdest und da wärst du doof, du gehst auf die Parteischule, ob du willst oder nicht. Darum lasse dich zum Offizier machen.“ Hans selbst war ganz stolz auf seine drei Offizierspickel am Schulterstück als Korpsführer. Bis 91 war es aber noch ein Stück, wer weiß, was bis dahin noch alles passieren würde und es würde noch viel passieren. Die Weigerung, Offizier zu werden, bewahrte Willi dann später seinen hauptamtlichen Arbeitsplatz als Musikpädagoge. 1993, nach der Wende, kam eine Reglung für die Region, für die Willi im öffentlichen Dienst als Lehrer wirkte: „Alle, die sich von Polizei und Armee nach 83 zum Offizier ernennen ließen, haben keine Chance im Schuldienst zu bleiben.“ Der Erfinder dieser, nur in zwei Landkreisen gültigen Regeln gingen davon aus, dass nach 83 der verbrecherische Charakter der DDR deutlich sichtbar war. Wer sich dann noch auf höherer Ebene in den Staatsdienst begab, wurde bewusst zum Handlanger einer verbrecherischen Führung. Als „Freier Mitarbeiter“ hätte Willi weiter an der Musikschule bleiben können, aber nicht als Festangestellter. Er hätte also die gleichen Schüler weiter unterrichtet. Die wussten nicht mal, ob sie bei einem „Festangestellten“ oder einem „Freien Mitarbeiter“ waren. Also hätte er sein kommunistisches Gift weiter spritzen können. Willi dachte an die vielen, die umsonst studiert hatten und ihren Beruf aufgeben mussten, nach der Wende, aufgrund dieser Anweisungen. Wie viele hatten sich unter Drohung und Versprechungen zum Reserveoffizier ausbilden lassen? Die Leute, die sie 93 raus-schmissen, waren möglicherweise die gleichen, die zehn Jahre vorher gedroht hatte. Viele

der alten Staats- und Stasikader kamen, bis auf ein paar Bauernopfer, nach der Wende komfortabel unter. Sie wurden zuerst gefeuert, also waren sie frei für neue Ämter in neuen Institutionen, die es zu DDR-Zeiten nicht gab. Und, die neuen Herrschenden brauchten natürlich auch wieder willige Handlanger und die ehemaligen Kommunisten waren dankbar für die zweite Chance. So wurde der Politchef ein hohes Tier im Arbeitsamt, bis zu seiner Pensionierung. Im Übrigen war Willi kein richtiger Lehrer nach der Wende, sondern Angestellter des Landratsamtes, aber vor allem um ein paar teure "Hauptamtler" feuern zu können übertrug man die Reglung mit dem Feuern der Offiziere von Polizei und Armee nach 83 auch auf die Musikschule. Man gab sich gar keine Mühe, das zu verschleiern, denn die Gehassten konnten ja weiterarbeiten, nur eben zu wesentlich unangenehmeren Bedingungen, eben als „Freier Mitarbeiter“, der nicht mehr sein Monatsgehalt bekam, sondern jede Stunde einzeln bezahlt. n den Ferien bekam er nichts.
Willi wollte natürlich nicht „Offizier“ werden, weil er den verbrecherischen zum Untergang verurteilten Charakter der DDR-Frühjahr 89 erkannt hatte. Er wollte einfach nicht auf Parteischule. Die Umstände waren aber nun mal zufälligerweise so, dass der Orchesterleiter Willi überschätzte. Hätte er richtig gedroht, wäre Willi gleich umgekippt.
Aber September 89 war die DDR in Willis Augen noch fest im Sattel. Er musste sehen, wie er bei geringst möglichem Risiko seinen Unterricht trotz erhöhter Einsatzbereitschaft weiterführen konnte.

Da nur die wenigsten des Polizeiorchesters über Telefon verfügten, auch Willi hatte keines, mussten sie persönlich informiert werden. In dem Fall war das gut so. Hans, der ein Telefon hatte, musste also tatsächlich Willi in der Wohnung aufsuchen, um ihn über den Alarm zu informieren. Niemand war übrigens verpflichtet, mit dem Privatfahrzeug zu kommen, was ja auch gar nicht mal selten kaputt war, oder das die Ehefrau hatte und das war gut so. Nun war Hans froh, als Willi ihm vorschlug: „Du brauchst nicht zu mir zu kommen. Du rufst Guth an, der ist krank und deshalb immer zu Hause, hat auch ein Telefon und ich rufe den jede volle Stunde. Selbst wenn der Alarm gerade kurz nach meinem Anruf ausgelöst wurde, geht das immer noch schneller, als erst zu mir zu kommen.“ Das überzeugte Hans und er war tatsächlich froh, nicht erst zu Hohl zu müssen. Natürlich hätte Willi statt bei Guth gleich bei Hans anrufen können. Aber darauf hätte Hans sich nie eingelassen, denn dann hätte „er“ ja ständig zu Hause sein müssen, Willi hätte ihn praktisch unter Kontrolle. Keiner vertraute den anderen. Derjenige, der Hans benachrichtigte, rief nämlich bei seiner Alten auf Arbeit an und die hätte dann ihrerseits Hans zu Fuß aufgesucht, etwa in der Musikschule K.-M.-St., wo Hans unterrichtet. Auch der sah nicht ein, dass er auf jeden Nebenverdienst verzichten musste, nur weil die Regierung die Lage nicht unter Kontrolle hatte. Nun rief Willi Guth, der mitmachte, nicht von zu Hause an, sondern von Muhtdorf. Natürlich verfügte er dort nicht über ein Telefon. Das Schulsekretariat wurde 14.00 Uhr geschlossen.

In der Nähe der Schule gab es die Post, mit öffentlichem Telefon, die schloss aber bereits 17.00 Uhr und ein weiteres auf dem Markt. Allerdings waren die Münzfernsprecher oft defekt und mit Geld überfüllt. Ein dritter Fernsprecher war nach etwa fünf Minuten Autofahrt zu erreichen. Nun hoffte Willi, dass durch ewige Kurzfahrten nicht der Motor überstrapaziert wurde und dann gerade, wenn es wichtig war, der Wagen nicht ansprang. Mit Moped fahren ging nicht, er hatte zu viel Gepäck, nämlich die Polizeikluft. Keiner von Willis Kollegen oder Schülern, die in der Nähe der Schule wohnten, verfügten über einen eigenen Telefonanschluss. Natürlich musste Willi von jeder Zeitstunde 15 Minuten wegnehmen, um zum Telefonieren zu gehen oder zu fahren. Selbstverständlich war die Telefonzelle meist besetzt. Jetzt hieß es abwägen: Entweder warten, was zehn Minuten dauern konnte oder ein Risiko eingehen: Zur nächsten Zelle fahren, die dann möglicherweise auch besetzt ist. Immerhin, 30 Minuten Unterricht bekam jeder Schüler. Ein vertretbarer Kompromiss. Obwohl Willi Guth feste Zeiten gegeben hatte, konnte er die aufgrund genannter Risiken nicht immer einhalten und Guth oder seine Alte telefonierten auch mal privat. Dann geriet Willi in Panik, paar Mal probieren, dann erst mal den nächsten telefonieren lassen, Pech wenn der zehn Minuten telefonierte. Einmal bat Willi einen, das Gespräch erst mal zu unterbrechen, um ihn ranzulassen. Er bot ihm 1 Mark für die Hilfe. Ein Notfall, sagte Willi und das war gar nicht mal gelogen. Immerhin, Willi legte sich mit dem Staat an, der hatte inzwischen die

Grenzen zur Tschechei geschlossen, überall in den großen Städten wurde gestreikt. Es ging, so sagten die Herrschenden, nicht nur um den Sozialismus, es ging um den Weltfrieden. Willi sah selbst im Fernseher, es waren nicht eine Handvoll Konterrevolutionäre, es waren 100 000. Und das war schon was anderes als 1000 Botschaftsflüchtlinge. Man redete von einer Lösung wie 1953. Egal, Willi riskierte eben mal etwas, man konnte nicht nur Revolution machen und streiken, es mussten auch Busse fahren, Wasser musste fließen und er machte eben seinen Unterricht. Das ging so nervenaufreibende 14 Tage gut. Willi erwartete immer eine Vorladung wegen illegalen Unterrichtes. Er hätte dann gesagt, dass er dennoch im Alarmfall erreichbar wäre und die Kinder des FDJ-Blasorchesters Muthdorf bereiten sich schließlich unmittelbar auf den Fackelzug der FDJ in Berlin zum 40. Jahrestag vor.
Dann kam ein Tag Anfang Oktober, an dem alles schieflief. Er machte seinen Unterricht wie immer. Marie war mit da, sie sollte einen Schüler für ein Programm auf dem Klavier begleiten. Sie war mit ihm mit dem Auto mitgefahren, ihr Lover würde sie mit dem Auto abholen. Willi hatte genug Zeit zum Telefonieren gehabt, einige Schüler fehlten, aber heute waren alle öffentlichen Telefone so stark frequentiert, dass er beschloss, es heute mal zu riskieren, also rief er nicht alle 45 Minuten an. Maries Lover verspätete sich, dann kam ungeplant ein Schüler mit defektem Instrument, was er noch reparierte. Vor der Heimfahrt wollte Willi aber dann doch noch mal schnell telefonieren, sicher ist

sicher. Guths Alte war dran:“ Tempo. Tempo, schon vor zwei Stunden war Alarm.“ Willi fiel das Herz in die Hose, aus der Traum. Natürlich sprang gerade jetzt das Auto nicht an. Willi fand einen mitleidigen Kollegen, der ihn fuhr, natürlich nicht so schnell, wie Willi es gern gesehen hätte. Zu Hause, rein in die Uniform, raus aufs Moped und in die BDVP. Knapp drei Stunden zu spät. Die ganze BDVP war voll mit Schützenpanzern, Wasserwerfer und Uniformierten mit Schild und Schutzvisier am Helm. Kleinlaut trottete Willi in die Kleiderkammer, wo das Polizeiorchester war. Leichtweg faselte er was von „nicht fahrenden Bussen“ und „Orchester nicht gleich gefunden.“ Die anderen hatten Angst, Angst vor einem Einsatz. Einer der jugendlichen sonst so Oppositionellen heulte und bettelte den Orchesterleiter an: Die Frau wäre hochschwanger allein zu Hause. Peinlich, der Orchesterleiter ließ ihn nach Rücksprache mit den Vorgesetzten, allein hätte er solche Entscheidungen nie zu fällen gewagt, nach Hause fahren. Das Orchester hatte einen Kampfauftrag: Sicherung des Objektes während eines eventuellen Kampfeinsatzes der richtigen „Volkspolizisten“, also der „Sandlatscher“ und „Bordsteinpiloten“, sprich „Schutzpolizisten.“. Das beruhigte die Orchestermusiker ein bisschen, man musste nicht raus aus dem Objekt. "Aber wenn es nun von den „Aufständigen“ angegriffen wird, was dann?" Auf jeden Fall hatte man jetzt erst mal Zeit für den ja nun bald ehemaligen Genossen Willi Hohl: „Der Mann wird hochgezogen“, sagte Soloklarinettist Suk, ein besonders eifriger Kritiker von Willis unausreichender musikalischer Leistung,

mit begeistertem Zittern in der Stimme. Hier gibt's kein Pardon, hier geht es um mehr. Später würde der Kerl dann sagen: „Was die mir angetan haben von der Partei und der Polizei, lacht mich aus, aber schon 1980 habe ich die Wende vorausgesehen." Womöglich hatte er Oktober 89 seine prophetische Gabe gerade vergessen. Auch der Orchesterleiter nahm sich Willi vor: „Das hat Folgen Genosse Hohl, nicht nur die Entlassung." Sein Herz hüpfte vor Freude. Was sollte Willi machen, er musste sogar mit Knast rechnen, aber er bereute nichts. Er hätte es wieder so getan. Komisch, er hatte keine Angst mehr, auch nicht vor der Mutter von der Marie und war merkwürdig ruhig, geradezu entspannt und erlöst. Es war wie ein Vorhang, der aufreißt...Von den anderen wurde er sorgsam gemieden, ein Feind des Volkes, des Sozialismus, ein Friedensfeind, der auf seine Weise den Konterrevolutionären den Ball zugespielt hatte. Einen, den man bald holen würde: Schulterstücke runterreißen und dann ab in Untersuchungshaft. Nun, der Orchesterleiter war 1953, damals war schon mal in der DDR ein konterrevolutionärer Aufstand, schon bei der Truppe. Er hätte Willi jetzt erzählen können, wie damals mit Verrätern umgegangen wurde. Der Orchesterleiter war hoch befriedigt und seiner Sache sicher. Diesmal würde den Hohl nichts retten, aus mit der Musikerkarriere. Mindestens Entlassung aus der Polizei und Bewährung in der Produktion, sicher aber sogar Knast, kein unangenehmer Gedanke.
Es gab Essen und der eine oder andere redete dann doch mit Willi, man war nervös, es gab aber auch

für die „richtigen Polizisten“ keinen Befehl zum Ausrücken. Gegen 1 Uhr nachts etwa wurden die Leiter zu den Chefs geholt und dann war auf einmal Auflösung, sie konnten nach Hause. Das morgige Konzert vor dem Sehschwachenverband sollte aber trotz der kurzen Nachtruhe stattfinden. Um Willi kümmerte sich niemand, auch am nächsten Tag nicht und in den Tagen darauf, niemand ging noch einmal auf sein „Zuspätkommen“ ein. Merkwürdigerweise, Willi hatte keinerlei Angst vor Entlassung und Verhaftung. Er war sogar sehr zufrieden, denn die Angst vor der Mutter der Marie war erstmalig seit einem Jahr komplett weg. Dann wurde sogar die erhöhte Einsatzbereitschaft aufgehoben. Hans sagte: „Die haben jetzt andere Sorgen.“ Die Wende war da... Dem Orchesterleiter war Willi wieder mal entschlüpft. Der spürte den neuen Wind jetzt auch: Er hütete sich davor, sich beim Chef nach einer eventuellen Bestrafung von Hold zu erkundigen. Den Soloklarinettisten wies er ab, als der seinerseits nachfragte: „Mir sind die Hände gebunden.“ Staatschef Honecker wurde abgelöst. Hohl machte jetzt weiter wie bisher. Unterricht, Klausdorf und so weiter. Niemand ging je nochmal auf den Alarm ein, den er verpasst hatte. Noch größere Demos fanden statt, die Presse wurde frecher. Guth ließ aber, als ob nichts geschehen wäre, weiter seine roten Gedichte lesen, hatte aber Anfang November seine letzten Veranstaltungen. Offiziell, um dann in den Ruhestand zu gehen. Dann kam die Maueröffnung. Willi hatte gerade eine Mugge bei den sogenannten Lerchenthaler Musikanten, einer 5-Mann-

Besetzung, hier spielte er Akkordeon und machte bis Ende 89 ca. 15 Mal mit. Die hatten zu tun, kein Tanz, nur immer etwa eine Stunde Programm mit Moderation und Musik. Komisch, dass die ihn nahmen, wo doch sein Akkordeonspiel im Orchester ständig mit „falsch“ kommentiert wurde. Die Krönung war der dumme „Oscar“. Der wollte eigentlich zum Konzert der Lerchenthaler gehen, sah aber dann davon ab: „Zu wenig Leistung, wenn du dabei bist.“ Aha. Das Konzert war im Chemnitzer Hof, Willi hatte die Mugge sogar angemeldet, aber schon vor Monaten und dann sickerte so langsam die Grenzöffnung durch. Die Ansagerin kommentierte: „Ich werde jetzt öfter im anderen Teil Deutschlands sein, da habe ich sowieso mehr Freunde.“ Ah ja.
Willi hatte am Wochenende zu tun. Wie immer Klausdorf, Unterricht und nochmal Lärchenthaler. Am Montag zum Polizeidienst erzählte einer der Musikanten, dass er bereits im Westberlin gewesen sei. Er war dann drei Jahre später rücksichtslos wegen Stasi, ein harter Fall, der hatte alles hoch gemeldet, entlassen worden. Am liebsten hätte der Orchesterleiter gemeckert, denn es war nicht erlaubt, zum Klassenfeind zu fahren, aber so richtig verboten war es auch nicht mehr. Im Nachhinein: Der Musiker war gar nicht in Westberlin, er wollte nur, im Auftrag der Stasi, herausbekommen, wer „NOCH“ war. Aber die Genossen hatten schon andere Sorgen: Alle waren aufgeregt, die ehemals strammen Polizeisoldaten wollten ihr Begrüßungsgeld holen, bevor die Grenze womöglich wieder dicht gemacht wird. Das war die größte

Befürchtung von allen. Die konnten doch nicht 16 Millionen 100 Mark geben, oder doch und: Die DDR würde zusammenbrechen, wenn alle rüber machen und dortbleiben wollen und die BRD auch. „Also ist die Frage der erneuten Schließung der Grenze nur eine Sache von Tagen.“. Direkt vor dem Probenraum des Orchesters war eine lange Schlange Reisewilliger, die nach einem Visum bei der Meldestelle anstanden. Der Orchesterleiter probte bei offenem Fenster Ausschnitte aus dem Stasifilm schlechthin: „Das unsichtbare Visier“ und neue rote Lieder, die die Schönheit des erfolgreichen Sozialismus in der DDR besangen. Peinlich. Schließlich bat einer, ausgerechnet der Stasimann, der schon im Westen war, dem Orchesterchef, wenigstens das Fenster schließen zu dürfen. Der reagierte gereizt auf die Kritik und brach die Probe ab. Sie konnten nach Hause. Auch nicht schlecht. Die SED befand sich in Auflösung. Nix mit Parteischule. Willi atmete durch, sehr tief durch. Der Politchef hielt am nächsten Tag eine letzte Rede, bevor seine Abteilung aufgelöst wurde und er als einer der Leiter ins neu geschaffene Arbeitsamt ging: „Viele Genossen der Schutzpolizei sind schon aus der SED ausgetreten, noch vor einem Monat wären sie da auch aus der Polizei geflogen. Jetzt sind es zu viele, man kann nicht alle entlassen und jetzt, ich muss selbst nachdenken. Willi horchte auf: Aus der Partei austreten, ein toller Gedanke. Aber er wollte keinesfalls der erste sein, da war er nun wieder zu feige. Dann kam die Nachricht: „Die friedliebende DDR, unter Leitung der Friedenspartei, hat auch Waffen an Kriegsgegner

geliefert und Solidaritätsgelder zum Stopfen anderer Löcher genutzt.“ (Alles Lügen, die vom Klassenfeind in die Welt gesetzt wurden, sagte Willis Erzeuger) Genosse Hohl war ganz aufgeregt, das war die Möglichkeit. Er kam zum Dienst, an dem Tag war gerade die Kassierung des Parteibeitrage immer so um die 50 Mark, das schmerzte schon genug, dazu 20 Mark, bereits festgelegt, freiwilliger Solidaritätsbeitrag. Er kreiselte um den Parteisekretär, er hätte die Kohle gern behalten und siehe da, bewusster Westerstbesucher knallte dem Sekretär das Buch zuerst hin. Willi war vorsichtig, er wartete noch, aber der zweite war er dann doch. Ein Sog! Ende des Tages hatte das ruhmreiche sozialistische Kampfkollektiv nur noch vier Genossen, der Sekretär selbst war auch ausgetreten. Na also, Willi war heilfroh, dem Verein entkommen zu sein. Nichts mehr mit Parteischule. Der Orchesterleiter war fertig mit der Welt, auch an diesem Tag war die Probe vorzeitig beendet.
Dann, am Sonntag nach der Grenzöffnung, war Willis erste Reise in den Westen, Begrüßungsgeld holen, mit dabei Hans plus Frau und Kind. Allein zu fahren, das war ihm dann doch zu riskant, das Auto konnte kaputt gehen usw. Das Visum hatte Hans besorgt, was Willi stundenlanges Anstehen ersparte. Er bezahlte auch die Hälfte des Benzins. Auf ging es zum Klassenfeind. Sie brachen gegen Mitternacht auf, um Staus zu umgehen, das machten andere aber auch, weit kamen sie also nicht. Bereits nach wenigen Kilometern ging es nur noch in Kolonne und in Schrittgeschwindigkeit weiter. Massen von Fahrzeugen. Trotz der frühen Stunde nichts mit

freier Fahrt. Grimmige Zöllner standen an der Straßenseite, nicht mal Stichproben machend. Dann nach etlichen Kilometern feldwegähnlich, ein Mauerdurchbruch, drohende Wachtürme, einfach total abartig. Jetzt fuhren sie hier durch und sie hatten immer noch Frieden. Warum nutze der Kapitalist nicht die Gunst der Stunde und marschierte mit seiner Bundeswehr ein? Wegen der wachsamen DDR-Armee? Die Wehrpflichtigen hatten alle die Schnauze voll, denn die konnten ihr Begrüßungsgeld nicht holen. Eins wusste Willi genau: Wäre jetzt November 81, er wäre desertiert und drübengeblieben. Er hatte einen Eid geschworen. Er hatte ihnen schwören müssen, ein Eid nutzte nur denen, die ihn abnahmen, um dann die Abweichler härter bestrafen zu können. Egal, wäre er eben eidbrüchig geworden. Jeden jungen Mann 18 Monate seiner eh schon kurzen Jugend zu berauben, das ist strafbar, nicht die Fahnenflucht. Später erfuhr Willi, dass tatsächlich damals viele Wehrpflichtige den Ausgang genutzt hatten, um abzuhauen, ganze Kompanien standen leer.
Staunend fuhren Willi und Hans auf hellen sauberen top Straßen. Es dämmerte bereits, sie fuhren nach Bayreuth, in der Hoffnung, dass es hier nicht so überlaufen war wie in Hof, direkt an der Grenze. Sehr trügerisch, die gleichen Massen wie wohl überall. Bayreuth, eine saubere gepflegte Stadt, keine Ruinen, keine vergammelten Straßen. „Alles auf unsere Kosten“, würden die zur Linken gewandelten Kommunisten später sagen: „Die haben sich gesund gestoßen an der DDR, für ihre starke Westmark die DDR gezwungen, ihre Waren

weit unter Wert zu verkaufen.“ Und warum war die DDR-Mark so schwach? „Na das hat das internationale Kapital gemacht, darum: Proletarier aller Länder vereinigt euch. Und der dumme DDR-Bürger jubelt den Wessis noch zu. Nur die dümmsten Kälber wählen ihre Schlächter selber“, pflegte Willis Erzeuger zu sagen. Der holte sein Begrüßungsgeld natürlich nicht. Er verurteilte die Wende. Aber er fuhr wenig später einen kapitalistischen Volkswagen, immerhin die, die ihn herstellten, waren Verbrecher. Er genoss den neuen Fernseher und die Videoanlage, aber die DDR war doch besser. Er fuhr ins kapitalistische Ausland in den Urlaub, aber eines Tages würde der Kommunismus sich durchsetzen. Er bekam, da er vor 83 aus der Armee ausgeschieden war, eine tolle Rente, aber die Kapitalisten gehörten an die Wand. Er genoss eine bessere perfekte nicht vollkommene Gesundheitsvorsorge. Aber die Mörder in „Weiß“ dachten nur daran, sich die Taschen zu füllen. Er richtete die Wohnung neu ein mit top Möbeln von IKEA, aber nur dem Sozialismus gehört die Zukunft. Hans war der erste, der es in Bayreuth auf den Punkt brachte: „Die Mauer, die war für uns! Hier ist das Leben, Lust und Freude, hier arbeitet man, um zu leben, bei uns um zu arbeiten.“ Hans war aufgeregt und empört. Alles war perfekt durchorganisiert. Die Wartezeit an der Bank hielt sich in Grenzen und dann hatte Willi das erste Mal 100 Westmark in der Hand. Während Hans mit seiner Alten durch die Läden pirschte, um das Geld auszugeben, schlenderte Willi durch die Stadt. Alles adrett und gepflegt, keine vergammelten Ruinen wie in K.-M.-Stadt, keine löchrigen Straßen, kein Gestank nach Kohle und Benzin. Die für Willis Maßstäbe luxuriösen Autos glitten sanft, kein rollender Schrott wie er ihn hatte. Und dann in der Vorstadt, Autohaus neben Autohaus. Werkstätte mit dran, aber was nutzte das, wenn keiner Geld hat, welches er investieren konnte. Würden so viele Autohäuser existieren, wenn sie keiner nutzen würde?

Eine völlig neue Welt. Wie eine Puppenstube, das Leben ein Spiel. Während die Alte von Klaus das gesamte Geld ausgab, verjubelte Willi nichts. Er hatte jetzt Reserven, um das Keyboard eventuell auch mal reparieren zu lassen. Er war überzeugt, über kurz oder lang ist die Grenze wieder zu, also sparsam sein mit den Devisen. Für ca. 100 DDR-Mark konnte man 5 Westmark erwerben. Ein toller Kurs. Eine Weile spielte er mit dem Gedanken, zurückzutauschen, aber wer weiß, ob die Ostmark noch was Wert sein wird in Kürze. Anderseits, er hatte schon immer Angst, das Keyboard würde mal kaputtgehen und was dann? Jetzt brauchte er sich keine Gedanken mehr machen. Der springende Punkt: Nur in der DDR konnte er wohl mit seinen beschränkten musikalischen Fähigkeiten seinen Lebensunterhalt verdienen und als Musiker arbeiten. Also wieder zurück in die Zone. Hans konnte sich nicht beruhigen: „Die haben uns betrogen, 40 Jahre lang." Er war überzeugt davon, er hätte auch im Westen eine Möglichkeit gehabt, als Musiker. Dieses Wissen um die eigene Qualität raubte ihm jetzt die Gemütsruhe.

Da war sie dann wieder, die staubige miefige DDR

samt Polizeidienst. Fast alle des „sozialistischen Kampfkollektives“ hatte ihr Begrüßungsgeld geholt und fast alle holten auch noch die 40 Mark, die es beim zweiten Besuch gab. Auch Willi, nur diesmal mit dem Zug, gequetscht wie eine Sardine, beide Autos waren defekt, und mit dem Moped... Die Züge fuhren ewig lang, vor der Grenzöffnung war die Strecke, einspurig übrigens, kaum frequentiert. Das zweite Mal holte Willi das Geld in Hof, um dann sofort zurückzufahren. Sinnig war es nicht, wie sich später herausstellen sollte. Das Ticket war fast so teuer wie der Gewinn, aber er wusste damals noch nichts vom 1 zu 1 Tausch. Dann endete das Jahr 1989. Der Dezember war noch einmal übervoll mit Musik, erstmals streifte Willi die 4000 Markgrenze, mit Polizeigehalt, Jahresendprämie, Quartalsprämie, Unterricht und Muggen. Silvester spielte er ebenfalls erstmals, wenn auch nur die Anfangstakte, das Deutschlandlied. Dann im Januar wurde das Leben leichter. Das Orchester wurde zu keiner Veranstaltung mehr gebucht, die zivilen Ferienheime mussten sie nicht mehr nehmen, die SED gab es so nicht mehr und bei der Polizei selbst war das Orchester noch nie beliebt. Somit blieben nur noch zwei Polizeiferienheime für die kleinen Besetzungen. Parteiversammlungen, Politunterricht, die Abteilung war schon aufgelöst und ähnliches war auch abgeschafft wurden. Nach der Probe war Schluss, gut paar Schülerkonzerte fanden noch statt. Willi spielte jetzt auch Saxofon, als Klarinettist lernte er es ruck zuck, Alt wie auch Tenor. Er empfahl auch später seinen Schülern immer, erst Klarinette zu lernen. Saxofon geht dann von allein. Eine neue Palette im Polizeiorchester. Wenn Mittag die Probe zu Ende war, dann war auch Schluss und Willi konnte in Ruhe seinen Unterricht machen. Das Ferienheim Klausdorf ortete ihn aber noch zur Kaffeehausmusik. Dennoch war die Nachfrage nach Musikern im Sinkflug. Dem Polizeiorchesterleiter gefiel das alles nicht so recht. Er versuchte, neuen Druck mit Angst auszuüben. Neue Länderstrukturen bahnten sich an und im Westen hatte jedes Land nur ein Polizeiorchester. Sachsen würde dann drei haben, zwei würden also aufgelöst. Der Chef versuchte nun, sein Orchester als ziviles Blasorchester der Stadt Chemnitz über die Wende zu retten und er drohte: „Nicht jeder wird in meinem neuen Orchester mitspielen.“ Den Hohl hätte er eh nicht genommen, aber der hatte keine Angst. Sehr unwahrscheinlich, dass die neue wohl CDU regierte Stadt Chemnitz ausgerechnet so einen kommunistischen Hardliner eine Befugnis geben würde, auch wenn der inzwischen kein SED Mitglied mehr war. Achso, die Partei hieß ja jetzt PDS, Partei des demokratischen Sozialismus. Die Gefahr, dass zwei Orchester aufgelöst werden, war sehr real. Dresden würde Landeshauptstadt werden und in Leipzig war die Bereitschaftspolizei stationiert und Karl-Marx-Stadt? Ach ja, jetzt war wieder der alte Namen Chemnitz aktuell. Willi wurde es schon Angst. Erste Gerüchte gab es, das Orchester wird aufgelöst und die Musiker können nach einer Umschulung in den Streifendienst. Das hätte Willi nun total angekotzt. Aber noch passierte nichts, sie konnten jetzt übrigens in Zivil zum Dienst, erst vor dem Auftritt wurde sich umgezogen.

Für "Uniformgeile", wie den Orchesterleiter, ein herber Schlag. Dann wurde das Gehalt gekürzt. Willi erhielt jetzt 1200 Mark statt bisher 1800, was in der DDR immer noch sehr viel Geld war. Die Offiziere mussten jetzt auch Steuern bezahlen, was den Abstand zum Wachtmeister minimierte. Da Willi auf einer Offiziersplanstelle Satzführer Klarinette saß, musste er als einziger Wachtmeister auch Steuern bezahlen, was ihn zu dem mit der geringsten Vergütung machte. Was für ein Spaß, das Orchester bog sich vor Lachen, als der Leiter das verkündete. Natürlich lachte der auch herzlich mit. Schadete ihm nicht, dem Dünnbrettbohrer, der die Muggen als Dienst in den Plan eintragen ließ. „Endlich bekommt er das Geld, was seiner Leistung entspricht“, jubelte man. Das Lachen gellte Willi ein Leben lang in den Ohren, er würde es nie vergessen, hoffentlich passierte denen mal nichts. Willi würde sich dann auch köstlichst amüsieren.
Das Warenangebot in den Läden wurde immer westlicher, die ersten kauften Westautos, so auch der später enttarnte Stasimann, der zuerst in Berlin war und sein Parteibuch als erster abgegeben hatte. Als die DDR-Bürger 100 Mark 1 zu 1 tauschen konnten und weitere 100 1 zu 4 war Willi vorsichtig und tauschte nur ersteres, im Gegensatz zu anderen, die sich sagten: was ich habe, das habe ich. Aber im März sah es schon etwas nach dem Kurs 1 zu 1 aus, anderseits, viele sagten: Das sind Wahlversprechen, dann ist euer Geld weg, besonders die neue PDS sagte dies. DDR-Autos wurden gebraucht spottbillig und Willi hatte, die anderen freuten sich sehr und zogen ihn auf, mit

dem Wartburg etliche Tausender in den Sand gesetzt. Diesmal konnte der Orchesterleiter nicht mit spotten, er selbst hatte ein Jahr vor der Wende noch einen Wartburg gekauft, allerdings nagelneu, über ein Sonderkontingent für Bonzen. Aber auch die anderen zogen nach. Sie kauften Westautos, die massenhaft angeboten wurden, ohne TÜV, den gab es in der DDR nicht. Dann als der TÜV auch hier Pflicht wurde, mussten sie teuer nachrüsten oder die Karre ganz stilllegen. Andere kauften Autos mit Superbenzin, den es nur an großen Tankstellen gab, die mussten also von Muhtdorf nach Chemnitz zum Tanken fahren. Wieder andere, wie Hans, hatten ein Fahrzeug, was nur im Westen gewartet werden konnte, er musste also zur Inspektion nach Hof, dort befand sich die nächste Werkstatt.
März 90 empfahl man den Polizisten, in die neue Gewerkschaft einzutreten. Nur zwei, einer war Willi, traten nicht ein, nur weil alle Mitglied wurden. Er hatte wenig Lust, schon wieder Beiträge zu zahlen. „Jeder muss sich organisieren, das ist Pflicht"; drohte der Orchesterleiter wie in alten Zeiten. Der konnte ihn mal. Im März 90 hatte Willi, zum Ärger der anderen, auch seine erste Mugge im Westen. Er spielte als Alleinunterhalter vor einer Westgesellschaft, mit Hans, die Chemnitz als Touristen besucht hatten und ihn zufällig hatten spielen hören. Es war zufällig die Polizeileitung Nürnberg und die luden Willi ein, zu ihrem „Diensthundeklubnachmittag" zu spielen. Willi war stolz und meldete die Mugge beim Orchesterleiter sogar an: „Musikalische Umrahmung des Jahresvergnügens der Chefleitung Polizei Nürnberg"

gab er an. Der Orchesterleiter kotzte sichtbar ab. Schon wieder der Hohl, wer weiß was der dafür bekam. Wenigstens gelang es seinem Stellvertreter am nächsten Tag, ein Frühschoppenkonzert zu einem Wohngebietsfest zu organisieren. Das hieß, der Hohl musste am Abend nach der Veranstaltung wieder los. Der Orchesterleiter jubelte: Prima. Willi kotzte tatsächlich ab. Aus dem ausführlichen Wochenendtrip würde nun nichts werden. Drei Monate war nichts los im Polizeiorchester und ausgerechnet jetzt war eine Veranstaltung. Freitag früh fuhr Willi also mit dem Wartburg nach Nürnberg. Ein Risiko, wer würde hier eine Panne beheben. Den Sprit musste er mitführen, denn erstens gab es im Westen kein Gemisch, also den Sprit, den ein Zweitaktmotor braucht und zweitens wollte er seine paar Westmark nicht an der Tankstelle vergeuden. Tatsächlich verdiente er, um das vorwegzunehmen, 90 Westmark in Nürnberg. Für ca. 60 Ostmark brauchte er Sprit. Der Polizeichef persönlich ließ sie huldvoll gratis bei sich übernachten und beköstigte sie auch. Später erfuhr Willi, dass die das von der Steuer absetzen konnten. Sohnemann, gerade in der Ausbildung als Fahrlehrer, zeigte ihnen mit dem privaten PKW Nürnberg. Willi war begeistert von der Sauberkeit, der Ordnung und dem Spaß am Leben.
Dann ging es am nächsten Tag zum Vereinslokal der Hundesportler, wo sie von 14.00 Uhr bis 22.00 Uhr, mit Pausen allerdings, die Gesellschaft musikalisch unterhielten. Die machten ordentlich ihren Schnitt. Normalerweise hätten sie nach Westniveau 500 ja 1000 Mark für acht Stunden

Musik vielleicht sogar exklusiv Fahrgeld zahlen müssen. Aber das war kein Maßstab. Willi hätte die D-Mark für 4000 DDR-Mark zurücktauschen können. Aber er behielt die Kohle, immerhin hatte er jetzt fast 300 Mark West. Genug für eine Städtereise nach Paris oder Rom. Auf der Rückreise streikte ab und zu mal für ein paar Sekunden das Licht von Willis Fahrzeug. Sie fuhren dann quasi fast im Dunkeln und Hans hatte schreckliche Angst um sein kostbares Leben. Noch war keine D-Mark da und Willi hätte sein Auto gern zur Inspektion gebracht, aber Werkstattleistungen waren immer noch Mangelware. Direkt nach dem Auftritt in Nürnberg fuhren sie zu dem besagten Wohngebietsfest, wo das Polizeiorchester spielen sollte. Kein einziger Zuhörer. „Die können wir hier nicht gebrauchen", sagt ein Passant zum anderen, so dass sie es auch hören mussten. Das sagten auch die Zuschauer eines Festumzuges in Hof, wo sie als Polizeiorchester mitwirkten. Wobei sie weniger musizierten, als die Instrumente in verhasster Uniform vor sich hertrugen, denn zwischen den Stücken machte der Dirigent riesige Pausen, was Willi zur Weißglut brachte. Er schämte sich. Schließlich wurde die D-Mark Gewissheit. Dennoch ging im Polizeiorchester alles weiter wie bisher. Zum Tag der Volkspolizei gab es Orden, Prämien und Beförderungen, als hätte die Wende nie stattgefunden. Alle träumten von neuen Autos: „Ich werde mir einen kleinen Mercedes kaufen", sagte Soloklarinettist Suk. Willi hatte jetzt noch Zugang zu einer Amateurkapelle gefunden, der Bergkapelle Andorf. Ein Orchestermitglied hatte ihn als Aushilfe mitgeschleppt. Der zweite Einsatz war dann schon im Westen in Bad Ems. Irgendein reicher ehemaliger Ossi, der vor 1961 abgehauen war, spendierte der Stadt zwei Konzerte der Ostkapelle, als Beitrag zur Wiedervereinigung. Es war am ersten Wochenende nach der Währungsunion. Willi hatte 12 000 Mark eingebracht. Immerhin. Ein Teil wurde 1 zu 1 getauscht, der Rest 1 zu 2. Viel war jetzt nicht da, aber noch lief alles finanziell wie immer und so würde Willi schnell wieder auf die Beine kommen.

In Bad Ems waren zwei Tage Dauerregen. Sie fuhren mit einem klimatisierten modernen Westbus und schliefen in einem Tophotel. Willi gab sich mit dem anderen Musiker aus dem Polizeiorchester ab. Es war jener Klaus-Dietrich Elbe. Er war musikalisch grottenschlecht, wurde das „Halbe Hirn“ genannt und von den anderen gern mit Willi auf eine Stufe gestellt. Er hatte seine Alte mit und Willi fühlte sich bisschen wie ein Anhängsel. Er spielte die 3. Stimme, das „Halbe Hirn“, mit noch einem die 1. Stimme, da fiel er natürlich nicht auf. Er prahlte mit seiner Karriere als Berufsmusiker, obwohl er eigentlich nichts auf die Beine brachte. Seine Alte, es war die, die gar nicht begreifen konnte, was ein Vogel wie Willi, wie ein Lagerarbeiter aussehend, im Orchester zu suchen hatte, schämte sich mit Willi und fragte das „Halbe Hirn“, warum sie den mitschleppt. Sehr aufbauend für Willi, aber die anderen Musiker waren gesprächig und Willi kam gut zurecht. Er machte künftig immer mit in der Bergkapelle. Immerhin gab es pro Auftritt 40 Mark und 20 Mark Fahrgeld, ein wichtiger wirtschaftliche Faktor, vor allem auch im Dezember. Da spielten die Bergparaden und Konzerte auf dem Weihnachtsmarkt. Da fror man sich zwar den Arsch ab, es gab aber dann, wenn man alles mitmachte, ein schönes Sümmchen. Die Kapelle war etwa wie das Polizeiorchester, in Qualität wie auch Quantität, fast alle der sehr guten Amateure hätten dort auch mitspielen können. Schlechtester Musiker war pikanterweise der Profi: „Das halbe Hirn". Der hörte dann aber schon November 90 wieder auf, Willi blieb. Mit der Währungsunion war Schluss mit lustig. Die Gemeinden hatten auf einmal kein Geld, die Leute hatten jetzt andere Interessen als zu Volksfesten zu gehen. Man bekam was fürs Geld und das Konzept der DDR, mit vielfältigem kulturellem Angebot, von wirtschaftlichen Schwierigkeiten abzulenken, hatte ausgedient. Das erste Polizeiorchester, das Zentrale Orchester des MDI von, jetzt Ostberlin, wurde bereits zur Währungsunion aufgelöst. Das freute Willi, denn es traf auch das Großmaul, was ihm mal eine aufs Maul hauen wollte, weil er sich erdreistet hatte, als nicht mehr in Berlin wohnender hier zu muggen. Die „Vogelbergmusikanten" hatten genauso wenig zu tun wie die „Lärchenthaler". Mit dem Tag der Einheit wurde auch das zivile Blasorchester K.-M.-St. aufgelöst. Vorruhestand, Umschulung, das waren die neuen Zauberwörter. Auch das Schicksal etlicher Tanzkapellen, unter anderem auch der in der „Goldhöhle", wo Willi gelernt hatte, war schnell besiegelt. Ein ehemaliger Polizeimusiker verlor alle Aufträge und die Kapelle. Noch Sommer 89 hatte er etliche Tausender in eine

Verstärkeranlage investiert. Er sollte auch in den Westen fahren. Als Besitzer von Westgeld wäre er in der DDR der größte gewesen. Daraus wurde nun nichts mehr. Zu zweit muggten sie weiter und mussten als Kraftfahrer richtig arbeiten gehen. Glück hatte, wer noch in der Musikschule war. Aber die meisten hatten das zu DDR-Zeiten schleifen lassen, zu gut lief das Geschäft des „Reinen Musizierens." „Endlich wird Spreu von Weizen getrennt", sagte großkotzig der Chef der Lärchenthaler Musikanten. Er hatte absolut Recht, hätte aber nicht gedacht, dass er dann auch zum Spreu gehören sollte. Das Polizeiorchester existierte wie immer, hatte aber überhaupt nichts mehr zu tun. Ende Juli begrüßte der Chef im Ferienheim Klausdorf Willi und Hans zur letzten Veranstaltung ganz herzlich. Die Leute fuhren in den Westen und nicht mehr nach Klausdorf in den Urlaub. Die staatlichen Zuschüsse waren weg und die neue, nun nicht mehr zur Polizei gehörende Leitung, musste jeden Pfennig drei Mal umdrehen. Was noch lief, war der Unterricht in Muhtdorf, den Willi weiter ausbaute. Zu musizieren hatte er nichts mehr, außer bei der neuen Bergkapelle die Paraden zu Weihnachten. Von einer Überleitung des Polizeiorchesters als zivile Kapelle Chemnitz konnte keine Rede mehr sein, auch wenn das der Dirigent nicht wahrhaben wollte. Willi unterrichtete mit Beginn des Jahres 1990 für die Musikschule Wernau, ein kleines Ding, aber die DDR hatte es sich in den Kopf gesetzt, dass jeder noch so kleine Landkreis eine eigene Musikschule hat. Wer jetzt im richtigen Augenblick an der richtigen Stelle war, wurde

Direktor, denn die meisten der kleinen Klitschen, die nicht mal eigene Gebäude hatten und früher Außenstellen waren, verfügten nur über einen oder zwei "Hauptamtler." September 90 bekam Willi eine Postkarte vom Blasorchester Renimdorf. Dort sollte er schon 1987 anfangen, aber die uralten unspielbaren Instrumente, der schlecht geheizte Unterrichtsraum und die miserabelste Qualität der Pionierorchesters hatten ihn damals dazu gebracht, nach nur einem Unterrichtstag die Sache zu beenden, mit der Ausrede: „Der Orchesterleiter hat die Unterrichtstätigkeit nicht genehmigt." Natürlich hatte und hätte der das nie genehmigt, aber Willi hätte ihn auch nicht gefragt. Damals hatte er es nicht wirklich nötig, zusätzlich zu Muhtdorf zu unterrichten. Jetzt stand auf der Postkarte: „Vieles hat sich in unserem Land verändert, können Sie es sich immer noch leisten, auf das „Verbot" des Orchesterleiters zu hören?" Willi schrieb groß „Nein" auf die Karte und fuhr an einem Tag im September 90 nach Renimdorf, um dort eine neue Unterrichtstätigkeit aufzunehmen. Fünf Klarinettenschüler übernahm er, sein Vorgänger hatte auch bei den „Vogelbergmusikanten" gespielt, da die jetzt nichts mehr zu tun hatten, musste der richtige Arbeit annehmen, zumal die Kapelle sich auch verkleinert hatte, um sich bei einem eventuellen Aufschwung besser verkaufen zu können. Er bekam Arbeit in einer Schuhfabrik bei Hof und musste, schon der Entfernung wegen, den Unterricht aufgeben. Das Ende einer Musikerkarriere.

Die Instrumente waren nach wie vor in einem

miserablen Zustand. Der Leistungsstand der Musiker einfach jammervoll. Sein Vorgänger hatte sich keine große Mühe gegeben, einen anderen als ihn hätten sie sowieso nicht bekommen und so behandelte er den Unterricht als Zubrot, wenn die Mugge mal nicht so laufen sollte. Wer konnte schon ahnen, dass mal ganz Schluss ist. Immerhin zehn Mark die Stunde, das war zu DDR-Zeiten viel, heute gar nichts mehr. Sicher, die Heimelektronik war billig, aber die Mieten hatten sich schon angefangen zu verdreifachen, auch Strom wurde teurer und auch die Grundnahrungsmittel. Jedenfalls musste Willi sich jetzt was einfallen lassen, um die Klarinetten der neuen Schüler spielfähig zu machen. Er tat das gemeinsam mit einem Polizeimusiker, der früher mal Instrumentenbauer gelernt hatte. Es gab zwar jetzt Kapazitäten, um die Instrumente zu reparieren, aber das konnte und wollte keiner bezahlen. Auto und Urlaub waren wichtiger. Lieber beendeten die Amateurmusiker ihr Hobby. Der Unterricht fand in der ehemaligen Bahnhofsgaststätte statt und gleich am ersten Tag bekofferte ihn ein Besoffener, er solle hier verschwinden. Er sei der neue Investor. Also musste Willi abbrechen. Der Vorstand des Orchesters sagte, er solle den Kerl ignorieren. Das funktionierte nicht, er wurde handgreiflich und wollte die Instrumente einfach aus dem Fenster schmeißen. Jetzt zog Willi in die Schule der Gemeinde um. Er unterrichtete in einer fensterlosen Rumpelkammer, eine Mischung aus Abstellraum und Umkleideraum. Im Winter wechselten die Lehrer hier Socken und Schuhe. Sehr ästhetisch. Das Orchester Renimdorf durchlebte gerade schwere Zeiten. Als Pionierorchester war es in alle sozialistischen Höhepunkte mit eingebunden, ging gar nicht anders, sonst hätte es keine Instrumente gegeben. Natürlich spielten sie auch zu Wohngebietsfesten u.Ä. Die neu gewählte CDU-Regierung verlangte innerhalb von einer Woche die Instrumente rauszurücken, ansonsten würde man sich vor Gericht treffen. Wenn 20 Jahre später die Ostdeutschen wieder verstärkten, mit traumhaften Wahlergebnissen die Kommunisten wählten, hier war eine der Keimzellen. Das wäre das „Aus“ des Orchesters gewesen. Vorher hatte man schon das traditionelle Weihnachtsblasen auf dem Markt verboten, hier wurden zwar noch nie rote Lieder gespielt, immer Weihnachtslieder und immer in Zivil, nicht in FDJ-Kleidung, aber Pionierorchester ist nun mal Pionierorchester. Man warf ihnen Zusammenarbeit mit der ehemaligen SED zu, ohne die überhaupt keine Existenz des Orchesters zu DDR-Zeiten möglich gewesen wäre, siehe Beschaffung der Instrumente. Der Posaunenchor sollte das machen, er machte das auch, aber ohne Publikum. Das war zur Gegenveranstaltung der Renimdorfer Blaskapelle gegangen. Der neue CDU-Bürgermeister tobte, fand auch eine Klausel, die im Nachhinein angewandt und die Veranstaltung als „Nicht genehmigt“ hinstellen konnte. Somit konnte er die Orchesterleitung vor Gericht bringen. Sie wiesen allerdings nach, dass sie die Instrumente gekauft hatten. Dass die Genehmigung von der Partei kam, spielte keine Rolle, entscheidend im juristischen Sinne war der Kaufvertrag. Nach vielem hin und her sprach man die Kapelle nur wegen der illegalen Veranstaltung schuldig, verhängte eine schöne Geldstrafe und man bemühte sich, das Probenhaus zu veräußern, egal an wen. Hauptsache die Kapelle ging ein, das war ein persönliches Ziel des neuen Bürgermeisters, CDU, ein Christ also. Wer vor den DDR-Oberen gekrochen war, der musste samt seiner Kinder, die in der Kapelle spielten und spielen, bestraft werden. Außerdem erhoffte sich der Bürgermeister, sich mit seiner energischen Aufarbeitung von DDR-Unrecht für höhere Aufgaben zu empfehlen. Als die Gemeinde im Beisein des Investors dem dann den Zuschlag für das Haus geben wollte, fiel der besoffen vom Stuhl. Der Musikverein behielt das Haus, musste aber für Unterhalt und Rekonstruktion selbst aufkommen. Kein Wunder also, dass viele wieder die SED Nachfolger PDS wählten im Osten. Mit den Nazis war der Westen damals großzügiger umgegangen, aber die Geschichte wird von den Siegern geschrieben und die bestimmen. Willi war empört über die Zustände in Renimdorf, aber er hatte eigene, andere Sorgen. Für Ende Oktober hatte die Leitung des Polizeiorchesters ein Konzert zusammen mit dem Zollorchester Hof und dem Orchester der Grenztruppen Plauen in Bad-Elster vorgesehen. Das Zollorchester, ein Amateur-orchester kotzte ab, die wurden jetzt als Bundesbeamte von der nicht mehr existierenden „Innerdeutschen Grenze“ nach „Sonst wo hin“ versetzt. Das Grenztruppenorchester hatte die Kündigung schon. Im Polizeiorchester fühlten sie sich als Sieger, noch. Der Orchesterleiter als ehemals kommunistischer Hardliner scheute sich nicht, in seiner Rede die Wende als etwas, auf das er ein Leben lang hingearbeitet hatte, hinzustellen. Willi war empört. „Man müsste dir das Notenpult auf deine verlogene Fassade schlagen“, zischte jemand hinter ihm. Der Orchesterleiter wurde unsicher. Außerdem tauchte plötzlich ein Westbruder des Orchesterleiters auf. So wie die sich begrüßten und der Kerl gab sich gar keine Mühe zu vertuschen, hatte der auch vor der Wende den Kontakt nicht abreißen lassen. Tja, er war eben ein Patriot, der auf diese Weise die unmenschlichen Bedingungen der Genossen umgangen und damit seinen Beitrag zur Wende geleistet hatte. Die jüngeren standen stumm da, die Alten klatschten aus Gewohnheit und anerzogener Angst Beifall. Peinlich. Peinlich war auch der Ansager, der die Wende noch nicht geschnallt hatte und DDR-Gedichte rezitierte, in denen der Mangel vorsichtig aufs Korn genommen wurde: „Tränen ersticken das Begrüßungswort, es naht Kollege Müller, PGH (ein Handwerksbetrieb) „Sofort“. Mangel gab es in der DDR jetzt nicht mehr, es wurde nach Marktlage angeboten und nicht nach einem Plan, der das Kaufverhalten vorwegnahm, oder es meist erfolglos versuchte. Am nächsten Tag wurden alle Polizeimusiker über 50 in die Behörde beordert. Dort wurde ihnen gesagt: „Entweder Sie gehen in die Vorruhe oder bei Auflösung des Orchesters in die Arbeitslosigkeit und dann findet mal was, in dem Alter, in der Branche.“ Dabei lief die Vorruhe nicht über zivile Ämter, sondern über die Versorgungsordnung der Polizei, für die Ämter waren sie quasi noch im Dienst. Diese komfortable Lösung erlaubte es den Polizeiern, noch ordentlich dazuzuverdienen. Mit dieser Reglung sagte der Gesetzgeber: „Wer über 50 ist, der ist schuldig, also raus und ihr fallt weich.“ Also hier war der Staat sehr großzügig, immerhin geleitet von den Siegern der Geschichte. Die meisten Älteren, kurz vor 60, waren hochzufrieden, etwa der dumme Oscar, andere fühlten sich in der Ehre verletzt und fühlten sich zu Unrecht bestraft, wie der Orchesterleiter: „Mein Leben lang habe ich mich für die Sache der Wiedervereinigung eingesetzt.“ Oder der Sänger: „Mich hat man am meisten angeschissen wegen meiner offenen und ehrlichen Meinung.“ Oder der Soloklarinettist, der die Wende schon 1980 vorausgesagt hatte: „Was die mir angetan haben von der Partei.“ Sei es, wie es sei, das Schicksal der Alten war besiegelt und der Sieger war großzügig. Niemand musste gehen, jeder konnte das Risiko eingehen, vielleicht überlebte ja sein Orchester. Die in Leipzig gingen das Risiko ein, dort sagte der Dirigent: „Habt Vertrauen zu mir, bleibt“, die über 50-jährigen hatten Vertrauen und sie blieben. In dem Orchester war die Situation anders als in Chemnitz, hier wurde noch Musik gemacht, sprich der Beruf war mal das Hobby und hier herrschte kein gewendeter kommunistischer Hardliner. In Chemnitz verließ der Kapitän als erster das sinkende Schiff, alle über 50jährigen mitnehmend. „Was soll ich denn machen, ich würde auch gern mit einem Orchester weiterarbeiten.“ Konnte er auch, im Amateurbereich, wobei die Orchester dort nicht unbedingt schlechter waren als das

Chemnitzer Polizeiorchester. Eine Woche hatten die verdienstvollen Genossen noch Zeit, ihre Klamotten abzugeben und sich zu verabschieden, bevor dann das gestählte Kampfkollektiv, für Frieden und Sozialismus, zusammenbrechen würde. Der Orchesterleiter wollte jetzt, als Erinnerung für sich, ein paar Titel auf Kassette aufnehmen, die anderen hatten kein Interesse. (Was die mir angetan haben, nur weg hier) Doch jetzt streikten die Jungen, bliesen absichtlich falsch, provozierten. „Der da vorn hatte lange genug eine große Lippe riskiert“, sagte einer, laut genug, dass der Alte das hören musste. Er war gezwungen, die Aufnahmen abzubrechen. Der Soloklarinettist räumte seinen Schrank. Das „Halbe Hirn“ gab ihm noch einen symbolischen Tritt, als er die Garderobe für immer verließ.
Dann kam der letzte Tag der verdienten Kämpfer. Einen Blumenstrauß gab es nicht von der neuen Leitung. Der neue Chef, der „Vornehme“, nun er war sehr zufrieden mit dem Lauf der Dinge, sah nicht ein, warum er sich um sowas kümmern sollte. Aber die „Gewerkschaft der Polizei“ hatte Blumen geschickt, ein Glück, dass alle Alten drin waren. Die Jungen saßen hämisch grinsend da und der Chef selbst musste die Verabschiedung vornehmen. Die standen vorn, von den Jungen gab keiner die Hand. Der Sänger heulte und bedankte sich bei allen für die Zusammenarbeit. Der Soloklarinettist trat hervor: „Ich wünsche viel Erfolg, es wird schwer werden. Ich werde die Klarinette nicht zur Seite legen müssen. Tja.“ Auf Deutsch: „Ihr Arschlöcher habt keine Chance. Ich dagegen, das Telefon steht

nicht still, alle wollen mich und meinen Ton." Nun war der dünne Ton gerade die Schwachstelle des Kerls, der sich „Jahrelang auf Hochschulen rumgetrieben hatte", ohne einen Abschluss zu machen und selbst schon etliche zur Hochschule gebracht hatte. Wo sind die denn eigentlich? Leider konnte er seine ständigen Aushilfen beim Orchester Fips Fleischer, einer Spitzen Big-Band nicht in eine Festanstellung umwandeln, denn das Orchester existierte auch schon nicht mehr. Willi freute sich sehr, dass den Alten so übel mitgespielt wurde und gönnte denen das von ganzen Herzen. Das war es dann, das fest gefügte Kampfkollektiv „Für Frieden und Sozialismus-Seid bereit-Immer bereit-Ich diene der Deutschen Demokratischen Republik", krepierte elendig. Ohne die Alten war das Orchester gerade noch spielfähig. Willi spielte jetzt 1. Altsaxofon. Eigentlich zu wenig Leistung für so eine wichtige Stimme, sagte Kuno Wimmerzahn, die größte Lusche von allen. Eine auf die Fresse, das wäre die richtige Antwort, aber die hatten niemanden anders. Die anderen hatten wohl noch weniger Leistung? Immerhin konnte Willi seine „Nichtleistung" nicht präsentieren, das Orchester hatte im vierten Quartal 90 nicht einen Auftritt, das heißt, einer wäre gewesen, irgendeine Festveranstaltung in der BDVP, aber der Bus stand so in der Garage, dass man die Fächer nicht öffnen konnte, wo die Instrumente drin waren und der Busfahrer war nicht zu finden. Er hatte es vergessen, war einen Kaffee trinken gegangen. Es war wie zu DDR-Zeiten. Sie gingen zur Probe, am Mittag nach Hause, alle warteten das was passiert. Nichts geschah, immerhin ein ruhiger gemütlicher Job war in Gefahr, keiner wollte zur Schutzpolizei mit Schichten und rollender Woche, aber im Ernstfall: „Geld stinkt nicht.“ Aber gerade deshalb wollte man es leichter verdienen. Kein Wunder, dass die Nerven blank lagen. Täglich wurde geprobt. „Wozu, lasst uns draußen auf dem Bau bisschen mitmachen“, sagte einer. Das war natürlich nicht wirklich ernst gemeint. Willi machte jeden Nachmittag seinen Unterricht, er kassierte ordentlich Kohle, Polizei und das Geld für 24 Unterrichtsstunden, so viel musste ein "Haupt-amtler" auch machen. Er hatte aber noch zusätzlich fünf Stunden in Renimdorf. Er hätte lieber musiziert, aber Musikschule war besser als gar keine Musik. Der neue Orchesterleiter, der „Vornehme“, hatte Willi gleich nach Amtsantritt zu sich bestellt und gedroht:“ Wenn du weiter unangemeldet muggst, kannst du Ärger bekommen.“ Willi war fassungslos und bekam einen Lachkrampf. „Von wem Ärger?“ „Von mir!“ Willi erklärte feierlich, dass er nie mehr eine Mugge unangemeldet machen würde. „Ich weiß, dass du ständig spielst.“ Nun, er wurde schon wieder überschätzt, abgesehen von der Bergkapelle hatte er tatsächlich nichts. Der Vornehme sollte ihm Beweise bringen, dann könnte er ihn bestrafen. „Ich finde Beweise.“ Er wollte seinem bekloppten Vorgänger zeigen: Er würde Hohl zu Fall bringen. Willi dachte: Was will denn der. Er macht in seiner Freizeit, was er will. Die Bergkapelle ist ein Laienorchester, da gibt es kein Geld, nur eine Aufwandsentschädigung, also ist die nicht genehmigungspflichtig. Die Polizei hatte keine

Veranstaltung und stand womöglich vor der Auflösung und er sollte vor dem „Vornehmen" kuschen. Willi dachte gar nicht dran. Immerhin freute es ihn, dass man ihn für so clever einschätzte, in der Zeit noch Veranstaltungen zu haben. Und dann: Eigentlich war er doch musikalisch so schlecht und unter Niveau. Er versprach dem „Vornehmen", nicht die Einweihung der kleinsten öffentlichen WC Zelle vorzunehmen, ohne es vorher anzuzeigen. Der Vornehme versprach Willi mächtig Ärger und Willi sagte devot: „Gestatten, dass ich wegtrete Genosse Unterleutnant." Und verschwand aus dem Büro.

Willi wollte vor allem nicht zur Schutzpolizei. Da würde er zwar sein Geld verdienen, aber Musik ade. Das tat ihm dann doch leid, so kurz nach dem Studium. Es gab eigentlich nur eine Alternative. Er musste sich als Musikpädagoge festsetzten, so lange der Kuchen auf dem Gebiet noch nicht verteilt war. Für viele Musiker, so auch für Hans, war Unterricht geben ein willkommenes Zubrot, aber keine Alternative. Die Polizeimusiker waren fast ausnahmslos von ihrer professionellen Leistung überzeugt. Notfalls würde man in einem zivilen Orchester unterkommen. Nun kann man nicht sagen, dass die fast tägliche Konfrontation mit seiner angeblichen musikalischen Unzulänglichkeit, bei Willi Hohl keine Spuren hinterlassen hatte. Natürlich missgönnten die anderen ihm die pädagogische Alternative. Möglicherweise priesen sie sich nur deshalb als Vollprofi, der auch in zivilen Orchestern Fuß fassen könnte und

Musikschule deshalb nicht nötig hat, weil genau diese Alternative für sie nicht da war. Willi überlegte: Blieb er im Orchester, dann hatte er nur eine Chance, wenn die Orchesterstruktur in Sachsen so bleiben würde: Drei Polizeiorchester in einem Bundesland, das gab es aber nirgends in der BRD. Sehr wahrscheinlicher: Nur ein Orchester überlebt und dann ist das bestimmt nicht das Chemnitzer. Oder aus drei mach eins. Aber dann würden nicht alle übernommen werden. Willi sah da für sich keine Chance. Entscheiden würde das dann der „Vornehmer" als Orchesterleiter oder ein Vorspiel, auch da würde der „Vornehme" federführend sein. Willi war sicher, er konnte spielen, wie er wollte. Aber ihn würden sie niemals nehmen. In Leipzig und Dresden waren auch gute Leute, er hatte keine Chance. Abgesehen davon, hätten die lieber Kuno Wimmerzahn genommen, als ihn, schon aus Prinzip. Also bewarb er sich an der Musikschule. Er hatte damals gesagt, nach zehn Jahren Polizei komme ich und jetzt waren die herum und zum Schuljahr 91/92 könnte er anfangen. „Ok, wir freuen uns", sagte man erstaunlicherweise. Willi schrieb eine formlose Bewerbung bekam eine Zusage und freute sich: Wenn das Orchester aufgelöst werden würde, hätte er seinen Trumpf. Wenn es in sichereres Fahrwasser ginge, könne er die Bewerbung immer noch zurücknehmen. Bis dahin würde er schön Kasse machen, von Polizei und Musikschule. Der Plan ging aber nicht ganz auf. Anfang Dezember kam die Info des Musikschulleiters von Wernau: „Sofort am 1. Januar 91 anfangen,

Einstellungsstopp steht bevor." Also ging Willi zum Vornehmen und überreichte ihm die Kündigung. Der schaute auf. „Jetzt sind wir nicht mehr spielfähig ohne 1. Altsaxofon." Willi: „Es gibt sicher genug, die den hohen Anforderungen eines Berufsorchesters gerecht werden." Der Vornehme hob die Brauen: „Würdest du denn als Aushilfe zur Verfügung stehen?" Willi empfahl, erstmal die anderen zu fragen, ob sie denn einverstanden seien. Vor allem der Wimmerzahn hätte bestimmt ernste Bedenken, was die Qualität betrifft. Der Vornehme winkte ab. Noch zwei Wochen hatte Willi Polizeidienst. Man sah sein Gehen nicht wie das eines Trompeters als Verbesserung. Der ging an ein Theater, hatte allerdings schon zu DDR-Zeiten vorgespielt, wohl wissend, dass er unter heutigen Umständen die Stelle nicht bekommen hätte. Bei Willi sagte man: „Der hat die Nerven verloren." Man traute ihm eine Stelle im zivilen Bereich einfach nicht zu. Besonders Hans wiederholte immer wieder: „Der macht einen Fehler." Klar, dem lief der Goldesel weg. Immerhin eine Mugge im Monat hatten sie noch, irgendwelche Familienfeiern und Silvester spielten sie auch. Diesmal spielte Willi das Deutschlandlied komplett, jetzt war es ungefährlich: „Wessen Brot ich esse, dessen Lied ich singe." Am letzten Tag gab Willi seine Instrumente ab. Er hatte sich schon aus dem Fundus der Musikschule das Beste für sich rausgesucht. Er verwaltete inzwischen alle Holzblasinstrumente der Zweigstelle Muhtdorf, auch hier war viel Schrott aus DDR-Zeiten. Allerdings hatte das Jugendorchester einen Fördermitteltopf anzapfen können und da war die

Frage, drei teurere, sehr gute Klarinetten oder für das gleiche Geld elf "Amatiklarinetten" aus Tschechien. Dann könne man den DDR- Schrott ausrangieren. Anders gesagt: drei Mercedes oder elf Skoda und dafür die PKW-Trabant verschrotten, bis auf fünf einigermaßen fahrbereite Exemplare, auf Kosten der durch die Verschrottung gewonnen Ersatzteile. Willi entschied sich gegen die Mercedes PKW. Natürlich mussten die "Amatiklarinetten" alle ab Werk neu gepolstert werden, aber das übernahm Willi zum Großteil selbst. Ein Vorruheständler des Polizeiorchesters, der in Chemnitz wohnte und in Klingenthal ein Wochenendhaus hatte, welches er regelmäßig aufsuchte, besorgte aus Tschechien die Polster.
Die Entscheidung war nicht gut, denn zehn Jahre später verurteilten neue Kollegen der Musikschule, die damals noch selbst die Schulbank drückten, diesen Schritt. Der Hohl hat nur Schrott gekauft hieß es. Damals waren alle froh, dass sie ihre DDR-Klarinetten abgeben konnten.
Dann kam der allerletzte Tag im Polizeiorchester. Die Polizei kündigte ihn, damit er, falls mit der neuen Arbeit was schief gehen sollte, Arbeitslosengeld bekommen würde. Ansonsten gab es ja bei Selbstkündigung eine dreimonatige Sperre. Er erhielt auch das Angebot, in einer Wachfirma anzufangen. Die gehörte dem ehemaligen Polizeichef, vor dem Willi oft gespielt hatte. Die wussten nicht, dass er von selbst gegangen war. Nett, Willi war gerührt, die Firma sorgte für ihre ehemals treuen Mitstreiter. Am letzten Tag ging der, der zuerst im Westen war, ein aufdringlicher Kerl,

Willi auf den Keks. Er sollte unbedingt einen ausgeben. Warum? Willi dachte gar nicht dran. Die würde er hier nie wiedersehen, schwer zu glauben, dass die ihn als Aushilfe tatsächlich einkaufen würden und da gab es ja wirklich genug andere und bessere. Der Kerl wurde ungemütlich. „Einen ausgeben musst du, dazu bist du verpflichtet." Wollte er Willi noch eins drüberziehen? „Halt die Fresse du Vogel." Antwortete Hohl. Tatsache, jetzt kam der Vogel mit einem Besen in der Hand auf ihn zu. Aber der Fettsack stolperte, fiel der Länge nach hin und greinte „Warte du Verbrecher." Willi haute einfach ab, obwohl die Probe noch nicht zu Ende war, hatte dann aber doch Angst vor der eigenen Courage. Was, wenn die ihn anzeigen würden, wegen Körperverletzung? Aber nichts passierte. Jetzt würde der raue Wind des zivilen Lebens um seine Nase wehen und das im Kapitalismus. Dutzende Hochschulen spuckten jährlich hervorragend ausgebildete Leute auf den Markt. Wann würde der erste Willi Hohl angreifen? Immerhin, über vier Jahre war er jetzt schon in Muhtdorf. Sein „Ruf" schien hier noch nicht angekommen zu sein.

Eigentlich hatte Willi im Sommer 90 in den Urlaub fahren wollen, er hatte auch eine Italienrundreise gebucht, noch vor der Währungsunion auch angezahlt. Da es noch keine Reisebüros gab, hatten die einfach einen Wohnwagen bei der Zentralhaltestelle aufgestellt. Willi fragte nach Nebenkosten: „Wenn du in den Puff gehen willst, musst du ein paar Mark mehr mitnehmen", sagte der Verkäufer laut im übervollen Wohnmobil und

lachte über seinen gelungenen Witz. Als er eine Woche vor Reisebeginn die Unterlagen holen wollte, teilte man mit, dass die Reise wegen Nichterreichen der Mindestteilnehmerzahl ausfällt. Man versprach, die Anzahlung auf sein Konto zurückzubuchen. Wenig später kam ein Brief: „Die Reise muss wegen mangelnder Hotelkapazität ausfallen, das Geld würde man zurück überweisen, bis auf eine Bearbeitungsgebühr von 5 Mark. Man bedauerte außerordentlich, höhere Gewalt. Gerichtssand so und so." Jede Wette, das war Absicht. 10 000 Reisen so verkauft, im Osten kein Problem, 50 000 gewonnen.
Die Alte in der Wohnung unter ihm lernte den Kapitalismus auch von seiner besten Seite kennen. Zwei junge Männer erzählten eine mitleidige Geschichte von Schwierigkeiten ehemaliger Straftäter, zu denen sie leider auch gehören. Es ging um eine Unterschrift für die Gründung eines wohltätigen Vereines für ehemalige Häftlinge. Sie hatten auch bei Willi geklingelt, aber er hatte die Unterschrift verweigert. Er lauschte im Treppenhaus. Die gleiche Leier, perfekt auswendig gelernt, jede Betonung gleich. Die Alte unterschrieb und wurde stolzer Bezieher einer recht teuren Illustrierten im Rahmen eines Jahresabos. Als die erste Zeitung kam, die sie ja nicht erwartet hatte, war die Einspruchszeit rum. Die Alte wollte nicht zahlen, ruck zuck stand der Gerichtsvollzieher vor der Tür. Der bedauerte, die Hintergründe kannte er nicht, er mache nur seine Arbeit. Die Alte drohte mit hochrotem Kopf, wenn er noch mal kommt, lässt sie ihn freundlich rein und sticht dann das

Messer in die Rippen. Dann kann er nicht mehr sagen, er mache nur seine Arbeit. Und wer eine solche „Arbeit“ macht, muss immer damit rechnen, eins auf den Deckel zu bekommen. Immerhin bekam die Alte eine Anzeige, wegen Bedrohung einer Amtsperson, aber sie starb vorher an einem Herzinfarkt.
Interessant war auch ein Supermarkt, ganz in der Nähe, der Anteile verkaufte, in Form von Marken, wie der Konsum zu DDR-Zeiten. Als genug Geld gesammelt war, verschwand der Supermarkt über Nacht. Solche logistischen Fähigkeiten hatte die DDR nicht, niemand hatte damit gerechnet. Mit dem Markt waren auch die Anteile weg. Auf einmal hatten die Werkstätten auch Reparaturkapazitäten, aber die mussten noch viel lernen. Beinahe hätte Willi auf dem Weg zu so einem Betrieb sein Leben eingebüßt. Er stand an einer der jetzt zahlreichen Baustellenampeln, die die Straße einspurig machte hinter einem Bus. Ein Bus kam entgegen und gab Lichthupe, Willi dachte, das ist das Zeichen zu fahren: Der Bus grüßte aber nur den Kollegen des Buses der vor ihm stand. Willi gab Gas. Der Busfahrer dachte nun, Willi habe die Frechheit, ihn in der Baustelle noch vor der Straßenverengung zu überholen und gab seinerseits Gas. Mit ach und krach kam Willi an dem laut hupenden Bus vorbei, schaffte es nicht ganz und bretterte in eine Pfütze. Die wartenden an der Haltestelle in Gegenrichtung bekamen den Schlamm voll ab. Gekreische. Willi flüchtete, die hätten ihn bestimmt verprügelt. Der Busfahrer stieg aus und drohte hinterher. Gut, so konnte ihn keiner verfolgen, da er die

nachfolgenden Fahrzeuge blockierte. Willi bretterte mit 120 durch das Dorf und flüchtete. Lieber später von der Polizei aufgesucht und bestraft wegen Fahrerflucht als sich dem Mob aussetzen. Vielleicht konnte er dann vor Gericht den wahren Ablauf erklären. Aber nichts passierte, die hatten sich wohl doch nicht seine Nummer gemerkt, oder die Polizei war überlastet. So einfach konnte man zum Straftäter und „Unfallflüchtigen" werden. Heinrich, sein ehemaliger Duopartner, hatte weniger Glück. Der saß im stehenden Trabant und wurde von einem LKW überrollt, tot, einfach so. Glück hatte Willi auch ein weiteres Mal. Er hielt bei Regen ordnungsgemäß an einer Ampel und fünf Fahrzeuge auf ihm drauf. Der Trabant hinter ihm rauchte mächtig, bei Willi hatte einfach die Hängerkupplung alles abgefangen. Er hatte es eilig, wollte zum Unterricht, sagte: „Bei mir ist alles ok und haute ab." Eigentlich sicher auch Fahrerflucht, aber auch diesmal passierte nichts. Aber Willi war auch Opfer, ein Fahrradfahrer kam zu schnell die Kurve rein und krachte an Willis stehendes Auto. Spiegel defekt, Delle, Kratzer. „Das tut mir leid um ihr Auto", sagte der Fahrer und haute seinerseits einfach ab. Einmal entdeckte Willi, als er am nächsten Tag loswollte, dass ein Rücklicht des Autos demoliert war. Unerklärlich, er stand mit dem Heck zur Hauswand. Erst später fiel ihm ein, dass er das Auto am Vortag an einem steilen Hang geparkt und mit einem Holzstück gesichert hatte. Als er losfuhr, wunderte er sich, dass das Holzstück nicht mehr am Auto war. Logisch, da war einer aufgefahren und hatte sein Fahrzeug hochgeschoben. Er fuhr noch einmal zu der Straße und klingelte beim einzigen Grundstück in der Sackgasse. Ein älterer Mann machte auf. Er bestritt die Tat nicht, aber was kann er dafür, wenn die Stadt nicht streut. Er ist mit seinem Lada dann rückwärtsgefahren, wegen Hinterradantrieb und hat Willis Auto nicht gesehen. Er könne gern die Polizei holen, aber wer ohne Standlicht im Winter parkt, ist selbst schuld. In aller Demut zeigte Willi auf die Laterne vorm Haus. Dennoch im Winter, bei Nebel hat man das Parklicht immer anzumachen. Wenn er jetzt nicht sofort geht, dann ruft er die Polizei und sagt Willi ist „ihm" an das Auto gefahren. Er kennt genug auf dem Dorf, die das bezeugen. Willi haute ab, mal Täter, mal Opfer. Sein Moped wurde auch geklaut, als er es September 90 nach dem Unterricht antreten wollte, trat er ins Leere. Nur noch Rahmen und Räder waren da. Er parkte vor einem Wohnheim für, nun nicht mehr gebrauchte, ausländische Gastarbeiter. Todsicher, die Vietnamesen, die an dem Tag nach Hause zurückmussten, hatten sich noch mit Ersatzteilen eingedeckt, frech, am helllichten Tag. Warum Willi die Polizei nicht holte? Er wusste es selbst nicht. Nach seiner Spritzfahrt durch die Pfütze machte der Reifendienst Theater, die Reifen sind vorher zu reinigen. Sauerei. Nun gab es Reifendienste wie Sand am Meer und Willi wollte wieder wegfahren, da hielt ihn der Meister zurück. Man wollte eine Ausnahme machen. Er meckerte die ganze Zeit und bekofferte ihn. Als Willi dann kein Trinkgeld gab, drohte er zu explodieren. Die waren tief gesunken, hatten ein herrliches Leben in der DDR gehabt, die

Herren Handwerker, samt roten Teppich und Trinkgeld. Jetzt mussten die Rabatte geben, um die Kunden zu gewinnen. In der alten Zeit lebte auch noch der Trabantschlosser, der jetzt Suzuki verkaufte. Nur mal so interessierte sich Willi für einen Kleinbus. „Wollen Sie einen haben, dann machen wir einen Vertrag, dann müssen wir einen bestellen, der kommt dann in 16 Wochen, Sie machen eine Anzahlung. Ihren Wartburg wollen Sie in Zahlung geben? Wir entsorgen ihn, kostet Sie noch mal 400." Willi hatte genug gehört, 1990 war die Zeit noch nicht reif für einen Autokauf im Osten. Auch bekam Willi einen Anruf von der Alten von Guth, ihr Sohn wolle sie mal besuchen, es wäre etwas sehr Schönes. Willi war gespannt. Der Sohn kam in großkotzigen Audi 100, sieh her ich habe es geschafft, das kannst du auch haben, wenn du es machst wie ich. Er empfahl Geldanlagen, Festschreibungen und ähnliches. Willi wollte nicht sein Geld auf fünf Jahre festschreiben, denn wer weiß, was bis dahin war. Der Golfkrieg stand vor der Tür, vielleicht würde sich dann eine Inflation ergeben und dann wäre das Geld, an das er nicht herankäme, fort. Willi gab Guths Sohn, der bis zur Wende bei der Stasi war und sich nun als Finanzjongleur betätigte, die Adresse vom „Halben Hirn". Der hatte keinen Pfennig, weil seine Alte immer mal 1000 Mark an ihre kinderreichen Geschwister verschenkte. Willi ließ sich jedenfalls nichts aufschwatzen, die Alte von Guth zeigte sich schwer enttäuscht. Pech für sie, auch für die war die Zeit abgelaufen.
So begann er Licht und Schatten im Kapitalismus

kennenzulernen. Sicher, Baustellen und Unfälle gab es auch zu DDR-Zeiten, aber jetzt fuhren dreimal mehr Autos, auf einem völlig maroden Straßensystem. Das hatte auch die neue Regierung erkannt und so wurde gebaut, gebaut und gebaut. Die ewigen Baustellen und Dauerstau nervten und so war die Gefahr, in einem Unfall verwickelt zu werden, eben besonders groß. Licht und Schatten gab es auch bei den beiden Kurzreisen, die er nach dem geplatzten Italientrip Sommer 1990 buchte, wobei es schon mal goldig war, dass er überhaupt reisen durfte. Es war ein ausgemusterter Bus, den das Unternehmen als Reisebüro nutzte. Willi buchte kurzfristig, um sicherzugehen, dass die Mindest-teilnehmerzahl auch erreicht ist. Die Reise begann früh 03.00 Uhr. Der Bus stand tatsächlich bereit. Willi war mit dem Moped zum Abfahrtsort gekommen, Straßenbahnen fuhren noch nicht um die Zeit. Willi ergatterte einen Fensterplatz. Wenn schon denn schon, dann wollte er auch was sehen. Auf der anderen Busseite saß auch ein junger Mann allein und ein Ehepaar wollte zusammensitzen. Der andere dachte gar nicht daran seinen Fensterplatz aufzugeben und Willi büßte den seinigen ein. Der dümmere gibt halt nach. Dann ging es los in den Ort Pfunds nach Österreich. Der eingebüßte Fensterplatz war schon schmerzhaft, denn Willi saß ziemlich weit hinten und konnte so auch die Windschutzscheibe nicht nutzen. Der frühe Aufbruch bewahrte vor Stau. In Garmisch war der erste Stopp und Willi war begeistert von der Bilderbuchwelt der Alpen. Am liebsten wäre er geblieben. Wenn er mal ein richtiges Auto haben sollte, ein westliches Modell, bei dem man nicht ständig Angst haben muss, dass es stehen bleibt, dann würde er mal privat hierherfahren, ein Zimmer nehmen und sich jeden Tag etwas anderes anschauen. Was hatten die Wessis doch für Glück, dass sie nicht unter die Fuchtel der Sowjets gekommen sind. Wenn Willi hier geboren worden wäre, wäre er sicher nie auf die Idee gekommen, Musiker zu werden, so wie ein im Mittelalter lebender sein Talent als Autorennfahrer auch nicht hätte zur Anwendung bringen können. Möglicherweise wäre er Busfahrer geworden oder Koch in einer Imbissbude und hätte in der Freizeit musiziert und dann reisen, mobil sein, kein Ersatzteilmangel. Wieviel Zeit seines Lebens hatte er auf der Jagd nach Mangelwaren verbracht, oder vergeudet, mit vorzeitigem losfahren zur Veranstaltung, immer die Angst im Nacken: Das Auto könnte stehen bleiben. Als er mit der Bergkapelle das erste Mal im Westen war, gab es in einem Gasthof ein gemeinsames Mittagessen. Schweinebraten mit Knödel. Willi kotzte ab, das fette eklige Zeug von Armee und Schülerverpflegung vor Augen, dazu die Gummibälle von Klößen. Er wollte erst gar nicht mitessen, tat es aber dann doch und war überrascht. Hauchzarte, rosige auf der Zunge zergehende Fleischscheiben, eine Soße, die erkennen ließ, dass der Soßenkoch der wichtigste Mann ist und Klöße, die Willi eher als Speckknödel bezeichnet hätte. Er war begeistert. Hier im Westen empfand man es als Güte der Natur, dass es so eingerichtet war: Man konnte drei Mal am Tag essen. Im Osten war Essen ein

notwendiges Übel, was von der Erfüllung der Hauptaufgabe dem Aufbau und Schutz des Sozialismus ablenkte. Und wie ging es den Arbeitern im Westen? Als er später mit verschiedenen Orchestern gastierte, waren sie auch in Fabriken, in denen der Arbeiter ausgebeutet wird. Alles topsauber, man konnte vom Fußboden essen, modern und durchorganisiert. Was anderes als die Dreckschleudern im Osten. Sicher gab es da auch Vorzeigebetriebe, die dann der Westen aufkaufte, um sie platt zu machen, sich quasi die Konkurrenz vom Hals schaffend, so sagten die „Linken“. Willi hatte leider solche Betriebe nie gesehen. Aber er kannte Betriebe vom Unterricht in der Produktion und Gisag in Leipzig: die Gießereiwerke, wo sogar der mit den Kommunisten sympathisierende Großvater gesagt hatte: „Die produzieren wie vor 100 Jahren.“ Willi kannte Böhlen, Espenhain und Borna, wo man sich die Nase zuhalten musste, bei der Durchfahrt. Auch die Arbeiterklasse hatte sich von dem Roten bildhübsch verarschen lassen. Aber die SED war frech trat 1990 mit ihren Kadern schon wieder an: Für soziale Gerechtigkeit, gewandelt zur PDS. Da staunte Willi über die Toleranz der neuen Machthaber. Eigentlich hätten die als verfassungsfeindlich verboten werden müssen, wie 45 die Nazis. Gut, da war die BRD damals auch eigentlich nicht konsequent gewesen. Aber eine totale Gerechtigkeit wird es wohl nie geben und wenn der Mensch die Macht in seine Hände bekommt, dann nutzt er sie aus, er ist eben Egoist. Auch Willi Hohl war das.
Der zweite Zwischenstopp war in Innsbruck. Der

Fahrer fand keinen Parkplatz und ließ sie einfach am Straßenrand raus. Ein Linienbus stoppte auf gleicher Höhe und der Fahrer des Linienbusses versuchte den des Reisebusses mit Zeichen zum Wegfahren zu bewegen. Nun konnte der nicht sofort los, weil die Leute noch ausstiegen. Der Linienbusfahrer griff zum Telefon, wohl die Polizei anrufend. Immerhin nach drei Stunden war der Reisebus wieder an der vereinbarten Stelle. Drei Stunden war Willi durch Innsbruck geschlendert, noch vor einem Jahr undenkbar und ließ die Eindrücke auf sich wirken. Gegen Abend waren sie in Pfunds, einem idyllischen Ort, bezogen Quartier und aßen Abendbrot. Leider wurde nichts aus dem gebuchten Einzelzimmer, er musste sich mit dem Busnachbarn ein Doppelzimmer teilen. Er bekam am nächsten Tag den Einzelzimmerzuschlag vom Busfahrer, hätte aber gern drauf verzichtet, lieber etwas mehr bezahlt, allemal besser als mit einem die ganze Nacht schnarchenden Kerl im Ehebett. Nach einer durchwachten Nacht war dann am Vormittag frei. Willi durchwanderte den Ort, ließ das dörfliche Leben eines fremden Landes auf sich wirken und saß dann auf einer Bank im Schatten. Dann gegen Mittag ging er in das Hotel zurück. Niemand kümmerte sich, erst mittags kam der Busfahrer, lotste sie zum Essen und entschuldigte sich. Er habe sich nach Ankunft hingelegt nach der langen Fahrt und hätte die Nacht bis jetzt durchgeschlafen. Willi wusste nichts von Lenkzeiten. Das Busunternehmen aber scheinbar auch nicht. Fakt war, 04.00 Uhr waren sie in Chemnitz losgefahren, der Bus kam aber schon von

Dresden. Dann saß der Fahrer bis auf die Pausen in Garmisch und Innsbruck ununterbrochen auf dem Bock. Was Willi nicht wusste, der Fahrer war vor der Abfahrt erst gegen Mitternacht in Dresden angekommen, von Pfunds mit der vorherigen Reisegruppe. Hatte also praktisch 36 Stunden das Lenkrad bedient. Auch das war wohl der Kapitalismus. Die Konkurrenz untereinander zwang die Reiseunternehmen, so billig wie möglich anzubieten. Der Busfahrer, sprich Arbeiter, musste es ausbaden. Sieger war der, der nicht erwischt wurde, am geschicktesten Schmu machte. Also doch lieber die DDR? Am Nachmittag war der Busfahrer wieder fit, hätte man denken können und ein Ausflug ins Dreiländereck Samnaun stand an. Der Busfahrer spielte den großen Max, der sich auf Europas Straßen auskennt, prahlte mit seinem fahrerischen Können auf engen Bergstraßen. Oje, oje jammerte er vor der steilen Kurve und dann klatschten alle Beifall, bis er dann doch mit dem Arsch seines Busses an einem Geländer fest hing. Natürlich war der ihm Entgegenkommende schuld, der ihn zum Ausweichen gezwungen hatte und der war auch noch weitergefahren. Der Schaden hielt sich in Grenzen, der hintere Buseingang und das WC waren nicht nutzbar. Dass da ein WC war, das hatte der Busfahrer nicht angesagt. Die Ossis kannten so was nicht und was nicht benutzt wurde, dass brauchte er auch nicht zu reinigen. Nach der Unfallpause ging es weiter, wieder sagte der Busfahrer „Oje, oje“, vor der Kurve, aber diesmal klatschte keiner mehr und der Fahrer hörte auf, den unschuldigen lustigen Burschen zu mimen. Er hatte inzwischen auch andere Interessen, denn als Willi den Schnee im Sommer bestaunte, bestaunte er eine mit den Eltern mitreisende junge Dame, ca. 20, mit der er dann am Abend schon Hand in Hand ging. Das Girl war jung und hübsch. Der Fahrer mit Glatze mindestens 40. Er hatte gerade gezeigt, dass er nicht auf der Siegerseite stand beruflich, warum hatte er sonst so einen Höllenjob angenommen. Aber bei den Weibern hatte er wohl mehr Erfolg als im Beruf. Am nächsten Tag kam er erbost zum Frühstück: Sein Chef habe ihn einen Nichtskönner genannt. Dann ging es zurück. Das neue Mäuschen des Fahrers übernahm jetzt die Pausenversorgung, kochte Kaffee und machte Wiener warm. Der hinter Willi sitzende rauchte ungeniert seine Zigarren, die Pausen waren ihm zu selten, es stank bestialisch. Als einer was sagte, reagierte der barsch: „Nicht meine Schuld. Sagen Sie dem Busfahrer, er soll mehr Pausen machen.“ Alle kuschten und saßen weiter im Gestank, niemand machte Anstalten, dem die Zigarre wegzunehmen, auch Willi nicht, der das Pech hatte, am meisten von dem Qualm abzubekommen. In München stieg der junge Chef zu. Der tobte vor dem Busfahrer und eine Zeit lang sah es aus, als ob er ihm eine kleben wollte. Als der Busfahrer ausstieg und das Parkticket holte, sagte er zur Reisegruppe: „Die Fahrt nach Dresden noch und dann wird die Pfeife entlassen.“ Der Busfahrer sagte dem Rest der Reise kein Wort mehr. In München versuchten sie, den Bus zu reparieren. Es war wohl strafbar, mit nur einer funktionierenden Tür zu fahren. Die Tür bekamen sie nicht hin, aber der Aufenthalt in München war ein paar Stunden länger, was Willi großartig fand. So konnte er das Flair der Weltstadt länger genießen. Die anderen Reisenden waren gar nicht begeistert, denn statt 23.00 Uhr kamen sie erst gegen 02.00 Uhr in Chemnitz an. Da fuhren natürlich keine öffentlichen Verkehrsmittel mehr, der Busnachbar von Willi kotzte ab, er musste paar Stunden auf den nächsten Zug warten oder sich ein Taxi nehmen. Früher gab es keine, jetzt standen sie und warteten auf eine Kundschaft, die kein Geld hatte oder es nicht für ein Taxi ausgeben wollte. Willis Busnachbar schadete es nichts. Man konnte nicht immer Gewinner sein, immerhin hatte er die ganze Zeit am Fenster gesessen. Er konnte doch den eingesparten Einzelzimmerzuschlag nehmen, um das Taxi zu bezahlen, er hatte doch gut geschlafen, auch im Doppelzimmer. Willi ging schnell zum Moped, nicht, dass der noch auf die Idee kam, von ihm heimgefahren zu werden. Tatsächlich nachte er eine Bewegung, Willi solle anhalten. Der konnte ihn mal, den Kerl würde er nie wiedersehen. Zu Hause merkte er dann, er hatte seine Jacke vergessen, mit der hatte der Busnachbar gewinkt, fiel ihm im Nachhinein ein. Die zweite Fahrt, ein paar Tage später, mit dem gleichen Unternehmen, sollte nach Verona zu den Opernfestspielen gehen. Wieder war 04.00 Uhr Abfahrt mit dem Bus, der wieder nach Pfunds fahren würde. Aber diesmal gab es einen anderen Fahrer, der Chef selbst lenkte. Der alte war tatsächlich entlassen, wie der Chef verächtlich zu Willi sagte. In Nürnberg stieg er in einen anderen Bus um, nämlich in den nach Verona, die Reisegruppe bestand nur aus Wessis. Hier war das

WC geöffnet und ein Boy brachte Kaffee und Imbiss, der wurde ordentlich gescheucht, regte sich dann auch auf, dass Paare ihn immer wieder "anpipsen", anstatt zusammen zu bestellen. Willi saß am Fenster allein, gerade als sie den Brenner erreichten, Bella Italia, machte der hinter ihm die Jalousie runter, wumm, der nächste folgte. Die Opernfans hatten die Reise schon oft gemacht und wollten keine Sonne, auch die Fahrerin machte an der Frontscheibe dicht. Sie saß unten, die Gäste oben, Willi sah nichts. Toll, aber nicht zu ändern. Sie standen stundenlang im Stau und dann passierte auch hier ein Unfall, ein LKW mit aus der Ladefläche quer herausragender Schaufel krachte mit dem Stil in die Frontscheibe des Busses, die jetzt einen großen Riss hatte. Ewiges Warten, Polizei und diskutieren. Die Busfahrerin, eine selbstbewusste Blondine, die sehr aggressiv fuhr, traf wohl keine Schuld, denn als Willi am nächsten Tag wieder in Nürnberg ankam, beglückwünschte sie der Chef: Ganz groß! Es war wohl schon ein Riss in der Scheibe, der beseitigt werden musste und den bezahlte jetzt die Versicherung. Jedenfalls kamen sie durch Unfall und Stau sehr spät im Hotel an, in 30 Minuten sollte es zur Arena gehen. Die Reisegruppe protestierte, aber die Busfahrerin konnte sich auf nichts einlassen. Sie gingen zur Rezeption die Schlüssel hohlen. Willi war gar nicht registriert. Er klopfte an der Tür der Busfahrerin. Die war erbost. Er solle warten, sie habe keine Zeit. Willi saß in der Rezeption, dann kam die Busfahrerin und lief zum Bus. Demütig fragte Willi nochmal an, aber die ließ ihn links liegen. Es ging nach Verona. Willi war jetzt auch leicht aggressiv, er machte das Rollo an seinem Platz hoch, um wenigstens jetzt was von Belle Italia sehen zu können. Rums, machte der hinter ihm es wieder runter. In Verona waren Massen von Reisebussen. Sie bekamen die Eintrittskarte und wurden aus dem Bus gelassen. Die anderen, durchweg ältere, waren wohl alles erfahrene Arenabesucher, denn die wussten, was sie zu tun hatten. Willi machte alles wie sie, er kaufte ein Kissen und eine große Flasche Wasser. Richtig war das, sie saßen auf harten Steinstufen, und das wäre bei der stundenlangen Vorstellung ohne Kissen gar nicht möglich gewesen. Bald schon wurde der Durst in dem heißen Hexenkessel unerträglich. Wenn Willi nichts mitgebracht hätte, hätten die zahlreichen durch die Reihen wandernden Händler bei ihm auch eines ihrer sündhaft teuren Getränke verkaufen können. Neben ihm saßen zwei ältere Frauen, auf der anderen Seite eine italienische Familie mit zwei Kindern von vielleicht 15 und 17, die sich in den Pausen lautstark unterhielten. Willi sah zu, immer jemanden von der Reisegruppe im Auge zu haben, um dann den Bus wieder zu finden. Er war nicht so aufdringlich, sich daneben zu setzen. Die Vorstellung begann, „Carmen“ wurde gegeben. Alles war ganz leise, aber dennoch sogar die Sologeige war gut zu hören. In der Pause beobachtete er die Italiener. Eine normale Familie, aus Sicht der DDR-Kapitalisten, Verbrecher, denn wer sonst könnte sich so ein teures Ticket leisten. Aber der Mann sah aus wie ein Lehrer oder Buchhalter, die Kinder gingen sicher noch zur Schule. Fünf Stunden saßen sie nebeneinander, dann würden sie sich nie wiedersehen. Was wohl aus ihnen geworden ist? Die Vorstellung war anstrengend, Willi war übermüdet und er musste alle Kräfte mobilisieren, um nicht einzuschlafen. Endlich war Schluss. Alle strömten zu den Bussen und Willi hatte seine Mühe, die Reisegruppe nicht zu verlieren, nie hätte er den Bus gefunden. Im Hotel strömten alle in ihre Zimmer. Die Busfahrerin schnauzte ihn barsch an: Warten Sie, bis ich den Bus geparkt habe. Willi setzte sich ins Foyer des Hotels, wurde aber bald vom nicht Deutsch sprechenden Personal verjagt. Die dachten wohl, er wollte hier pennen, ein Obdachloser. Dann kam die Busfahrerin, sie rollte mit den Augen. Willi war ihr eine Plage. Sie hatte Verantwortung, auch sie kam zu wenig Schlaf und musste morgen wieder den ganzen Tag fahren. Willi bat, im Bus übernachten zu dürfen. WC, Wachbecken, alles da. Die Busfahrerin diskutierte mit der Rezeption, dann kam er in eine Art Besenkammer, wo die Reinigungskräfte ihr Zeug lagerten. Hier war ein altes Sofa. Willi musste es erst freiräumen und dann konnte er hier schlafen, wie ein Stein. Er benutze die öffentliche Hoteltoilette, dort waren auch Handtücher, ordentlich duschen konnte er nicht, er sah dementsprechend aus. Nach dem Hotelfrühstück, hier gab es Einmanntische, ging es zurück. Jetzt war die Sonne auf der anderen Seite, aber sie fuhren in die andere Richtung. Wieder war das Rollo zu. Die anderen mieden ihn. Klar, er war unrasiert und ungepflegt. Mittagspause war am Gardasee, mit Essen. Willi gab vor, keinen Appetit zu haben und wanderte ein bisschen umher, bis der

Bus wieder abfuhr. Er wollte nicht mit den anderen am Tisch sitzen, gleich gar nicht mit der Busfahrerin. Außerdem war es ihm im Restaurant zu teuer. Im Bus wollte er dann was essen, hier waren die Preise ziviler. Aber ihm wurde gesagt, es wäre gerade Pause gewesen. Wegen einem wird die Bordküche nicht geöffnet. Immerhin gab es Kaffee. Dann in Nürnberg umsteigen in einen anderen Bus. Es war schon dunkel, gut, denn er sah jetzt noch furchtbarer aus. Unrasiert, ungewaschene Haare. Er war froh, dass er wieder zu Hause war. Das waren Willis Reisen 1990, mit denen er begann, die neue Freiheit für sich zu entdecken. Die nächste war dann als Aushilfe mit dem Blasorchester Muhtdorf nach Aalen. Willi war direkt nach dem Unterricht gebeten worden, mitzufahren, da kurzfristig Klarinettisten ausgefallen waren. Willi staunte, dass man ihm das zutraute. Er war nicht vorbereitet, bekam eine Orchesterkleidung verpasst und kaufte Zahnpaste, Zahnbürste und „Wegwerfrasierer." Dann stieg er in den Bus zu den Jugendlichen, er hatte kein gutes Gefühl. Er spürte die Blicke: Was ist denn das für einer? Er hatte auch den Eindruck, dass die Schüler sich schämten sagen zu müssen: „Bei dem bin ich im Unterricht." Oder war das nur Einbildung? Bisher hatte er die immer nur einmal die Woche für 45 Minuten gesehen und sich nie Mühe gegeben, über den Unterricht hinaus eine Art Lehrer-Schüler-Beziehung aufzubauen, quasi als sozialen Kontakt. Er freute sich, wenn die Leute gut spielten. Der andere noch verbliebene Klarinettenlehrer in Muhtdorf rauchte im Unterricht Zigarre und ging in

jeder Pause runter ein Bier trinken. Mit dem konnte er mithalten. Bevor er Ärger mit den nach der Wende gültigen strengeren Richtlinien bekommen konnte, verstarb er 50-jährig .
Jedenfalls fühlte sich Willi nicht wohl im Jugendbus. Neben ihm saß ein Trompeter, ehemals Berufsmusiker in einem Armeeorchester, welches mit der Wende auch aufgelöst wurden Der stammte aus Muhtdorf, war hier groß geworden und hatte im besagten Orchester seine ersten musikalischen Schritte getan. Er wurde allgemein bewundert: „Der ist Berufsmusiker!“ Eine Ehre, die Willi nicht zu Teil wurde. Erstmalig ahnte er, wenn er hier hauptamtlich anfangen würde, war es nur eine Frage der Zeit, bis es wieder Ärger geben würde. Im Bordkino lief ein Videofilm: „Dirty dancing“, hübsche, junge, durchtrainierte Menschen, eine sentimentale Liebesschnulze. Ein grausiger Film, nichts für Willi. Wenigstens verging so die Fahrt. Sie waren privat untergebracht, Willi wurde von einem unwahrscheinlich großen Auto abgeholt, es war aber nur ein Opel und der Fahrer meckerte über Kratzgeräusche bei schnell gefahrenen Kurven: „Das ist nicht in Ordnung, das wird reklamiert und ich nehme bis der Schaden behoben ist einen Mietwagen.“ Willi grinste. Der hätte mal Willis Autos hören sollen, da bumste immer was. Er wäre ja bescheuert, einen Mietwagen zu nehmen wegen eines Geräusches in den Kurven. Er wusste nicht, dass der Mietwagen gratis war. Es waren einfache Arbeiter, bei denen Willi war und dann das große Auto!
Am nächsten Tag fanden Konzerte statt und abends

saßen dann alle bei einem Stadtfest, es war langweilig. Die anderen kannten sich, soffen und quatschen. Mit den beiden Orchesterleitern Rothenberg und Eler hatte er nichts groß zu tun. Die gaben sich mit dem Management der Gastgeber ab, in diese hohen Kreise konnte Willi nicht mit vordringen. Im Prinzip war er froh, als es wieder zurückging. Aber er hatte drei Konzerte gehabt, besser als zu Hause. Ein paar Mal machte er auch in der kleinen Blasmusikbesetzung des Orchesters mit, im Jahre 1990. Ansonsten hatte er keine persönlichen Kontakte, wollte er auch nicht, er war immer misstrauisch. Lieber im Hintergrund sein und nicht auffallen.
Nach nur wenigen Auftritten löste sich auch das Kabarettkollegium von Götz auf. DDR kritische Texte waren nicht mehr gefragt und Robotron Bürotechnik, den Trägerbetrieb, gab es so auch nicht mehr Ende 90. Drei der vier Kabarettisten waren arbeitslos, auch Götz, der hatte zwei kleine Kinder und die Frau war auch zu Hause. Die hatte bei den K.-M.-Städter Verkehrsbetrieben gearbeitet, in der Lohnbuschhaltung, ein ruhiger Posten. Stress war nur in der Mitte des Monats, kurz vor der Lohnzahlung. Da musste sie die Überstunden der Busfahrer berechnen. Jetzt gab es keine Überstunden mehr. Das Liniennetz war ausgedünnt, die Busfahrer waren jetzt froh, dass sie noch Arbeit hatten. Die Leute fuhren Auto. Willi erlebte also schon das zweite Mal, dass ein Kabarett aufgelöst wurde.
Insgesamt war das Jahr 1990 schon sehr bewegend, aber für Willi nicht wirklich negativ verlaufen.

Einem neuen Orchester, wie die Bergkapelle und mehr Unterricht, standen die Auflösung des Kabaretts entgegen und eine Minimierung der Muggen mit Hans. Die Krönung war dann der Ausstieg aus dem Polizeiorchester. Als die ganze berufliche Aufregung vorbei war, so Ende 1990, begann, wie ein böser Schatten, wieder die Marie oder besser ihre Mutter über ihm zu schweben. Nicht als reale, sondern als eingebildete Drohung, aber er empfand die Drohung als real: Eine Anzeige wegen Verführung Minderjähriger und es wäre aus mit der Tätigkeit als Lehrer. Die Angst war wieder anwesend, bei allen Aktionen, immer quasi als unsichtbarer stummer Begleiter. Eine böse selbstschädigende Angelegenheit. Der Freund, der Micha, war noch aktuell. Er fuhr natürlich, sobald die Währungsunion sicher war, einen schmucken Westschlitten. Ende des Schuljahres 89/90 machte sie Abitur, verkündete aber vorher schon: „Ich werde eine Lehre als Bürokauffrau machen, ich will hierbleiben, bei meinem Freund und nicht auswärts studieren.“ Also kein Musiklehrer-Studium in Kombination mit einem anderen Fach. Keine dumme Entscheidung, es herrschte gerade extremer Lehrerüberschuss nach der Wende. Viele Familien wanderten ab, in den Westen, es gab keine Kinder mehr. Als er einmal eine Bemerkung machte, da hätte man sich den Klavierunterricht auch schenken können, reagierte die Mutter prompt: Er solle sich doch jeden Kommentar ein für alle Male verkneifen. Wer Minderjährigen den Wohnungsschlüssel gibt, sollte für alle Zeit vorsichtig sein.“ Nun war die Marie aber nicht mehr minderjährig,

was sollten diese Bemerkungen also? Abgesehen davon kannte er seine Möglichkeiten und hatte nie versucht, ihr hinterherzusteigen. Tatsächlich machte sie 90/91 weiter mit dem Klavierunterricht. Sie kam 45 Minuten am Abend, ging pünktlich wieder und das war gut so. Den Wohnungsschlüssel hatte sie abgegeben, denn sie hatte jetzt ein Keyboard zum Üben. Einmal fragte er sie nach der Lehre. Sie antwortete auch, dennoch kam dann ein Brief von der Mutter: „Keine Gespräche, das ist hier nur Unterricht." Na was denn sonst. Die Tochter kam weiter, zahlte nicht und er hatte nicht den Mut, die Sache zu beenden. Übrigens fragte er nie wieder. Wenn sie wegziehen würde, das wäre das allerbeste. Sie zog aber nicht weg, sondern besuchte den Unterricht bis zum Ende des Schuljahres 90/91. In der vorletzten Stunde verabschiedete sie sich. „Nächste Woche dann das letzte Mal." Da war sie aber krank, kam quasi nie wieder. Sie wechselte dann auch den Freund, wohnte jetzt bei dem neuen direkt im Haus gegenüber. Er konnte quasi in ihr Schlafzimmer schauen. Der war Inhaber einer Kfz-Werkstatt, die gleich in der Nähe war. Wie ging es weiter? Ähnliche Erfahrungen hatte er schon in der Lehre gemacht: Sie grüßte nicht mal, wenn sie sich trafen. Nun hätte er sagen können „Kannst du nicht Guten Tag sagen.", aber er ließ es bleiben. Die Marie war fort, die Angst vor der Mutter und einer Anzeige blieb. Er konnte machen, was er wollte. Die Angst war nicht wegzukriegen. Erst Ende 91 verschwand sie wie nie da gewesen, plötzlich und für immer, aber dazu später.
Und dann begann 1991 mit einem kriminellen

Paukenschlag, mehr oder weniger. Da ab Januar 1991 die bundesdeutschen Versicherungs- und Steuervorschriften galten, hatte Willi ganz schön zu löhnen. Allein 600 Mark für den Wartburg, da war noch nicht mal Kasko dabei. Er würde in der Musikschule aber nur 900 Mark verdienen, bei der Polizei waren es immerhin 1200 plus Zusatzverdienst Musikschule. Letzterer beschränkte sich nun nur auf die fünf Renimdorfer Schüler. Zudem wurden Energie und Mietpreise gewaltig angehoben. Er musste also den Trabant abstoßen. Der fuhr zwar noch, war aber völlig verrottet. Außerdem mussten die in den neuen Bundesländern zugelassenen Fahrzeuge jetzt auch zum TÜV und zwar nach der Endnummer. Willi wäre da März 91 dran. Er war überzeugt, den Trabant nur mit teuren Reparaturen durch den TÜV zu bekommen. Eine Investition, die sich nicht lohnen würde, zumal er noch den Wartburg hatte. Ein neuer Lada wäre für 10000 DM zu bekommen ein ordentliches westliches Modell für 20 000 DM. So wie es aussah, würde das nächste Jahr ein Nullrundenjahr werden, mit Reparaturen, die ja kommen würden und für einen eventuellen Urlaub könnte er nicht sparen. Also musste er den Wartburg noch so lange wie möglich behalten. Zu dumm, dass die das Moped geklaut hatten. Den Trabant fuhr er bis Ende Dezember, wollte ihn vor allem Silvester noch fahren. Da war das Risiko eines Schadens durch Feuerwehrkörper sehr groß. Am ersten Werktag 91 wollte er ihn verschrotten, allerdings hätte er ihn noch für das ganze Jahr mit 400 Mark Haftpflicht versichern müssen. Sicher hätte es auch Versicherungen gegeben, die einen Tagestarif hatten, aber Willi fand niemanden. Die Versicherer waren Privatleute, die sich was dazu verdienen wollten. Ihre Büros waren das Wohnzimmer. Einen Tagestarif bot keiner an, nur ein Jahr im Voraus bezahlen, dann Zurückerstattung nach Abmeldung. Willi hatte kein Vertrauen. Wer weiß, ob die das Geld überhaupt zurückerstatteten und wenn dann sicher erst nach viel Papierkrieg. So entschloss er sich dazu, das Fahrzeug ohne Versicherungsschutz zu fahren. Den einen Tag zumindest. Dann würde er es im alten Jahr auch stillzulegen. Das tat er, fuhr allerdings dann doch nicht Silvester, da Hans fuhr. Am ersten Werktag schraubte er dann die Nummernschilder des Wartburgs an den Trabant und fuhr zum Schrottplatz. Er tat es früh im Berufsverkehr, da war zwar viel Verkehr, aber die Wahrscheinlichkeit, in eine Verkehrskontrolle zu geraten, war geringer als am Abend. Da wäre nun wieder das Unfallrisiko geringer gewesen. Quer durch die Stadt ohne Zulassung und Versicherung: Es ging alles gut. Was hätte es gegeben, wenn er erwischt worden wäre? Fahrverbot? Geldstrafe? Im Falle eines Unfalls sicher Haft, auch wenn ihm einer rein gefahren wäre. Denn eigentlich hätte er gar nicht dort sein dürfen. Er machte die Nummernschilder ab, sagte dem Schrotthändler: „Das Fahrzeug ist hierher abgeschleppt worden“, zahlte seinen Obolus, 120 Mark, für die Verschrottung und fuhr mit der Straßenbahn nach Hause. Wäre noch die DDR, dann hätte er bestimmt noch 10000 für die Karre bekommen. Wäre, hätte…

Kapitel dreizehn

„Den Tüchtigen gehört die Welt, doch die Welt hat zu viele davon.“

Es begann das Jahr 1991. Er war jetzt hauptamtlicher Musikschullehrer in Muhtdorf, einer Zweigstelle der Musikschule Wernau. Sie waren vier Hauptamtler. Ein Zweigstellenleiter, das war bewusster Rothenberg, war auch Stellvertreter der Hauptstelle. Dieser gab Notenlehreunterricht und Musikalische Früherziehung, also spielerisches Erleben von Musik im Kindergarten, quasi die Kleinen schon früh an die Musikschule bindend. Der Kampf um die Seelen hatte begonnen. Durch die vielen nun nicht vermittelbaren Absolventen von den Hochschulen, gab es private Anbieter für Musikunterricht wie Sand am Meer. Außerdem kosteten die staatlichen Musikschulen jetzt auch mehr Geld und die Eltern waren bestrebt, für ihre Sprösslinge Hobbys zu finden, die möglichst nichts kosteten. Es gab wichtigere Ausgaben, zum Beispiel Leichtmetallfelgen fürs Auto. Die staatlichen Anbieter waren natürlich im Vorteil. Sie wurden subventioniert und waren billiger als die privaten. Rothenberg leitete auch das Orchester in Muhtdorf. Früher zu DDR-Zeiten war er Schulmusiklehrer gewesen und das Orchester war ein Pionierorchester der Schule. Die Schwierigkeiten begannen, wie auch in Renimdorf, mit der Wende. Es gab Lehrer, die auf einmal merkten, dass sie

immer schon auf Seiten der Sieger waren. Diese hätten jetzt das den Namen einer nicht mehr existierenden Organisation tragende Orchester (Pionierorchester) gern eliminiert. Nun wollten die denen nicht die Instrumente wegnehmen, wie in Remindorf, aber man nahm dem Dirigenten seine Privilegien. „Kein Klassenlehrer, nur 17 Stunden statt 24." Er musste jetzt, wie alle inzwischen, 27 Stunden Unterricht geben, Pflichten eines Klassenlehrers übernehmen und einen Schulchor gründen. Das wäre nicht gegangen, es gab ein Kinderorchester, das Jugendorchester und die „Erwachsenenband." Also kündigte Rothenberg seinen Job, als inzwischen Gymnasiallehrer und ging für bedeutend weniger Geld an die Musikschule, ein Fehler auf lange Sicht gesehen, denn das Orchester dankte es ihm nicht. Aber zum damaligen Zeitpunkt: „Ich habe es nicht fertiggebracht, das Orchester eingehen zu lassen. Ich hätte mir nicht mehr in die Augen schauen können."
Dem Orchesterleiter in Renimdorf ging es genauso. Er hieß März und wurde von seiner gemütlichen Dorfschule mit zehn Klassenzimmern und zwei Kaffeeküchen an eine große Hauptschule versetzt. Er kam dort nicht zurecht, die Schüler machten ihn fertig und die Natur ließ ihn mit 55 an Krebs sterben. Auch er wurde jetzt Klassenlehrer und Chorleiter. Nun war in Renimdorf das 20 Mann Orchester à la Polka und Walzer überschaubarer als der Riesenapparat in Muhtdorf mit 60 Mann Jugendorchester und 20 Mann Kinderorchester, mit Probenwochenenden, Satzproben bei denen große

Werke einstudiert wurden, wie „Finlandia“ von Sibelius. Rothenberg hielt alle Fäden in der Hand, wie auch die der kleinen Besetzung, die aber auch nur Polka und Marsch spielte. Das Orchester wurde ein eingetragener Verein und durfte die Schulzimmer am Nachmittag für die Instrumentalausbildung im Rahmen der Musikschule nutzen, aber nicht mehr die Aula für die Gesamtproben. Die neue Direktorin, inzwischen war die Schule wie gesagt ein Gymnasium, tat alles, um dem Orchester das Leben schwer zu machen. Als einmal ein großes Konzert vergessen wurde bei der Gemeinde anzumelden, behielt sie das tunlichst für sich um dann, als der Saal voll war und das Konzert beginnen sollte, den Trumpf aus dem Ärmel zu holen. Sie forderte, die Veranstaltung abzubrechen. Die Lehrer zeigten in pädagogisch wertvoller Arbeit, dass man seinen Streit auf dem Rücken der Schwachen, in dem Fall der Kinder, hervorragend austragen kann.
Auch Rothenberg hatte aber Beziehungen und das Orchester bekam die alte Turnhalle auf dem Schulhof als Probenraum, da hier der Flügel stand. Der ehemalige Umkleideraum der Herren, es roch durchdringend nach Schweiß, wurde zum Unterrichtsraum. So auch der Umkleideraum der Frauen. Hier hatte aber die Bergkapelle Muhtdorf als eines der vier Orchester im Ort seinen Aufenthaltsraum und hier roch es extrem nach Bier und Zigaretten.
Der Ärger, den das Orchester hatte, kam nicht von ungefähr. Rothenberg hatte es sich auch mit vielen seiner ehemaligen Schullehrerkollegen versaut.

Viele nahmen den ehemaligen Genossen und Lehrer für Wehrerziehung übel, dass er der erste mit Westauto war. Er hatte wohl mal der Ehefrau eines Kollegen in den Hintern gekniffen und mit der Direktorin war er wohl auch mal im Bett gewesen, es gab die verschiedensten Gerüchte. Rothenberg selbst war verheiratet und hatte zwei Töchter. Im Prinzip ein cleverer Bursche, ein Organisator wie er im Buche steht. Er kannte keine Freizeit und nur ihm war es zu verdanken, dass das Orchester die Wende überlebte. Er war aber auch falsch und intrigant. Er redete mit A über B und A war der Meinung, den besten Freund vor sich zu haben, um dann mit B in gleicher Art über A zu lästern. Er war aber auch hilfsbereit und wenn das Auto streikte, konnte man ihn auch Mitternacht aus dem Bett holen und die DDR-Fahrzeuge von Willi streikten oft.
Eler, der zweite Orchesterleiter war ein gefährlicher arroganter Leisetreter, maßlos von sich selbst überzeugt, stockgeizig, ein heimlicher "Intriegenschmied", der andere die Dreckarbeit machen ließ, um dann beim Verbeugen ganz vorn zu stehen. Er beherrschte das perfekt, was Willi nie zustande brachte, sich ordentlich in Szene zu setzen und sich gut zu verkaufen. Er hatte seine Laufbahn an einem kleinen Theater begonnen und war dort als Trompeter gescheitert, sodass er dann an die Musikschule wechselte. Er erzählte so überzeugend von seiner angeblichen Zeit als Solotrompeter in K.-M.-Stadt am Theater, dass es auch die glaubten, die genau wussten, dass er dort nie sein Instrument auspacken durfte. Er lehnte

volkstümliche Blasmusik ab, er führte Kinder nur an vermeintlich wertvolle Musik heran, wäre aber vermutlich nie in der Lage gewesen, eine Mugge als Trompeter nervlich durchzustehen. Er verachtete Leute, die so eine Musik machten. Dabei hätte er das zu DDR-Zeiten leicht zu verdienende Zubrot bestimmt gern mitgenommen, denn er war stockgeizig, wenn er denn dazu in der Lage gewesen wäre. Ständig war er auf der Suche: Wo gibt es die besten Sonderangebote, die billigste Wurst, das preiswerteste Bier. Er war überzeugt, ein Spitzenlehrer zu sein und er war auch nicht schlecht. Das war ihm aber zu wenig und so lästerte er geschickt über andere, machte sie klein, um noch größer dazustehen. Wenn er über die Kollegen vor Schülern hetzte, geschickt und scheibchenweise, dann eigentlich zu seinem Nachteil, denn ein Lehrer ohne Ansehen kann unpopuläre, aber wichtige Übungen den Schüler nicht aufgeben. „Das Zeug üben? Der Eler hat doch gesagt, dass der Lehrer, das was er fordert, selbst nicht spielen kann." Letztlich waren die Schüler dann tatsächlich nicht so gut, wie sie es bei einem nicht demontierten Lehrer hätten sein können, was Eler auch im Orchester merkte. Ein Grund, den Lehrer noch schlechter zu machen, auch wenn das im Endeffekt zum Nachteil des Orchesters war. Er lief Amok, wenn er bei den Aufnahmeprüfungen nicht nur die allerbesten Bewerber bekam. Wollte so einer Klarinette machen, wurde er so lange bekoffert, bis er Trompete bei Eler lernen wollte. Er schmückte sich auch gern mit fremden Federn. Als ein Blechbläserquintett bis zum Bundeswettbewerb

„Jugend musiziert“ kam, verschwieg er, dass drei der Musiker bei einem Kollegen Unterricht hatten. „Einzel und Ensembleausbildung bei Eler, stand in der Zeitung. Umgedreht war er dagegen sehr empfindlich. Als einmal auf einem Plakat nur Rothenberg als Dirigent genannt wurde, ob absichtlich oder nicht, auch der war eitel, nahm er das zum Anlass, seine Dirigentenlaufbahn nach 40 Jahren zu kündigen. Auch das war so eine Sache. Nach 40 Jahren. Bis 81 leitete ein anderer das Orchester und Eler durfte nur dirigieren, wenn der mal nicht konnte. Bis 1980 prägten auch in Muhtdorf Polka, Walzer, Marsch und Pionierlieder das Repertoire. Erst als Rothenberg kam und mit seinem Engagement die materiellen Vorrausetzungen, Kauf entsprechender Instrumente, dafür schaffte, wurden solche Werke, wie z.B. „Finlandia“ möglich. Eler stellte sich so dar, als ob er schon vor 40 Jahren so was gemacht hatte. Er war kein großer Dirigent, der nur aus Liebe zur Jugend nicht ans Theater als Kapellmeister ging. Er war psychisch schwach und die hatten ihn im Krankenhaus nach der missglückten Theaterzeit hervorragend wieder hingekriegt. Zwei Jahre hatte er das Orchester allein geleitet, sonst immer die anderen die Hauptarbeit machen lassen. „Lass dir das nicht gefallen“, flüsterte er Rothenberg ins Ohr. „Geh vor Gericht.“ Eler wusste wohl, was Rothenberg damit riskierte. Damals ging es um die Festanstellung von Elers Lieblingsschüler, weit nach Einstellungsstopp. Tatsächlich schaffte es Rothenberg den unterzubringen, sehr zu seinem Nachteil übrigens.

Eler stellte es dann so hin: „Nur weil das Orchester durch mein Wirken so gut ist, konnten die Oberen überzeugt werden, die Festanstellung vorzunehmen. Was nutzt Rothenberg sein organisatorisches Talent, wenn er keinen Dirigenten von meiner Klasse hat, der für musikalisches Niveau sorgt.“ Im Prinzip hatte er da sogar Recht. Rothenberg konnte nicht künstlerisches und organisatorisches zugleich bewältigen, zumal in der Zeit nach der Wende. Eler studierte die komplizierten Titel ein, Rothenberg die leichteren, in der Regel. Er hatte auch genug Zeit, sich vorzubereiten, da alles Organisatorisches der andere machte. Das heißt nicht, dass Rothenberg nicht auch in der Lage war, zum Beispiel „Bilder eine Ausstellung“ einzustudieren. Immerhin ergänzten sich beide doch ganz gut und mit viel Glück funktionierte das 17 Jahre, erst mal nachmachen. Und Eler hatte Willi angeboten, fest anzufangen an der Musikschule, damals 87, schon deshalb musste er ihn loben. Wie gesagt, Elers Schüler waren gut, aber er hatte auch schlechte, stellte aber nur die guten in den Zenit. Wenn einer ein Vorspiel versaute, ignorierte er das, um es bei anderen besonders in den Mittelpunkt zu stellen. Er war zynisch. Mit begeistertem Zittern in der Stimme klopfte er den Kollegen auf die Schulter: „War wohl nicht so in Form heute, dein Schützling.“ Wenn ein Klarinettist in der Probe schlecht war, pflegte er zu sagen: „Soll ich denn jetzt auch noch Klarinettenunterricht geben?“ Wurde Eler auf eine Hetzerei hin angesprochen, verließ er einfach den Raum oder ging, ohne auf die Frage einzugehen, einfach weiter. Er war auch im Dorf unbeliebt. Man nannte ihn und seine Frau die „zweiköpfige Krake.“ Als einmal nachts die Heizung in seinem Eigenheim defekt war, bezahlte er einfach nur die Hälfte der, seiner Meinung nach, überteuerten Rechnung. Willi hatte den Sohn des Heizungsbauers im Unterricht und der regte sich furchtbar auf und erläuterte Willi die Kalkulation: „Nachts um 2, zum Sonntag, hinfahren, Kollegen hohlen, Fehler der Heizung finden usw., vier Stunden Arbeit.“ Willi erzählte Eler von dem aufgebrachten Handwerker. Der lachte herzlich und erzählte Willi einen Tag später: „Auch meine Frau hat sich köstlich amüsiert über deine Erzählung.“ Er lebte in Unfrieden mit seinem Sohn, einem Weichling und er hasste seine Schwiegertochter, eine Mistsau: „Überall erzählt die: „Wenn sie mit dem Eler (also dem Sohn) gefickt hat, muss ich hinterher kotzen.“ Eler starb mit nicht mal 70 an einem Herzinfarkt, ohne vorher die 400.000 ausgeben zu können, die er zusammengerafft hatte. Diese Geldsumme hatte die Frau mal im Suff genannt. Am Tag, als er den Infarkt hatte, starb seine Frau, gerade im Krankenhaus liegend, ein wahrhaft füreinander bestimmtes Paar. „Beide haben Liebe gegeben, lasst uns ewig Trauer tragen“, sagte der Trauerredner, da ertönte das nicht ausgeschaltete Handy von Rothenberg mit dem Klingelton „La cucaraca“, auf Deutsch „Die Küchenschabe.“ Wenigstens starb Eler in dem Bewusstsein, ein ganz großer gewesen zu sein.

Elers Erzfeind, der dritte Kollege in Muhtdorf, hieß Reldas. Auch er unterrichtete Blech, war damit der Konkurrent für Eler schlechthin. Der machte ihn schlecht nach Strich und Faden, vor Schülern, wie auch vor Kollegen und er war damit erfolgreich. Als Rothenbergs Sohn bei Reldas lernen sollte, fragte Willi ihn ehrlichen Herzens: „Warum schickst du ihn dorthin, da lernt er doch nichts.“ Das von Elers gespritzte Gift hatte bei Willi, einem 1990 ja doch noch jungen Mann, schnell Wirkung gezeigt. Reldas selbst tat das seinige, um, oberflächlich gesehen, die Meinung Elers zu bestätigen. Er kam meist die letzte Sekunde zum Unterricht und haute hinterher auch gleich wieder ab. Dennoch waren seine Schüler nicht schlechter als die von Elers, der schon 60 Minuten vor Unterrichtsbeginn da war, seinen Wiegebraten fraß und ein paar magenerschütternde Töne auf der Trompete spielte: Nach eigener Aussage konnte er im Alter nicht mehr so, er war 1990 erst Mitte 50, aber er musste auch nicht vorspielen, er konnte erklären. Anderen gestand er dieses Privileg nicht zu. Willi war überzeugt, Eler war nie besser. Reldas dagegen war top drauf. Er spielte alles vor und er war eine gefragte Aushilfe in Blas- und Tanzmusik, hatte auch eine eigene Kapelle, die bis zu seiner Pensionierung unter seiner Leitung spielte. Reldas spielte alle Blechblas-instrumente außer Trompete und Waldhorn. Er war, das gab er auch zu, nicht „der“ Waldhornlehrer. Was Willi wunderte war, warum die Reldas nach der Wende fest eingestellt haben. Vorher war er freiberuflich. Wenn er wirklich so schlecht war, 1990 waren Musiker zu Hauff zu bekommen, warum hatten sie Reldas nicht zum Teufel gejagt? Das war der Widerspruch in Elers Aussagen, der die Macht gehabt hätte, eine Einstellung zu verhindern. Lieber gute Lehrer schlecht gemacht, ein wirklich schlechter, das hätte noch mehr negative Folgen für die Qualität des Orchesters als ein schlecht gemachter Lehrer, der eigentlich gut war. Dabei war Reldas der bessere Kollege als Elers. Willi kam eigentlich mit beiden aus und beide hetzten vor ihm über den jeweils anderen. Leider hatte Willi das Pech, mit seinem 1990 gegründeten Klarinettenquintett, er selbst spielte Bassklarinette, ins Fettnäpfchen zu treten. Eine Veranstaltung zusammen mit dem von Eler geleiteten Blechbläserquintett, bereits März 91 war von Willi in der Auswahl der Stücke sehr ungeschickt konzipiert und das war der Auslöser: „Ich glaube, wir haben den falschen Mann eingestellt.“ Das war der Anfang vom Ende. Zum damaligen Zeitpunkt bekam das Willi nicht so mit, denn Eler hetzte sehr fein dosiert. Musikalisch war Willi durchaus in Hochform. Da in Muthdorf kein Korrepetitor zur Verfügung stand, begleitete er im Prinzip zwei Schuljahre alles: Konzerte, Prüfungen und selbst Eler lobte: „Wir können froh sein, dass wir so einen engagierten Kollegen haben.“ Es waren nicht die allerschwersten Werke, aber einige Stücke hatten es schon in sich und Willi übte auch richtig viel Klavier. Eine Händelsonate für Flöte oder das erste Klarinettenkonzert von Weber, wie auch diverse Stücke für Blech wollten schon gespielt sein. Ein Höhepunkt in Willis Dasein war die Begleitung von Schülern zu überregionalen Veranstaltungen wie „Jugend musiziert“ und Begabtenvorspiel. Wenn die Schüler dann noch weiterkamen, konnte doch auch der Begleiter nicht so schlecht sein. Oder doch? Von Januar 91 bis zum Ende des

Schuljahres 91/92, war vor allem auch jeden Monat ein Elternvorspiel. Später sollte das mal Bläserabend heißen und im Frühjahr fanden sehr viele Jugendweihen statt. Willi spielte im Klarinettenquintett selbst mit und begleitete die Solisten auf dem elektrischen Klavier, meist eine Flöte oder eine Klarinette. Als das Klarinettenquintett wegen Weggehens einiger Musiker sich auflöste, übernahm dann das Blechbläserquintett, plus ein Solist die Jugendweihen. Natürlich war das Blechbläserquintett sehr gut. Willi fühlte sich sicher, er drehte den Spieß immer um und sagte sich: „Wenn ein Klarinetten-/Saxofonlehrer-Kollege Klavier und Bassklarinette spielt, hätte ich Achtung vor diesem Kollegen." Dass aber irgendwas im Busch gegen ihn war, wieder mal, auch hier im Rahmen der neuen Arbeitsstelle, merkte Willi bei seinen gar nicht mal seltenen Aushilfen im Jugendorchester. Gerade bei Fahrten mit Übernachtung etwa in Aurachthal oder Sonthofen oder Marl war er mehr oder weniger isoliert. In Aurachthal war der Besuch eines Filmstudios in Nürnberg geplant, da ging er allein. Schüler, mit denen er gut auskam im Unterricht, war ein Gespräch mit Willi peinlich. Einmal saß er in einem Gottesdienst, da sollte er jemanden auf der Orgel begleiten, durch Zufall neben einer Schülerin. Die stand provokatorisch auf und setzte sich eine Reihe vor. Das kannte er schon von der EOS... Scheinbar wiederholt sich Geschichte...
Ein anderes Mal fuhr er mit dem Auto nach Muthdorf und nahm eine Schülerin mit, die den Bus verpasst hatte. Die wollte schon ein paar

Straßen vorher aussteigen, um ja nicht mit Hohl gesehen zu werden: „Sie sind im Orchester nicht gerade beliebt.“ Warum? Aber auch allgemein machte er wohl keine gute Figur. Mai 91 suchte er in der Pause jemanden in der Klasse auf, um Modalitäten für eine Veranstaltung durchzugeben, da rief jemand: „Der Schöne ist wieder da.“ Da war wohl er gemeint? Tatsächlich. Er hatte allgemein diesen Spitznamen bei den Musikschülern: „Der Schöne.“ Eigentlich superpeinlich. Willi vermied es jetzt in den Pausen, wenn die Klassen gerade die Zimmer wechselten, durch das Schulhaus zu gehen, denn irgendjemand rief dann immer: „Hast du den Schönen gerade gesehen?“ Die Rufer gaben sich nicht mal Mühe, unerkannt zu bleiben. Es waren meist Mädels, Musikschüler, Orchestermitglieder. Willi begann, sich im neuen Job unwohl zu fühlen. Ablenkung von dieser sich anbahnenden miesen Situation in Muthdorf brachte ausgerechnet das Polizeiorchester. Trotz der beinahe Schlägerei mit dem Stasimann am letzten Arbeitstag im Dezember 90, holten sie ihn Februar 1991 zurück. Sie brauchten für ihre Konzerte eine Aushilfe, die 1. Altsaxofon spielt. Willi spürte Genugtuung. Warum holten sie ihn, es gab genug andere. Auch wenn man sagte: „Die billigste Alternative.“ Der ehemalige Soloklarinettist hätte auch ohne Geld mitgemacht, dem ging es um die Präsenz: „Schaut her, ich bin noch da, warum nehmen Sie mich, weil ich der beste bin.“ Sie nahmen aber Willi und er machte ab und zu eine Probe mit und diverse Auftritte, nicht viel, Konzerte zum Hamburger Fischmarkt, in Zwickau und Chemnitz, mal die Einweihung eines

neuen Gebäudes, Konzerte im Westen, in Hof und Gefräs und Kirchenlanitz, meist mit Übernachtung, aber das musizieren lenkte ab. Es gab immerhin 50 Mark je Probe und Konzert, das war nicht wenig. Sie hatten schon die neuen Westuniformen im Orchester und waren damit nicht so auffällig wie in der DDR-Kluft. Erfolgreich waren die Konzerte im Westen nicht. Alle Polizeimusiker waren demotiviert, niemand wusste, was kommen würde. Fakt war: Die würden sie nicht ewig so weiter wursteln lassen. Einige waren der Meinung, man muss viel spielen, Präsenz zeigen und die Wichtigkeit des Orchesters herausstellen. Andere wollten die Zeit bis zur Auflösung, von der sie überzeugt waren, genießen, bis Mittag Probe, also gammeln, dann nach Hause. Es wurde lasch musiziert, die Zuverlässigkeit und Moral war zum Teufel. Der Busfahrer ging sich einen Jogurt im Dorf holen, sie konnten erst eine Stunde später anfangen, da niemand in den verschlossenen Bus kam. Kurz vor Schluss des Konzertes, aber sie hatten noch 15 Minuten zu spielen, ließ der Busfahrer den Motor des lauten, rußenden „Ikarus“ an, einem vorsintflutlichen ungarischen Modell. Sie wollten beginnen, saßen schon auf der Bühne und einer hatte die Noten vergessen oder jemand suchte einen Titel, die auf dem Stuhl liegenden Noten durchsuchend, den fetten Arsch zum Publikum hindrehend. „Hier ist bald Feierabend“, hieß es. Willi war heilfroh, an die Musikschule gegangen zu sein und so diesen Psychoterror, den die ungewisse Zukunft nun mal mit sich bringt, zu umgehen.
Dann kam die Info: „Die drei sächsischen

Polizeiorchester werden zusammengelegt zu einem Klangkörper, der dann in Dresden, der neuen Landeshauptstadt des Freistaates Sachsen stationiert wird. Wer will, kann sich im Rahmen eines Vorspieles bewerben: Die besten werden genommen. Die, die nicht nach Dresden wollen oder das Vorspiel nicht schaffen, können nach einer Umschulung zur Schutzpolizei. Arbeitslos wird also niemand.“ Da gab es ein Jammern und Heulen, gerade von den Alten, die natürlich nichts solistisch draufhatten und vor Jahrzehnten das letzte Mal solistisch was gemacht hatten. Willi war froh, jetzt erst recht, an der Musikschule zu sein, dann das Probespiel hätte er nie geschafft. Das Vorspiel nahm der „Vornehme“ ab, zusammen mit dem Dirigenten eines Westorchesters. Der war auch bei den Vorspielen der Polizeiorchester in Leipzig und Dresden dabei, hatte also den Überblick. Der Vornehme war jetzt fein raus. Den würden sie auf jeden Fall nehmen. Ein Chefdirigent und ein Stellvertreter waren geplant. Der Dirigent von Dresden hatte das Alter und würde in kürze in Rente gehen. Im Prinzip musste ein komplettes Orchester, in Leipzig war niemand in Vorruhe gegangen, die über 50-jährigen waren noch da und zwei kaum spielfähige kleinere zusammengelegt werden. Da hatten einige gewaltig Angst. Willi musste seine Instrumente, die er noch von der Polizei hatte, abgeben: die Bassklarinette und das Akkordeon sowie B-Klarinette und Saxofon. Und das gerade an dem Tag, als in Chemnitz das Vorspiel war. Die großen Künstler schlotterten die Knie vor Angst, ein Anblick, den Willi, sich

genüsslich die Hände reibend, sehr genoss. Nicht alle spielten vor. Mache wollten nicht jeden Tag nach Dresden fahren, aber auch nicht hinziehen, weil die Frau in Chemnitz Arbeit hatte. Andere wie das „Halbe Hirn", der aber eigentlich, was seine musikalische Leistung betraf, immer protzte, hatte Angst vor dem Vorspiel: „Ich bin kein Probespieltyp." Er ging freiwillig zur Schutzpolizei. Ein Fehler wie sich zeigte, denn wer vorspielte, wurde auch genommen. Kuno Wimmerzahn hatte sich ein paar Tage nicht rasiert und die Haare gewaschen, machte auf „Suizid gefährdet". Er spielte miserabel, aber sie nahmen ihn. Der „Vornehme" sagte: „Es ist schön für Kuno, die haben ihn auch genommen." Auch Hans zeigte sich offiziell erfreut, um 30 Sekunden später als sie allein waren zu lästern: „Es geht weiter, wie es aufgehört hat. Wie kann man nur solche Typen mit durchziehen?"
Ob Willi das Probespiel geschafft hätte? Mit Kuno hätte er mithalten können, aber es wäre für den „Vornehmen" die Möglichkeit schlechthin, Willi zu brüskieren: „Der Kuno wird genommen, der Hohl nicht." Er war überzeugt, dass es so gekommen wäre. Anderseits, der „Vornehme" hatte nicht die alleinige Entscheidung. Der Wessi hatte den Hut auf. Willi war jetzt sicher, sie hätten ihn auch genommen und jetzt bedauerte er es, in die Musikschule gegangen zu sein. Aber das ließ sich nicht mehr ändern. Die Musikschule könnte man genauso auflösen wie das Polizeiorchester. Hans war, nachdem er die Woche vor dem Vorspiel sehr kleinlaut geworden war, jetzt wieder obenauf und

tadelte Willi: „Wie kann man nur an eine Musikschule gehen, Profiorchester ist Profiorchester.“ Auch Kuno erschien am Tag nach dem Vorspiel rasiert und geduscht und gab seinen Senf dazu: „Leistung ist eben Leistung.“ Kuno hatte dann aber im neuen Orchester, trotz seiner „Leistung“, keine Chance und wechselte nach zwei Jahren immerhin zu Kriminalpolizei. Das „Halbe Hirn“ kotzte ab. Ob die ihn genommen hätten? Als exotische Witzfigur eventuell, aber da wurde das „Hirn“ aggressiv: „Mit dir Vogel kann ich allemal mithalten.“ Kuno prophezeite Willi ein baldiges Ende seiner Musikerkarriere. „Ich würde mein Kind nicht zu dir schicken: Zu wenig Leistung.“ Immerhin als Kuno weg war vom Fenster, da war Willi noch an der Musikschule. Juli 91 war dann der letzte Auftritt des Polizeiorchesters Chemnitz. Lange war Willi eigentlich nicht dabei gewesen, wenn man das Studium abzieht sieben Jahre, die Armee und die Aushilfszeit weg, dann waren es gar nur vier. Nicht viel im Leben eines Menschen. Im Bus herrsche eine gespenstige Stille, nicht der Trauer, eher der Wut. Besonders ärgerten sich die Anhänger der nun eingetreten These: „Wir werden eh aufgelöst, warum noch Veranstaltungen machen.“ Für jeden brachte die Auflösung Veränderungen: Eine Hälfte würde täglich nach Dresden fahren müssen, die andere ging zur Schutzpolizei. Nach Dresden ziehen wollte niemand.

Aufgelöst wurde das Orchester dann auch später nicht, aber wirklich sicher waren die auch zu keinem Zeitpunkt. 20 Jahre sollte es dauern, bis

das Orchester durch Pensionierung so klein war, dass sie wieder jemanden einstellen mussten. Etwa Ende der Neunziger Jahre wurde dem Orchester mitgeteilt: „Es ist Schluss, alle werden nach einem mehrmonatigen Lehrgang zur Schutzpolizei geschickt.“ Als der Lehrgang dann absolviert war, hieß es: „Es geht doch weiter.“ Ein ewiges hin und her also.
Nach dem letzten Konzert in Hof war das Orchester Geschichte. Das Probenhaus wurde abgerissen, eingeebnet und ein Parkplatz entstand. Ab und zu spielte Willi noch mit Hans, aber als der ihm Silvester 91/92 kurzfristig sitzen ließ mit der Bemerkung: „Ich will lieber in den Urlaub fahren“, war die Zusammenarbeit auch beendet. Außerdem kotzten Willi die ständigen Bemerkungen von Hans an: „Du hast die Nerven verloren, könntest auch noch im Orchester sein und hängst jetzt an der Musikschule rum. Wir sind Beamte, verdienen das Doppelte und gehen mit 60 in Pension. Und auch an der Musikschule kann man gekündigt werden.“ Nun ja Hans hatte im Prinzip nicht Unrecht, aber abgerechnet wird hinterher. Nun ja, was die Pension betrifft, die konnte Hans mit einer „Alzheimer Erkrankung“ nicht mehr wirklich genießen, um das mal vorweg zu nehmen. Als Willi ein halbes Jahr später, nach der Trennung des Duos „H&H“, als Alleinunterhalter spielte, traf er einen anderen ehemaligen Orchesterkollegen, der erzählte: „Hans regte sich auf, dass der Hohl sich nie mehr gemeldet hat, obwohl sie so lange zusammen gespielt haben.“ Hans hatte Recht, er musste es sich eingestehen, aber Willi konnte sich nicht

überwinden, dort anzurufen. 20 Jahre später ging Hans in Rente, seine Stelle bekam eine Schülerin von Willi. Die Stelle wäre nicht frei geworden, wenn Willi die Nerven behalten hätte. Hans sollte aber Recht behalten. Im Prinzip bereute er es schon, bei der Polizei aufgehört zu haben.
Insgesamt war das erste halbe Jahr 91 mitunter, vor allem am Vormittag, recht langweilig, aber Willi nutzte die Zeit, um Klavier zu üben. März 91 kamen dann über Rothenberg Nachfragen nach Keyboardunterricht. Drei Nachbarn hatten jeweils eins gekauft und wollten lernen. Da Willis Pflichtstunden an der Musikschule ausgeschöpft waren, bot er den Unterricht privat an. Am Mittwoch, nach Renimdorf, wo er in der Rumpelkammer unterrichtete, fuhr er in einen kleinen Ort bei Chemnitz, stellte das Auto auf einen zentralen Platz ab und ging nacheinander in die drei Wohnungen. Die Nachfrage nach Keyboard Unterricht wurde immer größer und bis Ende 1996 hatte Willi immer im Durchschnitt 10-15 Schüler privat. Er vermittelte denen auch den Kauf des Instrumentes über eine Chemnitzer Firma und von der Provision genehmigte er sich auch ein neues Top Keyboard. Da die Pflichtstundenanzahl der Musikschule auch ständig erhöht wurde, bald auf 26, dann 28, 30 zuletzt 33, und Willi dennoch die hohe Anzahl Privatschüler hatte, hatte er jetzt straff zu tun. Selbst am Samstagvormittag und Sonntagabend machte er Unterricht. Waren Muggen, wurde der Unterricht in den Ferien vor- oder nachgegeben. Klavier üben, Unterricht, sich um die Reparatur von Instrumenten kümmern.

Einmal die Woche fuhr er zu dem ehemaligen Instrumentenbauer in die Wohnung, dann natürlich Aushilfen beim Polizeiorchester, bis August 91. Ab und zu Alleinunterhalter, Aushilfen zum Beispiel auch in der Bergkapelle Freiberg, hier Tourneen in den Westen, wieder Aalen, Bergkapelle Andorf, Willi hatte zu tun. Vor allem an den Wochenenden war er oft mit Übernachtung, Freitag bis Sonntag, im Westen, in den Altbundesländern: Weiden, Deggendorf und ähnliches.
Was den privaten Keyboardunterricht betraf: Er nahm zehn Mark pro Unterrichtstunde, ein tolles Zubrot. Finanziell lief es also gut, an der Musikschule war er einigermaßen angesehen, die Sache mit dem Spitznamen „Der Schöne“, da musste er durch. Nach und nach beendeten die Schüler, die diesen Spitznamen in die Welt gesetzt hatten, die Schule und irgendwann Mitte der Neunziger war das dann Geschichte.
Bei seinem Erzeuger machte er zwar ab und zu einen Pflichtbesuch, aber er erzählte natürlich nichts über sich. Gestehen musste er seinen Wechsel zur Musikschule, da die von der Auflösung des Polizeiorchesters über die Presse was erfahren hatten. Natürlich wurde dieser Schritt verurteilt. Willi war ein Dummkopf und Idiot, ein Blödmann, ein bekloppter Ochse: Niemand wird freiwillig „Kein“ Polizeibeamter, lieber Schutzpolizei als Musikschule. Versager bleibt Versager, das zeigt sich auch darin, dass er immer noch zu dumm ist, sich eine Frau zu suchen.
Eine große Rolle nach der Wende spielte, nicht immer vordergründig, meist eher versteckt, aber

nicht immer, damit keiner auf falsche, sprich richtige Gedanken kommt, die neue erotische Freiheit, zunächst die Pornographie. Zu DDR-Zeiten, nur den oberen vorbehalten, wie sich nach der Wende herausstellte, beschränkte sie sich auf ein paar verirrte Pornohefte, die irgendwie rein geschmuggelt wurden und ab und zu mal auftauchten. Nun war das alles nicht mehr verboten und offiziell zu haben. Bereits vom Begrüßungsgeld kauften manche das erste Heft, die erste Zeitung. Ossis, die das Begrüßungsgeld holten, standen gaffend in den einschlägigen Videotheken, ohne freilich schon was ausborgen zu können. Elbe war Vorreiter. Der brachte das erste Heft, eine softige Erotikzeitung, die er an einem Kiosk im Westen gekauft hatte, bereits kurz nach der Maueröffnung mit zum Dienst. Die strammen Parteigenossen ließen das Heft von Hand zu Hand gehen. Der Orchesterchef blätterte auch mal durch, verbieten und weg nehmen konnte er das Heft Elbe aber nicht mehr...In der Stadt gab es dann Tische, etwas geschützt, mit einer Art Schirm, wo man dann uralte harte Pornohefte, von findigen Wessis für völlig überteuerte 25 Mark zu kaufen konnte, ohne Quittung, schwarz also. Aber die Polizei hatte andere Sorgen. Als Elbe auch ein solches Heft mit zum Dienst brachte und es auch dem Orchesterleiter gab, beschlagnahmte der er es: „Holen Sie es sich nach Dienstschluss ab.“ Seine Finger zitterten und alles tobte... Es gab dann auch einige, die Erotikhefte wie die „Praline“ abonnierten. Nix Besonderes, nix Hartes, das kam später: Nach der Währungsunion, jetzt waren Videorekorder für wenig Geld zu bekommen, auch Hohl kaufte einen, öffneten die ersten Videotheken. Diese hatten einen meist ziemlich großen Raum mit „normalen“ Filmen, in denen der Kunde erst mal unauffällig verweilte, um dann, ganz zufällig, den eigentlichen Zielort aufzusuchen. Den, der erst ab 18 zugelassen war. Hier konnte man uralte, in Westen längst abgelegte Pornovideos ausleihen. Der Bedarf war bei den gesitteten, dass ja eigentlich total verurteilenden Bürgern, riesig. Nicht selten war, vor allem direkt nach der Währungsunion, an Wochenenden nichts mehr zu bekommen. Alle Pornos waren verliehen, andere Filme, die eigentlich nur als „Alibifunktion“ herumlagen, konnte man sich in Massen ausborgen. Auch Willis Erzeuger hatte sich direkt nach der Wende einen Videorekorder zugelegt und holte sich Pornos. Hans dagegen schämte sich und bat Willi, ihm mal was zu holen, was der auch tat. Die alten Genossen, die Porno immer verurteilt und verboten hatten, nur aus schierer finanzieller Not heraus, vollzogen Frauen unter Zwang den Verkehr vor der Kamera, die schauten Pornos. Widerlich auch, dass solche Moralapostel wie DDR-Staatschef Erich Honecker, der seinen Untertanen die Pornos missgönnte, sich selbst welche hatte aus dem Westen besorgen lassen. Wenn das stimmte und Willi zweifelte nicht daran, dann zum Teufel mit jeder Moral.

Langsam kamen auch die ersten Nutten aus dem Westen. In Chemnitz gab es an einer Ausfallstraße, etwas im Schatten, Parkplätze vorhanden, einen als Puff umgebauten Bauwagen, also einen großen LKW-Anhänger, wo sich die Bauarbeiter gewöhnlich umzogen oder ihre Pause machten. Wenig später hatte er eine Aushilfe im Polizeiorchester Leipzig, das war Mitte 91, kurz vor der Vereinigung der drei sächsischen Orchester. Also fuhr Willi mit dem Zug nach Leipzig, auch um das Auto zu schonen. Der Bahnhof war eine einzige Baustelle. Gleich als Willi aus dem Zug stieg, heftete sich ein merkwürdiges Kleeblatt an Willis Fersen. Ein junger spindeldürrer Mann, ein Fettsteißiger, der hinkte und eine junge Frau, die im Prinzip einen ganz normalen Eindruck machte. Der Dürre fragte Willi, ob er Arbeit suche, sie könnten helfen. Willi ging einfach weiter, aber die drei folgten ihm bis zum Ausgang und machten Anstalten, ihn festzuhalten. Sie konnten einfach nicht begreifen, dass jemand in Zeiten allgemein hoher Arbeitslosigkeit ihr umwerfendes Angebot ablehnen kann. Auch Arbeit habende wollen sich doch verbessern. Die drei sahen nicht so aus, als ob deren Angebotene alles in den Schatten stellt. Willi dachte eher an das „Locken in dunkle Ecken“ und danach ausrauben, oder an Organspende. Die drei mussten, wenn auch seltenen, dennoch auf ihre Kosten kommen, wenn denn mal einer mitging, denn als Willi fünf Stunden später wieder abfuhr, da sprachen sie immer noch immer allein reisende Herren an, ob sie Arbeit suchen. Vielleicht hatte irgendein reicher Wessi eine Spendenniere in Auftrag gegeben. Auf dem Weg zum Auftrittsort, sie umrahmten irgendeine Grundsteinlegung musikalisch, musste er an einer Wohnwagen-siedlung, vorbei, mitten in der Stadt, im Zentrum und hier waren, am Dialekt deutlich zu hören, Westnutten, dessen optisches Verfallsdatum

deutlich überschritten war. Von hinten Jugendschutz, von vorne Denkmalschutz. Die fragten ihn, ob er nicht einen Hunderter übrighätte, um Gottes Willen... Aber die würden nicht dort stehen, wenn es sich nicht lohnen würde.
Es gab jetzt neue Zeitungen, Revolverblätter übelster Art, wie Bild und Morgenpost voll mit einschlägigen Anzeigen. Die ersten jüngeren, noch ledigen Genossen des Polizeiorchesters aber auch Liierte, wie Elbe oder Verheiratete verwiesen darauf, dass sie richtige Kerle waren, die das Angebot schon genutzt hatten. „Hygienischer als ein Bauwagen, oder ein Wohnmobil ohne Wasseranschluss ist es alle Male“, sagte Elbe und hob den Finger. Ausgerechnet diese Flasche, der schon eine Heidenangst vor seiner Alten hatte, wenn der Orchesterbus mal zu spät vom Einsatz zurück kam...
Anfang 91 war Hohl wieder mal bei Wehrmann zu Besuch, in Potsdam. Der war inzwischen in einem Sinfonieorchester, hatte sich also von der Polizei verabschiedet. Er hatte mit Frau und Kind eine perfekt eingerichtete Vollkomfortwohnung. Er machte aus sicherer Position heraus ein Probespiel nach dem anderen, er wollte in ein Spitzenorchester, etwa Gewandhaus oder so was. Er hatte nach wie vor Muggen wie Sand am Meer und schwamm in Geld. Ob seine Ehe gut lief? Hundertprozentig zufrieden schien er nicht. Seine Alte war zickig und machte wegen absoluten Nichtigkeiten eine Szene nach der anderen. Im Prinzip war Willi, als er wieder wegfuhr, ganz froh, dass er ledig war. Eine Wohnung für sich allein war

nicht zu verachten. Wehrmann, er hatte inzwischen einen PKW BMW, nun warum nicht, fuhr mit Willi in ein Musikgeschäft nach Westberlin. Ein Vorwand, um dann direkt ins Zentrum zu fahren. Wehrmann hatte von den beiden Straßenstrichs in Berlin Kurfürstenstraße und Oranienburgerstraße gelesen und da wollte er mal schauen. Na da, der musste es ja nötig haben... Auf der Kurfürstenstraße sahen sie niemanden stehen. Sie bedachten nicht, dass dort eher am anderen Ende der ziemlich langen Straße das Geschäft abläuft. Aber in der Oranienburger-straße im Osten standen schon eine Menge und keine abgetakelten Weiber wie in Leipzig. Wehrmann sprach nach etwas schauen sogar eine an und die sagte ihm: „Zimmer ist nicht, sie machen es hier alle im Auto." Man sah, dass Autos mit Freiern in einen nicht mehr genutzten großen Hinterhof fuhren. Aber Wehrmann hatte sich wohl etwas vorgenommen. Hohl musste aussteigen, er wartete in einer Seitenstraße, es dämmerte bereits. Und Wehrmann wurde tatsächlich aktiv. Bereits nach kurzer Zeit kam er wieder angefahren. Willi stieg ein. „Und?" Wehrmann erzählte: „Es war eine tolle Blondine, wo richtig was dran war. Die wollte nur französisch machen und dann nur mit Gummi. Als ich ihr mal unter die Bluse wollte, da hat sie sich angestellt wie sonst was. Ich habe die Sache abgebrochen, aber die 30 Mark sind dennoch futsch." Nun ja, Wehrmann würde es verkraften. Schöne Pleite. Für die Dame schnell verdientes Geld. Wie dem auch sei, Wehrmann war jetzt spitz. Eine junge Frau, es war jetzt ziemlich dunkel, aber dass die jung und schlank war, das sah man, wurde von jemandem, wohl ihrem Zuhälter, es war wie im Film, mit einer Handbewegung vor die parkenden Autos auf die Straße geschickt. Willi musste jetzt wieder aussteigen. „Das ist es, die nehme ich." Diesmal dauerte es an die 30 Minuten bis Wehrmann wieder kam. Willi war neugierig: „Der reinste Nepp." sagte Wehrmann: „Erst wollte sie nur 100, für auf der Rückbank, aber dann für oben und unten anfassen und für auch mal von hinten noch je n Fuffziger extra, 250 Mark, die spinnen ja, aber sonst?" Naja... Es war stockdunkel inzwischen, man sah nichts, die Enge im Auto, keine Möglichkeiten sich zu waschen. Wehrmann musste es ja nötig haben... Und dann ein Wochenverdienst, dazu die Kosten für Sprit... das Risiko...

Wieder zu Hause überlegte Willi Hohl und kam zu einem Entschluss: Andere waren liiert, sogar verheiratet... Hohl beschloss, es jetzt auch mal zu probieren. Warum nicht, er war ledig ungebunden und brauchte weiß Gott kein schlechtes Gewissen zu haben. Aber erstmal langsam angehen die Sache: Mit System vorgehen, wie ein Geldschrankknacker. Er kaufte sich einige einschlägige Tageszeitungen und studierte die entsprechenden Annoncen. Dann schrieb er sich einige Telefonnummern raus. Allerdings hatte er gleich Pech: Es ging niemand ran oder nur der Anrufbeantworter oder es war besetzt. Immerhin war das Anrufen nicht so einfach, denn die anderen, die nach ihm in der Zelle telefonieren wollten, konnten hören, was er sagte. Die Türen waren in der Regel verzogen und nicht mehr richtig verschließbar. Er musste also zur

Zentralhaltestelle fahren, wo mehrere Telefonzellen nebeneinander waren. Dann klappte es, jemand nahm ab: Er sagte, dass er wegen der Annonce anrufen würde. Eine Frauenstimme nannte eine Adresse, er könne sofort kommen. Preis ab 100 Mark, Verhandlungssache... Nicht gerade preiswert und man wusste nicht, was einen hinter der Wohnungstür erwartet: Eine völlig abgetakelte Westnutte oder ein Wohnungsbordell mit mehreren Frauen oder eine kriminelle Vereinigung, die jemanden ausrauben wollte und dann: Geld weg, Auto weg. Willi war vorsichtig und traf Vorbereitungen. Er nahm keinen Wohnungsschlüssel mit, versteckte diesen nach Abschließen der Wohnung im Hausflur und keine Ausweise. Geld verteilte er in verschiedenen Taschen von Hemd und Hose und er fuhr mit öffentlichen Verkehrsmitteln. Die Adresse entpuppte sich als Neubaublock in einem großen Wohngebiet. Er wollte nicht gleich als Freier erkannt werden, ging erst zum Klingelbrett, als niemand in der Nähe war. „Bei Müller klingeln", hatte die am Telefon gesagt. Ein Fetzen Papier mit der Aufschrift des Namens war mit Klebeband notdürftig über der Klingel befestigt. Gerade als er klingeln wollte, kam jemand von innen und Willi lief weiter. Beim zweiten Versuch fuhr eine Familie mit dem Auto nach einem Großeinkauf direkt neben die Haustür und lud aus, wieder nichts. Beim dritten Mal unterhielten sich zwei Rentner direkt neben dem Eingang. Willi stand unauffällig dort, als warte er auf jemanden. Als er dann endlich an die Klingel rankam, meldete sich niemand, keiner da oder Klingel defekt? Dann hatte

er Glück, eine Alte verschloss die Haustür nicht richtig und Willi konnte bis vor besagte Wohnung vordringen. Die Klingel ging tatsächlich nicht. Innen hört er Frauenstimmen reden und lachen, Musik dröhnte. Er klopfte zaghaft, zu zaghaft wohl, aber auch stärkeres Klopfen wurde nicht erhört. Also wieder zur Telefonzelle, wieder angerufen, Willi sagte, er komme in 15 Minuten. „Ok“, war die Antwort. Er schlüpfte in das Treppenhaus, die gleiche Situation wie gerade vorher, auch diesmal, sein Klopfen wurde nicht gehört. Er blieb jetzt an der Sache dran. Er hatte es sich nun mal in den Kopf gesetzt: Am nächsten Tag war zwar keine Musik, aber auch diesmal öffnete niemand. Keiner da, auch am übernächsten Tag nicht und am über übernächsten. Am Telefon erreichte er aber, wenn auch nicht gleich, immer jemanden. Die Adresse war korrekt, der Name auch: „Bei Müller klingeln.“ Auch warten vor dem Haus, womöglich ist gerade ein „KUNDE“ oben, nutze nichts. Mysteriös, die Weiber drinnen mussten doch merken, dass niemand kommt und die Klingel nicht funktioniert. Womöglich gehörte die Telefonnummer aber auch zu einer anderen Örtlichkeit, die nur vermittelte und in der Wohnung hier war gar kein Anschluss. Willi gab die Sache schließlich erst einmal auf. Er hatte noch andere Sorgen.
Willi nutzte inzwischen das Wohnzimmer seiner Wohnung gar nicht mehr. Die Wende brachte nun auch Kabelfernsehen rund um die Uhr und wenn die Alte über ihm auch tagsüber leise drehte, kam irgendwann Werbung und die war schon vom Sender her so programmiert: dann extra laut. Man

konnte von der Alten nicht verlangen, dass sie jedes Mal gleich aufstürzt und leise dreht, für die Zeit der Werbung. Immerhin war das „Leise drehen“ der eigentlichen Sendung schon ein Zugeständnis. Aber in der Regel kam Willi erst am Abend und da drehte sie dann generell wieder voll auf. Man wollte den Fernsehabend ja genießen. Sie wusste ja nicht, wann Hohl genau da war und da war sie sich mit dem Nachbarn einig: „Der ist bekloppt, das muss er aushalten.“ Der Nachbar neben Willi hatte sich übrigens auch noch ein Klavier zugelegt und übte regelmäßig. Auch er war Junggeselle und ab und zu hörte man eine Hure schreien, die er sich per Hausbesuch bestellte, sündhaft teuer. Willi hatte den Nachbarn mal gefragt. „Eine Vermittlungsagentur verlangt allein 100 Mark, dann machte die Dame noch ihren Preis und man kaufte die Katze im Sack. Die bestellte Dame musste in jeden Fall bezahlt werden, auch wenn sie nicht dem Geschmack entspricht. Grundpreis 100 Mark zuzüglich zur Vermittlungsgebühr. Zweimal hatte Willi eine solche vom Nachbarn bestellte Dame gesehen, es waren stramme 40-jährige. Aber der Nachbar war auch schon an die 50, verdiente wohl gut, wenn er sich das so oft leisten konnte.
Das ständige laute Fernsehen der Alten war der Grund, warum Willi das Wohnzimmer nicht mehr nutzte. Er schlief auf einer Liege in der Küche vor dem Fenster. Am Anfang räumte er die immer am Morgen weg. Das tat er jetzt nicht mehr, zu faul, er hatte eh keine Besuche. Risiko: Ausströmendes Gas aus der eventuell defekten jahrzehntealten Anlage. Nach der Wende hatte das Gas nicht mehr die

übelriechenden Zusatzstoffe, die ein Leck sofort verraten hätten. Egal, er hatte keine andere Wahl, war auch zu faul zum Umziehen, zumal er die Wohnung erst seit zwei Jahren fertig hatte. Nach Muhtdorf fuhr er 20 Minuten, noch, durch viele neue Ampeln und Baustellen sollten es bald 30 bis 40Minuten werden. Nach Muhtdorf ziehen? Keinesfalls. Noch spielte er, wenn auch nur als Aushilfe, im Polizeiorchester und Anfang 91 waren so viele Wohnungen in Muhtdorf noch nicht frei. Im Prinzip nur im Neubaugebiet, das war aber genauso hellhörig und man wusste nie, wen man als Nachbar bekommen würde. Außerdem gab es in Chemnitz eine schöne Bibliothek. Er las viel, in der Küche sitzend, im Wohnzimmer lief ja das Fernseh-programm der Alten auf Hochtouren. Er hätte dann noch lauter drehen müssen, um sein eventuell anderes Programm sehen zu können, aber das wäre wieder ein Freibrief für die Alte gewesen, ihrerseits noch lauter zu drehen. Blieb nur die Hoffnung, dass die Alte bald das zeitliche segnen würde. Sie war zwar erst 68, aber sie rauchte zwei Schachteln Zigaretten am Tag und war Diabetiker. Einmal hatte sie einen Zusammenbruch und war ein Wochenende im Krankenhaus. „Ich habe gefressen Herr Hohl, Bananen und Schnitzel und Eier...“ Eine herrlich ruhige Zeit, aber sie kam bald frisch und munter zurück. Der Nachbar mit dem Klavier zog bald aus und seine Wohnung wurde neu vergeben. Nur die Wohnung rechts von Willi. Alle anderen, einmal frei gezogen, blieben auch frei, warum auch immer. Renoviert und saniert wurde das Haus nicht mehr. Angeblich waren dafür ungeklärte

Eigentumsverhältnisse der Grund. Aber nur die eine Wohnung wurde immer wieder vergeben. Nach dem Klavierspieler einer 90 jährigen, die bald starb, dann einer Zecke, einer linken autonomen, die zog mit drei Hunden und ständig wechselnden Bekannten ein. Doch das war erst Jahre später...

Im Moment, Anfang 91, waren noch vier von neun Wohnungen besetzt. Willi, der Klavierspieler, die Alte und der junge Mann neben ihr, der Willi immer als bekloppt bezeichnete. Der hatte noch vor dem ersten Spatenstich eine Eigentumswohnung gekauft. Jetzt war die Baufirma pleite, er bezahlte munter seinen Kredit ab und weiter die Miete der jetzigen Wohnung. Er spukte Gift und Galle, aber es nutzte nichts. Eine Warnung für Willi. Auch in Muthdorf gab es ein solches Projekte: Geld einsammeln von künftigen Mietern, auch dort: Das Haus wurde nie gebaut, es traf da einen Lehrerkollegen, der sein Geld in den Sand gesetzt hatte.
Paar Tage später rief er wieder mal an, er wählte willkürlich eine Telefonnummer in der einschlägigen Tagespresse. Er bekam eine Adresse und er fuhr per Straßenbahn dorthin. Er schlich um das Haus, ein Neubau, wartete bis die Zeitungsfrau weg war und klingelte unten. Es wurde geöffnet und Willi machte gleich wieder fort, es kam gerade jemand mit Mülleimer von oben. Er klingelte ein zweites Mal und stieg in den dritten Stock. Unerkannt konnte er in die Wohnung schlüpfen, die ihm ein Mann aufmachte. „Sie müssen warten." Die Wohnung war provisorisch eingerichtet, wohl nur für das Geschäft

angemietet. Vom nicht möblierten Flur gingen Küche, Bad, „Geschäftsraum“ und Wohnzimmer ab. Im Zimmer ein Tisch und zwei Campingstühle, dazu ein plärrender Fernseher. Es lief eine nervende Serie, in extremer Lautstärke: Die armen Nachbarn. Willi musste auf dem Stuhl sitzend warten. Wenn er nur erst wieder raus wäre. Er fühlte sich jetzt sehr unwohl. Der Kerl rauchte und schaute fern. Nach langen drei Minuten klopfte jemand ans Zimmer und der Kerl wies Willi in den Geschäftsraum. Er ging hinein, niemand da, die Dame war wohl duschen. Im Zimmer, ein Doppelbett, ein Schrank, zwei Stühle. Die Dame kam. Ca 35, blond, normale Figur. Sie hatte eine Art Morgen- oder Bademantel an und trug ein Tablett mit Papiertaschentüchern, Kondomen und Gleitgel. Auch sie kassierte zunächst 100 Mark, für 30 Minuten und wie die bei Wehrmann in Berlin, für jedes Extra einen Fuffziger dazu, sodass er auch auf 250 Mark kam. Wenigstens war es hell und hygienischer, auf jeden Fall sicher besser als im Auto. Er nutzte die 30 Minuten auch aus, machte alles ohne Gefühl, rein technisch. Er fragte nicht mal nach dem Namen der Dame und sie nicht nach seinem. Wozu auch. Sie machte einigermaßen mit, ohne dumme Bemerkungen und überspielte ihren eventuellen Ekel perfekt. Das konnte man auch erwarten, für 250 Mark. Vier Kunden am Tag, da verdiente sie ein paar Tausender im Monat und alles steuerfrei. Anfang 1991 waren noch nicht so viele Anzeigen in den Zeitungen und es war schwierig, jemanden auch zu erwischen. 250 Mark war auch ein schöner Luxus, den sich Willi nicht oft gönnen konnte.

Weniger als drei Mal die Woche Sex ist ein Scheidungsgrund, hatte Willi mal gelesen. Nun ja, aber es gab keine Alternative. Es gab keine, der er hätte hinterherrennen können. In der Bergkapelle war nur eine Musikerin und die war vergeben. In Muhtdorf waren nur Männer als Kollegen, ebenso bei der Polizei und auch die Lehrerkollegen waren sämtlichst männlich. Also blieb nur der eine Weg. Bis September 93 suchte Hohl dann, selten zwar, aber doch regelmäßig Wohnungen auf, trotz der gepfefferten Preise. Ein einziges Mal war er in einem richtigen Bordell, das war ein angemietetes Haus mit mehreren Vietnamesinnen und die wollten 300 für 30 Minuten, 200 für 20. Na dann danke. Also blieben nur die Wohnungen. Mit der Zeit dann, die nächsten zwei Jahre, wurde es leichter, die Anzeigen waren zahlreicher, aber es wurde nicht besser. Mitunter ging das, was früher 250 gekostet hatte, auch schon für 150. Die erste gerade beschriebenen Dame, mit der Willi auf finanzieller Basis Kontakte hatte, die das Maul hielt und nach dem Kassieren auch mitmachte, wenn auch ohne Begeisterung, sollte in den nächsten reichlichen zwei Jahren die absolute Ausnahme bleiben. Möglicherweise war es nur bei ihm so und er war nun wirklich nicht attraktiv, aber ein durchtrainierter Herkules hätte es sicher auch nicht nötig zu einer Hure zu gehen, da kommen die Frauen auch so. Die Nutten, mit denen Willi zu tun hatte, hassten die Kunden. Im Prinzip hingen sie sich mit viel Schwung an den Ast, auf dem sie selbst saßen. Sie hassten die Kunden, weil sie entweder fremdgingen, also zu hässlich waren, um außerhalb der Ehe eine zu finden, die es freiwillig macht, oder sie hassten sie, weil sie zu dumm waren, eine Frau zu finden und das kommt auf eins. Nun waren auch die Nutten im Osten in der Regel weder schön noch jung. Man merkte es am Dialekt, Westhuren um die 40, für den Osten allemal gut genug. Sie waren routiniert und darauf bedacht, dass der Kunde schnell fertig wird und wieder verschwendet, bei maximalem Preis. Sie waren schlechte Schauspieler und riefen mitunter gekünstelt, sie gaben sich auch keine Mühe, dass es ungekünstelt wirkt: „Gibs mir." Eher lusttötend und völlig abartig. Eine der Westhuren erwischte Willi in zwei Jahren dreimal, immer in einer anderen Wohnung unter anderem Namen. Sie war gar nicht mal hässlich und mit ca. 30 überdurchschnittlich jung. Sie erkannte Willi nicht wieder. Jedes Mal zog sie die gleiche Nummer ab: „Mach heute mal schnell, ich habe Kopfschmerzen." Ein „Morgen" gab es nicht, denn sie wechselte wohl täglich ihr Quartier und wohl auch die Stadt, in der gleichen Wohnung war eine Woche später schon eine andere. Das Geschäft schien langsam auch im Osten zu rotieren. Ausländer erwischte Willi nie, also Osteuropäerinnen, nur Thai und Neger, wenn die in der Wohnung waren, ging Willi wieder, nicht sein Geschmack. Die Westnutten waren aufs Geschäftliche konzentriert, aufs schnell fertig werden: Wenig Leistung für viel Geld. Die einheimischen Nutten, Hobbyhuren wohl, zum Teil auch jünger, waren das auch: Die versteckten ihren Ekel vor dem Freier aber nicht hinter eiskalter Geschäftlichkeit oder konnten es nicht, noch nicht.

Sie waren unfreundlich und herablassend, ließen den Freier spüren, was sie von ihm hielten und erwarteten. Vielleicht hatten die nicht mit derart unattraktiven Kunden gerechnet, hatten falsche Vorstellungen von jungen hübschen Männern, die gerade keine Freundin hatten. Sie ließen den Freier spüren, dass sie es ankotzte, sich vor ihn auszuziehen und befummeln zu lassen, obwohl sie dafür bezahlt wurden. Die meisten ließen das Hemd an, zogen es nur widerwillig hoch. Am liebsten wäre denen: Kondom drauf, mach mal selber, Handbetrieb und ab. Oder draufsetzen, möglichst wenig Körperkontakt und nach fünf Minuten Schluss. Maximal lagen sie wie ein Brett, um nach zwei Minuten rumzumotzen: „Mach mal ein bisschen flotter." Wurde ein Stellungswechsel verlangt: „Das mach ich nicht." Für ein Kondom wurde natürlich extra kassiert, natürlich das Zehnfache als im Laden. Wenn das Telefon der Nutten klingelte, wurde unterbrochen. Küssen war immer streng verboten: „So was mach ich nicht." Die Westnutten sagten von selbst ihren Namen, das gehörte zum Geschäft. Die meisten hießen Betti oder Biggi oder Susi. Die Ostnutten sagten ihren nie und Willi fragte auch nicht danach. Willi ging immer bei Tageslicht, um wenigstens was zu sehen, wenn die Vorhänge noch zu waren, dann Pech: Eine Westnutte hatte tatsächlich mal 50 Mark extra für „im Licht" verlangt. Wenn Willi sah, dass der Arbeitsraum dunkel war, haute er später meist wieder ab, vorausgesetzt er hatte noch nicht bezahlt. Mitunter war aber der Arbeitsraum vom Kontaktraum nicht einsehbar, dann hatte er eben besagtes Pech. Im Prinzip ärgerte sich Willi nach jedem Besuch über das vergeudete Geld, um dann, nach einer gewissen Zeit, doch wieder eine aufzusuchen. Die vorgegebenen 30 Minuten musste exakt eingehalten werden, das reichte aber auch immer. Die Westnutten erinnerten schon nach 20 Minuten: „Du musst jetzt fertig werden oder mehr zahlen." Um das zu umgehen, behielt er immer die Armbanduhr dran und sah vor Beginn provokatorisch auf das Ziffernblatt. Die Ostnutten motzten schon nach fünf Minuten rum: „Was ist nun, bist du bald fertig, mach mal bisschen hin, so was habe ich noch nie erlebt", usw. Hier getraute sich Willi nur einmal auf die 30 Minuten zu verweisen. „Mach trotzdem mal bisschen hin", nörgelte die Nutte weiter. Der Hinweis interessierte sie nicht im Geringsten. Dabei schienen die Nutten keine Angst zu haben, dass sie mal eine auf die Fresse bekommen könnten. Entweder sie wussten, der Freier hat Angst vor der Öffentlichkeit oder Willi speziell machte den Eindruck: „Der ist harmlos, den können wir ausnehmen." Männer im Hintergrund, wie die ersten beiden Male, also damals auch bei Wehrmann in Berlin, das war nie wieder der Fall. Wobei die selbstbewussten Westnutten schon den Eindruck machten: Die wissen, wie man sich verteidigt. Ohne Kondom ging gar nichts. Die Nutten kamen ausnahmslos sofort mit dem Gummi, meist auch mit Gleitgel, ohne ging nichts und sie passten genau auf, dass der ja nicht runterrutschte. Eine Frage nach Sex „ohne Kondom" erübrigte sich in jedem Fall. Sie waren interessiert, das so genannte Vorspiel zu umgehen, gleich zur Sache zu

kommen und nach fünf Minuten fort. War Hohl fertig, sagte die Westnutte: „OK." Die Ostnutte: „Kann nicht wahr sein, hat ja ewig gedauert" oder „Das kotzt einen an" oder „Hätte das nicht schneller gehen können." Der Freier war in den Augen der Nutten der Versagertyp schlechthin. Fort mit dem, so schnell wie möglich. Der Unterschied zwischen den vollmundigen Annoncen und dem, was dann tatsächlich geboten wurde, war extrem krass. Statt jung und nymphoman, stand man vor einer 40-jährigen geschäftstüchtigen Westnutte. Statt einer willig und einfühlungsvollen, hatte man eine lustlose Ostnutte, der die Wünsche des Kunden so egal war wie einem was egal sein kann. Das waren Willis Erfahrungen von April 91 bis Juni 93, wie gesagt sehr subjektiv, aber sehr unwahrscheinlich, dass der grauhaarige mit Stock, der mal vor Willi aus dem Appartement rauskam, groß andere gemacht hat.
In den Sommerferien 1991 hatte Willi wenige Veranstaltungen, wie überhaupt das vergangene Schuljahr. Die Polizei existierte nun nicht mehr. Er spielte nur noch in der Bergkapelle, eher seltener als Alleinunterhalter und im Jugendblasorchester als Aushilfe.
Ein paar Mal spielte er in der Bergkapelle Freiberg als Aushilfe. Eigentlich waren es weniger schöne Veranstaltungen. Die Freiberger Kapelle schien im Rahmen ihrer Bergbrüderschaft keinen guten Stand zu haben, denn während das Fußvolk in modernen klimatisierten Westreisebussen fuhr, musste die Musikkapelle, die auch noch das meiste Gepäck hatte, in alten Ikarusbussen aus DDR-Zeiten reisen,

ohne Klimaanlage. Immerhin ließen sich die Fenster öffnen. Das Fußvolk lief nur mit, die Musiker mussten auch noch musizieren, während der Parade zum Münchner Oktoberfest zum Beispiel. Die Unterkunft war immer bescheiden. In München zum Beispiel in einer Kaserne. Acht Mann in einer Stube, da kam nie Ruhe rein. Es wurde im Bett noch eine geraucht, einer ging, einer kam, Willi kam während der zwei Übernachtungen nicht zum Schlafen. Bei den WCs hieß es anstellen. Es waren nicht alle WCs geöffnet, umso weniger musste denn sauber gemacht werden. Für die dummen Ossis reichten die wenigen, die waren Anstehen gewohnt. Ausziehen der voll geschwitzten Kleidung im Massenquartier, ekligst. Immerhin war in der Kaserne nicht nur die Kapelle, sondern die gesamte Bergbrüderschaft. Das waren nicht immer die feinsten Typen. Bergarbeiter waren hier allerdings keine dabei. Reine Tradition, Bergbau wurde im Erzgebirge schon lange nicht mehr betrieben. Die Bergbrüder hatten nur eine Parade, mussten nicht musizieren und hatten Muße, sich den Freuden des Hopfensaftes ganz hinzugeben. Sie schnarchten ausgiebig. Kaum anzunehmen, dass hier ein Dozent der Bergakademie Freiberg dabei war. Immerhin war man mal in München und schaute mal beim Oktoberfest vorbei. Ärger gab es dann auf der Rückfahrt. 50 Mark Gage war mit dem Orchesterleiter ausgemacht. Immer wenn Willi im Bus, mit dem Schlagzeuger, der anderen Aushilfe, vor ging, ließ der sich verleugnen, hatte keine Zeit, redete mit dem Busfahrer oder mit einem Musiker: „Jetzt nicht, kommen Sie dann noch einmal.“ 50

Mark war schon extrem wenig, für ein verlängertes Wochenende. Aber der wollte nicht zahlen, das war zu merken. Dann fünf Minuten vor dem Aussteigen platzte dem Schlagzeuger der Faden. Willi wäre zu feige gewesen: „Entweder wir bekommen jetzt das vereinbarte Geld oder wir melden uns morgen bei Ihnen zu Hause, dann kommt noch eine Fahrgeldabrechnung. Chemnitz Freiberg und zurück dazu." Der Orchesterleiter verzog das Gesicht. Am liebsten hätte er sich den Tonfall verbeten, aber dann zahlte er. Die nächste Tournee, nach Aalen, da war Willi auch schon mal mit dem Jugendorchester gewesen, wollte Hohl eigentlich nicht mitmachen, aber der Orchesterleiter bettelte und Willi konnte nicht nein sagen. Der Schlagzeuger war dann zur Abfahrt nicht da. Der Orchesterleiter regte sich furchtbar auf. So eine Unzuverlässigkeit hatte er noch nie erlebt. Der Typ ist das letzte und so weiter. Der Pauker musste jetzt Schlagzeug spielen und auf Pauken musste verzichtet werden. Später erfuhr Willi: Der Schlagzeuger hatte die 50 Mark Gage im Voraus erbeten. Da der Orchesterleiter nicht überwiesen hatte, war er zu Hause geblieben. Keine schlechte Idee, denn auch diesmal war der Orchesterleiter nicht bereit, auf der Rückfahrt die 50 Mark auszuzahlen. Schließlich gab er genervt Willis Forderung nach, der sollte ihm die Kontonummer geben, zum Überweisen. Als nach 14 Tagen noch nichts auf dem Konto war, versuchte Willi telefonisch zu erinnern. Nach vielen glücklosen Versuchen erreichte er den Kerl, der hatte Willis Kontonummer verschmissen. Als nach 14 Tagen wieder nichts drauf war, das gleiche Spiel. Nach dem letzten Telefonat hätte danach seine Tochter angerufen und nach einem längeren Gespräch hätte er den Zettel mit der Kontonummer aus Versehen vernichtet. Aber er brauche ihn für eine neue Aushilfe: drei Tage Ruhrgebiet. Da könne er ihm danach die 100 Mark gleich auf der Rückfahrt geben. Willi war so dumm zuzusagen. Beeindruckend bei der Fahrt war eine Szene auf einem Rastplatz im Westen. Da niemand von den Ossis die sündhaft teuren Waren in der Raststätte kaufen wollte, machte der Busfahrer Kaffee, das machten auch andere Ostreisegruppen so. Daraufhin kam ein Mitarbeiter des Raststätten-pächters mit der schriftlichen Ankündigung: „Das Busunternehmen wird verklagt wegen Geschäftsschädigung." Man kann schließlich auch nicht das Glas Bier mit in die Kneipe nehmen. Das Busunternehmen bekam auch ein Strafverfahren, aber Willi erfuhr nie, was rausgekommen ist. Immerhin, es brauchte sich niemand von den Wessis zu wundern, wenn die Linken immer stärker wurden. Auch das war der Westen. Die Reise selbst war nicht so toll. Freitag Anreise, Übernachtung wenigstens im Zweibettzimmer. Auch nicht ideal, aber die Betten standen auseinander. Am Samstag war ein musikalischer Frühschoppen in einer Mehrzweckhalle, dann gammeln und abends bei der Gemeindeparty rumhängen. Für Willi als Nicht-trinker und Nichttänzer furchtbar langweilig. Dann am nächsten Tag ausschlafen, Besuch eines Schwimmbades, dann wieder gammeln und am Abend noch ein Konzert. Rückfahrt 22.00 Uhr.

Ankunft 05.00 Uhr, dann Schule in Muthdorf. Natürlich kam Willi nachts nicht dazu, seine 100 Mark einzutreiben. Also begann das Spiel von vorn. Anrufen, Kontonummer durchgeben nichts passierte. Wieder anrufen. „Wir sind ein armer Verein", betonte der Orchesterleiter. Willi bestand auf sein Geld, er würde es in Freiberg auch holen. Der Orchesterleiter versprach, zu überweisen. Nichts. Willi bekam die Privatadresse raus, schickte eine Rechnung. Nichts. Wieder Telefon. Der Orchesterleiter lud Willi zum Vereinsvergnügen ein, vorher Konzert für die fördernden Mitglieder, da könne er mitspielen, dann Essen frei. Das könnte er anbieten statt der 100 Mark. Getränke wohl nicht frei? Das war der Gipfel. Willi sagte, dass er zu dem Termin schon was anderes vorhabe und bat um unverzügliche Überweisung. Anderseits würde er am Montag in zwei Wochen gegen 08.00 Uhr in Freiberg bei der Privatwohnung sein, um die 100 Mark zu holen. Sie könnten dann gemeinsam zur Bank fahren, falls der Herr Orchesterleiter nicht so viel Geld zu Hause haben sollte. Nichts passierte. Willi fuhr auch nicht nach Freiberg. 1993 dann tat er der Alten in der Wohnung über ihm einen Gefallen und fuhr ihr Enkel nach Freiberg zur Abschlussprüfung der Lehre als Einzelhandelskauffrau. Er meldete sich jetzt beim Orchesterleiter, da er nun einmal hier war. Der war auch da und ganz erstaunt. Er dachte, die 100 Mark seien verjährt. Wollte er nicht vor zwei Jahren kommen? Da hatte er den Huni zu Hause, im Moment leider gerade kein Bargeld. Willi bot sich an, zur Bank zu fahren. Aber der Orchesterleiter hatte einen

anderen Termin. Willi erbot sich, zu warten. Dann müsse er bis abends 19.00 Uhr warten, zehn Stunden. Willi bot sich an nochmal zu kommen. Bitte. Und er kam. Niemand machte auf. Niemand da. Willi schickte erneut eine Rechnung mit Fahrgeld für zwei Fahrten und drohte mit rechtlichen Maßnahmen. Kein Erfolg. Willi verzichtete auf die 100 Mark. Erst 2007 machte er das nächste Mal in diesem Orchester mit, der alte Orchesterleiter war verstorben. Anstandslos zahlte man Willi die für seine Verhältnisse königliche Gage von 80 Euro. Leider hatte er nichts davon, denn auf dem Weg zum Auftrittsort wurde er wegen zu schnell fahren geblitzt und musste 35 Euro bezahlen. Von den 80 Euro gingen noch Steuer und Fahrgeld weg, ein Nullrundenspiel. Das war die Bergkapelle Freiberg.
Sommer 91 hatte Willi wenig zu tun und da wollte er die neuen Möglichkeiten nutzten und seine erste größere Reise machen. Er holte sich vom Reisebüro Kataloge und wurde auf Studiosus aufmerksam. Ein ganz hervorragender Anbieter, der auch Kataloge für die neuen Bundesbürger führte. Da die „Große Spanienreise" ausgebucht war, entschied sich Willi für die „Große Frankreichrundreise", wohl wissend, dass man Frankreich in 14 Tagen nicht groß kennen lernen konnte. Der erste Tag ging mal schon komplett weg. Zustieg in den Zubringerbus war 10.00 Uhr, dann ging es immer wieder runter von der Autobahn andere Mitreisende abholen. Dann eine große Autoraststätte bei Hof. Hier waren dutzende Busse und alle wurden samt Gepäck neu verteilt. Obwohl Willi rechtzeitig gebucht hatte,

waren die letzten Reiseunterlagen nicht bei ihm angekommen. Nach mehrmaligem Nachfragen beim Reisebüro erhielt er die Info, dass ein Fehler beim zuschicken passiert sei. Die Reiseleiterin hat seine Unterlagen. Immerhin fand Willi den Bus für die Frankreichreise, inkl. einer völlig genervten Reiseleiterin, der jetzt schon alles zu viel war. Jedenfalls hatte sie keine Zeit, ihm die Unterlagen zu geben. Dumme Sache, denn in den Unterlagen war auch seine Sitzplatznummer. Also setzte sich Willi ganz nach hinten, zu einem allein reisenden Herrn. Das war dann auch sein Zimmernachbar, Einzelzimmer waren nämlich nicht zu bekommen. Im Gegenzug sparte Willi den happigen Aufpreis für das Einzelzimmer, aber den hätte er liebend gern bezahlt. Es war nicht sein Ding ständig mit anderen zusammen, man konnte nicht duschen wann man wollte, kurz: man war abhängig. Andernfalls war der Mitreisende ganz verträglich. Lehrer, ca. 45 Nichtraucher, Nichtschnarcher. Glück gehabt. Der Bus war ein Doppelstockbus älterer Bauart. Unten saßen Fahrer und Reiseleiter. Kontakt ging nur über Sprechanlage, die hatten auch einen separaten Eingang. Die besten Plätze mit Panoramablick waren natürlich ganz vorn und zwei der vier blieben frei. Also rutschten alle eine Bank vor, die in der zweiten Reihe hatten jetzt das Glück, den besten Platzt zu haben. Bei der ersten Rast reichte ihm die Reiseleiterin, ein ältliches Mädchen, ca. 30, flachbrüstig und voller Aknepickel, die Reiseunterlagen und siehe da, Willi hätte ganz vorn sitzen dürfen. Eigentlich war ihm der Platz zugewiesen. Nun war es zu spät, einen Anspruch darauf zu haben. Alle hätten wieder eins zurückrutschen müssen und Willi hätte vorn allein gesessen, ein zweiter Logenplatz hätte zwangsweise frei bleiben müssen oder ein Ehepaar hätte sich getrennt. Gut, das wäre Willi egal gewesen, aber jetzt war er zu feige, seine Ansprüche anzumelden und so musste er sich mit dem schlechtesten Gangplatz zufriedengeben. Dumm gelaufen. Das ging ja wunderhübsch los. Die erste Etappe ging bis Karlsruhe. Dort hatte auch der viel gelobte Neffe Gerhard seinen neuen Wohnsitz. Er war gleich nach der Wende in den Westen und nahm gleich auf einem der Chefsessel in einer großen Firma Platz. Er besaß ein großes Haus, von welchem er auch ein viel bestauntes und immer wieder gern gesehenes Video gedreht hatte. Gerhard war auch ständig geschäftlich in Japan. Die Frau arbeitete bei der Polizei, die Tochter hatte alles Einsen in der Schule und er hatte auch schon ein großes Westauto. Ja, Neffe Gerhard hatte es zu was gebracht, auf den konnten die Eltern stolz sein, wie Willis Erzeuger immer gern betonten. Willi hingegen: altes DDR-Auto, primitive Wohnung in einem Mietshaus und geht von der Polizei weg. So viel Dummheit ist unerreicht, dann mit fast 30 immer noch keine Frau. Hätte Willi ein Haus, wäre todsicher über die Dummheit, in unsicherer Lage einen Kredit aufzunehmen, gelästert wurden. Der Neffe, ja der arbeitete in einer soliden Firma, die international agierte, da brauchte man keine Angst zu haben, arbeitslos zu sein. Da konnte, ja musste man einen kleinen Kredit nehmen, um die Fördermittel für den Hausbau zu bekommen. Das erklärte Willis

Erzeuger, der sich ja mit so was auskannte. Leider kam es anders. Neffe Gerhard starb mit 42 in einem Hotel in der Nacht vor einem Vorstellungsgespräch. Er war doch arbeitslos geworden. Todesursache war, wie sie später recherchierten: Verstrahlung während der 3-jährigen Armeezeit in einer Radarkompanie der DDR. Nicht umsonst war die in Kasachstan in einer menschenleeren Gegend stationiert. Tja ein Menschenleben zählt nicht viel, weder im Sozialismus noch im Kapitalismus. Man musste sehen, wie man mit dem Arsch an die Wand kam, ohne von dem System zerrieben zu werden.... Willi hatte wenig Lust, in Karlsruhe Neffe Gerhard aufzusuchen. Für den war Willi wie auch für Onkel und Erzeuger nur ein jämmerlicher Versager. Zu DDR-Zeiten, wo es peinlich ist zur Polizei zu gehen, da fängt er dort an. Jetzt, wo es günstig ist, hört er wieder auf. Lieber Beamter, wenn auch ohne Musik, als an einer Musikschule, wenn die und das ist nur eine Frage der Zeit, zumacht. Auch da kannte sich Willis Erzeuger aus, dann würde er in der Gosse landen, wenn er Glück haben würde im Knast. In Karlsruhe war noch Zeit Schlossplatz und Schloss zu besichtigen, eine interessante Sache.
Am nächsten Tag ging es weiter Richtung Straßburg. Neben Willi, nach dem Gang, saßen zwei elegante Frauen, ca. 30 und 50 wohl Mutter und Tochter, die die gesamte Zeit mit Lippenstiften und „Nachschminken“ beschäftigt waren. Auffällig war noch eine 40-jährige, mit Mann reisend und total kurzem Igelschnitt. Die sah so zum Kotzen aus, aber die Alte fühlte sich toll, Ärztin von Beruf. „So ist man flexibel, muss nicht jeden Tag die Haare

machen.“ Ansonsten waren alle ab 40 aufwärts. Ein Kunstmaler, am wirren Haar erkennbar. „Davon können sie leben“, fragte jemand. „Na die Frau ist Lehrerin.“ „Dann geht es.“ Einer war früher Kameramann beim Fernsehen, jetzt mit 63 in Vorruhe, aber er stand immer mit seiner noch arbeitenden Frau um 05.00 Uhr auf, um gemeinsam zu frühstücken. Na wenn das nichts ist. Dann Straßburg, mit Stadtrundfahrt und Besichtigung des Doms. Hier entpuppte sich die Reiseleiterin das erste Mal. Sie war Kunstwissenschaftlerin, M.A. und das war ihre Leidenschaft. Die anderen Reisegruppen bekamen kurze knappe Erläuterungen und sie standen stundenlang vor irgendeiner Madonna, von der jede Bügelfalte erklärt wurde. Die Reiseleiterin nahm keinerlei Rücksicht auf die strahlende segnende Sonne, sie selbst geißelte sich aber auch und nahm keinerlei Rücksicht auf sich selbst. Es interessierte sie auch nicht, wenn zwei Drittel der Gruppe, weit weg, im Schatten stehend, nicht mehr zuhörte. Es gab immer noch genug „Kunstbesessene“; die ihre Erläuterungen sogar mitschrieben und dann noch Fragen stellten, so zum Beispiel eine Geigerin vom Chemnitzer Theater. Willi wollte was sehen, die Details konnte er im Reiseführer nachlesen. Die Krönung war in Avignon. Sie standen stundenlang im Park und die Alte las die Papstgeschichte vor. Für die Besichtigung des Papstpalastes war dann keine Zeit mehr. Das heißt, Zeit wäre schon gewesen, aber die Reiseleiterin war erpicht darauf, so schnell wie möglich ins Hotel zu kommen. Das waren aus Kostengründen meist Motels, weit vor den Städten oder in Industriegebieten. Hier saßen sie dann ab 17.00 Uhr fest. Die Alte hatte einen großen Koffer mit Literatur mit, die sie dann in ihrem Einzelzimmer las. Einmal an der Mittelmeerküste waren herrliche Bademöglichkeiten. Aber sie durften nicht ins Wasser und standen dann vor irgendeiner Kirche in der prallen Sonne und mussten ewige Erklärungen über die kunstvolle Verzierung des Portals über sich ergehen lassen. „Wir haben die falsche Reise gebucht." Da waren sich Willi und sein Zimmernachbar einig. Mittags machten sie irgendwo Halt und dann war drei Stunden Mittagspause, mitunter in malerischen Orten. Hinweise über Sehenswürdigkeiten, für die, die in der Hitze keinen Hunger hatten? Hilfe bei der Überwindung von Sprachschwierigkeiten bei der Bestellung des Essens? Fehlanzeige. Mitunter fand Willi durch Zufall was Interessantes und in drei Stunden konnte man viel besichtigen. Die Alte machte nur das, was im Katalog vorgeschrieben war, sicher auch aus rechtlichen und versicherungstechnischen Gründen. Willi war erstaunt, als sie drei Mal zu einer Kirche fuhren, bis die endlich geöffnet war und da war nichts Besonderes zu sehen. Aber Willi wusste noch nicht, das Westreisende genau aufpassen, um nach der Reise Mängel nutzen, um eine Rückerstattung von Teilen des Reisepreises einzuklagen und die Nichtbesichtigung eines im Katalog beschriebenen Objektes stellt einen erheblichen Reisemangel dar. Im Übrigen war natürlich eine Ostreisegruppe ungefährlich. Die waren bescheiden, wussten noch nicht, dass man sich wegen jeder Kleinigkeit beschweren konnte und eine Reise ohne Mangel, der Geld zurückbrachte, keine erfolgreiche Reise ist. Anderseits hatten die Ossis noch nicht kapiert, dass für jede Kleinigkeit Trinkgeld zu geben ist. In den Westkatalogen stand, dass 2 Mark pro Tag und Person üblich sind jeweils für Reiseleiter und Busfahrer. Das getraute man sich in den Ostkatalogen noch nicht reinzusetzen. Die Ossis waren noch nicht so weit, dass sie mehr für die Reise bezahlen. Womöglich hätten sie die Aufforderung zur Zahlung von vermögens-wirksamen Leistungen an Busfahrer und Reiseleiter abgelehnt und wegen dieser frechen Forderung nicht gebucht. Immerhin 2 Mark pro Person und Tag. 40 Reisende, das sind 80 Mark am Tag, mal 14, immer noch ein Monatsgehalt Trinkgeld, nach ostdeutschem Niveau. Bei den Ossis war es nur möglich, zum Schluss einen Korb herum zu geben. Die Reiseleiterin selbst ging mit grimmiger Miene rum. Mal ein 5 Markschein, Willi gab zwei Mal 50 Pfennig. Da war er mutig, aber er würde die Alte nie wiedersehen. Sie machte schon den Mund auf, um was zu sagen, aber Willis Zimmerkollege kam zuvor. „Ich gebe nichts.“ Wütend ging sie weiter. Aber es gab auch schon Mitreisende, die sich leise aufregten. Die Reisen mit Ossis waren also unbeliebt und die finanzielle Einbuße war erheblich. Warum sich tot machen für die Idioten. Dennoch meckerte niemand laut und vor allem nicht vor der Reiseleiterin. Selbst nach dem Besuch der Champagnerkelterei nicht. Eine Besichtigung war vorgesehen, in den Reiseunterlagen stand auch,

Willi hatte das irgendwann gelesen, warm anziehen.

Der Bus hielt und sie stiegen aus, der Bus fuhr weg, wohl zu einem Parkplatz und Willi hatte natürlich, wie andere auch, nicht an die Jacke gedacht. Eine Erinnerung kam zu spät, nämlich als die Reiseleitung und ein paar wenige ihre Jacken anzogen. Im Bus hätte sie noch mal was sagen müssen, nun war es zu spät. Draußen war es extrem heiß und so war die momentane Kühle eher angenehm. Das änderte sich von Minute zu Minute und Willi fror, wie die anderen auch, ganz erbärmlich, einen Abbruch der Führung fordernd. So standen sie dann in der Sonne und warteten auf die anderen, die Hälfte verpassend. Zum Abschuss bekam jeder noch ein kleines Glas zum Kosten und Willi fand, dass Fabersekt für einen Bruchteil des Preises auch nicht schlechter schmeckte als Champus. Nur ein Reisender kaufte für einen sagenhaften Preis ein kleines Fläschlein. Willi konnte dem Alkohol nichts abgewinnen, Bier schmeckte widerlich bitter und warm getrunken fand er es ungenießbar. Wenn der Vater von Onkel Gerhard erzählte, der mal Gastarbeiter in Libyen war, dass das dort heimlich selbst gebraute Bier keine Zeit hatte abzukühlen, weil es so gierig getrunken wurde, konnte er das nicht nachvollziehen. Schnaps fand Willi noch widerlicher, am ehesten trank er ein Mixgetränk, aber davon bekam er Kopfschmerzen. Warum nicht gleich eine eiskalte Coke trinken, die schmeckte genauso gut und man bekam keine Kopfschmerzen. Dafür, dass er kein Alk trank, wurde Willi immer schief angeschaut. Immer wieder brachte man ihm

das Beispiel: „Leg über Nacht ein Stück Fleisch in ein Glas Cola und es ist am nächsten Tag zerfressen.“ Willi hatte den Versuch nie gemacht, konnte sich aber gut vorstellen, dass Zitrone das Fleisch genauso zerfrisst.
Für ein ganz ärgerliches Vorkommnis konnte die Reiseleitung nichts dafür. In dem Bus wurde über Nacht eingebrochen. Alle Jacken, Videokameras und lose liegenden Besitztümer gingen in den Besitz der Diebe über. Willi hatte Glück, er hatte nichts im Bus liegen lassen, er hasste es, mit dem Fotoapparat auf dem Bauch sofort als Tourist erkannt zu werden. Das gab ein Wehklagen. Obendrein war die Seitenscheibe des Busses eingeschlagen, diese wurde notdürftig mit einem Brett repariert. Willi hatte von Anfang an den Eindruck, dass der Deutsche in Frankreich nicht willkommen ist, eher immer noch der Erbfeind. Oft brüllten Franzosen, vor allem junge, über die sich durch die Reiseleitung als deutsch erkannte Gruppe in ihrer Muttersprache darüber weg, um so die Erklärung zu stören. Sie ahnten nicht, dass der Großteil der Gruppe sich schon lange nicht mehr dafür interessierte. So gesehen fand Willi die EU und die Einführung des Euro gut. Wer miteinander handelt und finanziell im gleichen Boot sitzt, wird kaum aufeinander schießen und so lange war der letzte Weltkrieg nicht weg. Aber anderseits hatten die Russen und Tschetschenen auch die gleiche Währung, Rubel, und schossen aufeinander, auch die jugoslawischen Teilrepubliken… Und, der Mensch ist immer noch der gleiche Idiot, gierig, neidisch und scharf darauf, möglichst viel für wenig

Gegenleistung zu bekommen. Wer die Macht in den Händen hält, nutzt sie zu seinen Gunsten aus. So gesehen fand Willi die Demokratie, mit der Opposition, die den Regierenden genau auf die Finger schaut, ganz gut. Auch wenn die Opposition letztlich doch auch nur wieder an die Fleischtöpfe will. Oder war es am Ende so, dass doch das Kapital das Sagen hat und die Demokratie ein Schauspiel für den Pöbel ist? Immerhin fährt der Pöbel, zu dem sich Willi auch zählte, besser als im Sozialismus mit seiner Mangelwirtschaft. Klar, dass der Arbeitslose mehr will fürs Nichtstun, aber ob die Linken das so umsetzen, wenn sie dran sind? Immerhin gab es im Sozialismus eine „Pflicht zur Arbeit" und man landete schnell im Knast wegen asozialer Lebensweise. Das wurde schnell vergessen.
Aber das war Willi im Prinzip ziemlich egal. Trotz der beschriebenen Missstände war die Frankreichreise eine tolle Sache. Nie hätte er sich träumen lassen, überhaupt jemals so was zu sehen: Straßburg, Lyon, Montpellier, Toulouse, Alibi, Avignon und natürlich Paris mit Versailles. Im Prinzip war jeder Tag gleich. Frühstück, man durfte nicht zu viel trinken, um dann kein Problem zu bekommen, Busfahrt und Besichtigungen unterbrochen von einer dreistündigen Mittagspause. Da war der Bus zu, die meisten aßen irgendwo, zu gepfefferten Preisen. Willi streunte dann durch die Umgebung, die Eindrücke auf sich wirken lassend. Hunger hatte er in der Hitze nicht. Dann die meist öden Abende, da konnte man dann die Industriegebiete, in denen die Motels waren, besichtigen. Nicht immer, in Paris zum Beispiel

nicht, da war das Hotel zentral. Er stand staunend auf dem Eifelturm und schlürfte in einem Kaffee am Arc de Triumphe eine eiskalte Cola. Eigentlich waren es mehr Eiswürfel, aber es war auch Cola im Glas, mit Zitrone übrigens, für 8 Mark. Das war es ihm wert, immerhin an historischer Stätte. „Um Cola zu trinken, fährt der nach Paris, das ist das gleiche als wenn einer im Feinschmeckerrestaurant eine Fleischbrühe bestellt." So sagten Willis Erzeuger später, denen er blöderweise von der Episode erzählte. Aber nicht vergessen, gäbe es nicht die dummen primitiven, könnten die anderen ihre Qualitäten nicht herausstellen. Wenn er nicht so böse und kaltherzig wäre, dann könnten die anderen ihre Güte nicht positiv verkaufen. Ohne den bösen Hitler hätte Stalin nie den Krieg gewinnen können, um noch mehr Völker in die Friedenspolitik der Sowjetunion einzubinden...

Nun begann es, das neue Schuljahr 91/92, das erste komplette als „Hauptamtler" stand bevor: Viele Schüler, aber zu wenig aktives Musizieren. Immerhin musste er froh sein, überhaupt mit Musik sein Geld zu verdienen. Gar nicht mal wenige seiner Studienkollegen hatten ihren Job verloren waren in Orchestern gelandet, die aufgelöst oder zusammengelegt wurden. Neustrelitz, Schweriner Philharmonie, fast alle Berliner Rundfunkorchester, Zeitz, Stendal, Wittenberg, Senftenberg, Potsdam, die Liste nahm kein Ende, dann die vielen Militärorchester.
Er spielte ein paar Mal in einem Pflegeheim in Chemnitz, die Muggen brachte eine ehemalige

Ansagerin des Polizeiorchesters, die er zufällig auf der Straße traf. Die brachte noch eine ältere Frau mit, die ein paar Runden als Akkordeonsolistin machte, Musetteklänge nichts Besonderes. Willi trug die Hauptlast. Anlage mitschleppen, aufbauen, Keyboard spielen und singen, dann die Anlage zusammenpacken, ins Auto schleppen, da waren die Frauen lange fort. Die hatten nur sich selbst und das Akkordeon. Dafür gab es 40 Mark Gage, jeder das gleiche. Da das Programm gut lief, wollten die expandieren und rissen noch ein weiteres Pflegeheim auf. Das wäre am anderen Ende der Stadt gewesen und von der Zeit her ungünstig. Willi hätte von Muthdorf, wo er die ersten drei Unterrichtsstunden gemacht hätte, nach Chemnitz fahren müssen. Und dann zurück nach Muthdorf, um nochmal zwei Stunden zu unterrichten und das im Berufsverkehr. Immer die Zeit im Nacken, ein halb kaputtes Auto strapazierend. Willi fragte das Heim, ob das Wochenende auch o.k. wäre. Dem Heim war das egal, aber den Damen nicht. Außerdem forderte Willi mehr Geld, er habe schließlich die ganze Arbeit. Aber da kreischte die Ansagerin: „Ich setze mit der Moderation die Hauptakzente und mehr als 120 könnten sie nicht verlangen.“ Bei aller Spielfreude. Willi wäre mit dem Unterricht in Schwierigkeiten gekommen und dann: 50 Kilometer fahren, ökonomisch nicht vertretbar. Er sagte seine Mitarbeit ab. Jetzt wurde die Dame ganz verrückt. Keine Dankbarkeit, sie bemühe sich, attraktive Geschäfte zu bringen und nun wird sie sitzengelassen. Die Pflegeheime haben nun mal nicht mehr Geld, sie appellierte an seine soziale

Ader. Willi bedauerte unendlich, aber bei diesen günstigen Konditionen würde sie sicher mit Leichtigkeit einen anderen Partner bekommen. Vielleicht könnte die Akkordeonspielerin ja auch mal paar Schlager spielen und dazu singen. Eine kleine Anlage ist für 400 zu bekommen, die könnte sie ja investieren zusammen mit ihrem sozialen Gewissen. Das Heim könnte ja auch mal an die Tankstelle gehen, um den heimeigenen Kleinbus gratis betanken zu lassen. Da hätten sie dann auch Geld für eine eigene Anlage sparen können, vielleicht hat der Tankstellenpächter ja Mitleid. Willi haute grußlos ab.
Viel Unterricht, leider wenig Geschäfte, in der Vorweihnachtszeit dann viel Bergkapelle, ab und zu Jugendorchester.
Immerhin hatten die wenigen Veranstaltungen auch sein Gutes. Willi fand Zeit, zum Jahreswechsel 91/92 noch einmal eine Reise zu machen. Das heißt, ursprünglich wollte er mit Hans spielen, aber der sagte ihm 14 Tage vorher ab. Er wollte, niemand konnte ihm das verübeln, aber er hätte es auch gleich sagen können, in den Urlaub fahren. Willi hatte gleich als er die Mugge zusagte kein gutes Gefühl. Er sollte in einer Gaststätte „Sportlerheim" vor einer ziemlich großen Gesellschaft spielen, und zwar schon ab 15.00 Uhr zum Kaffee trinken und dann bis in die Morgenstunden, Ende nach Absprache. Als die Rede aufs Geld kam, sagte die Wirtin: „Da werden wir uns schon einig." Sie bedankte sich schnell für die Zusammenarbeit und war auch schon weg. Naja, Willi dachte an das Theater mit der Bergkapelle Freiberg und erst im

September hatte er zum 60. Geburtstag eines ehemaligen Polizisten gespielt, von 14.00 Uhr, bis 24.00 Uhr und dann bekam er inkl. Fahrgeld, unter Freunden 40 Mark und war zwölf Stunden unterwegs. Willi war misstrauisch. Mit Hans zusammen war das einfacher, der hatte ein selbstbewusstes Auftreten und besaß Ausstrahlung. Allein war immer so eine Sache. Die klobigen Boxen selbst schleppen und er hatte keinen Hänger mehr, müsste also zweimal fahren, somit das Zeug Neujahr erst mal stehen lassen. Saxofon zum Keyboard und ab und zu mal eine 2. Stimme gesungen brachte schon etwas Abwechslung und Hans kannte sich mit der Anlage aus. Natürlich hätte Willi die Mugge gern gemacht, aber ganz allein... Dennoch war er wütend, wegen der Absage von Hans. Der wusste nicht, dass er keinen Vertrag hatte, ließ ihn also richtig schön hängen. Statt das Gespräch, Willi hatte angerufen, ob auch alles klar gehe Silvester, peinlich schnell zu beenden und den Schwanz einzuziehen, lästerte Hans wieder mal über Willis verlorene Nerven und seine Dummheit, von der Polizei wegzugehen. Willi hatte es jetzt wirklich satt, er wünschte ein „Gesundes neues Jahr" und das war es dann. Niemals wieder meldete er sich bei Hans. Der konnte ihn auch nicht erreichen. Beruflich waren keine Berührungspunkte mehr und ein Telefon hatte er nicht. Dennoch hat Hans sich über Willi und seinen Kontaktabbruch aufgeregt, wie er von dritten erfahren hatte. Willi sah Hans nie wieder in seinem Leben, nie wieder trafen sie sich. Eigentlich sehr traurig. Aber hätte die andere Seite nicht auch mal was unternehmen

können? Ab 93 hatte er ein Telefon, dienstlich übrigens erst 97. Anderseits, Willi brachte keine Geschäfte und damit kein Geld mehr, also wurde er unwichtig für Hans.
Willi fuhr also zu dem Auftraggeber und sagte ab, da sein Kollege kurzfristig nicht zur Verfügung stand. Die Kneipenbesitzerin drohte nun, Willi zu verklagen, er solle gefälligst Ersatz bringen. Vor Gericht würde man sich wiedersehen. Die wollten immer nur die Sahne abschöpfen. Erst keinen Vertrag machen, um beim Geld sich nicht festlegen zu müssen, aber jetzt auch nicht die Nachteile eines nicht vorhandenen Vertrages im Kauf nehmen wollen. „Nein", sagte die Kneipenbesitzerin, „Auch der Handschlag hat Rechtskraft." Der Ehemann der Wirtin, machte Anstalten, ihm an den Kragen zu gehen. Willi flüchtete. Es war dunkel und in weiser Voraussicht hatte er das Auto ein paar Straßen weiter abgestellt. Sicher hatten sie seine Adresse und konnten ihm das Auto demolieren und die nächsten Tage stellte er es auch 500 Meter weiter weg. Sie riefen ihm nach: „Wir sehen uns vor Gericht." Sie sahen sich nie wieder.
Dennoch war der Ausklang 1991 erfreulich. Willi buchte eine Italienrundreise, nochmal bei Studiosus. Das war etwas riskant im Winter, aber um es vorwegzunehmen, alles ging gut. Er konnte diesmal auch ein Einzelzimmer buchen. Die Reise begann am 1. Weihnachtsfeiertag, was erst noch mal Ärger mit den Erzeugern brachte. Kein Mensch fährt zu Weihnachten, sondern verbringt Weihnachten bei den Eltern und dann schon die zweite Reise in diesem Jahr. Sie vermuteten, dass

Willi bald pleite sein würde, um dann die Eltern um Geld anzubetteln.
Denen konnten seine finanziellen Verhältnisse eigentlich egal sein. Pleite war er sicher nicht. Egal was die Erzeuger kästen, er machte die Reise, stieg wieder 10.00 Uhr in den Zubringerbus, der ihn über die Dörfer nach Hof brachte. Komisch war das schon. Alle feiern Weihnachten und für ihn fiel es dieses Jahr quasi aus.
Natürlich hatte er im Bus keinen Fensterplatz, er saß ziemlich weit hinten am Gang, sodass er auch durch die Vorderscheibe nichts sehen konnte. Sein Nachbar, ein Lehrer aus Magdeburg, Junggeselle, ein komischer Kauz, fett, Glatze und die gezierte Sprache einer Schwuchtel. Der erste Eindruck, den Willi hatte, war der allerschlechteste, womöglich dachten die anderen noch, sie hätten was zusammen. Nichts fand Willi so falsch wie das Sprichwort: Der erste Eindruck ist der entscheidende, denn der erste Eindruck war total daneben. Der Mann war belesen, intelligent, leidenschaftlicher Lehrer, ob schwul oder nicht, auch von Willi dachten das letztlich viele. Ein dritter im Bund war Chorsänger eines großen Opernhauses, 40 auch alleinstehend. Dann waren noch ein männliches Paar, ein ältliches weibliches Zwillingspaar, ehemalige Balletttänzer und mehrere Ehepaare zwischen 35 und 65. Insgesamt eine gute Truppe. Mit jedem konnte man reden, der Reiseleiter, ein cooler Typ, ca. 35, der sein Fach tatsächlich verstand. Keine langweiligen zu ausführlichen Erklärungen. Ein engagierter Mann und das, obwohl auch er nicht mit einem

gewohnten Trinkgeld rechnen durfte. Willi war hier kein Außenseiter. Hatte bei der Frankreichreise jedes Pärchen seins gemacht, so war hier quasi eine große Familie. Es gab auch skurrile Typen. Ein älteres Paar, das jeden Abend von der untergegangenen DDR schwärmte. Die hatten schon zu DDR-Zeiten einen Reisepass und verfügten über eine, nun leider aufgebrauchte, Westgelderbschaft. Wütend erzählte der Mann von einem Schwächeanfall seinerseits, der ihn zu einer teuren Hotelübernachtung zwang. Seine Notlage wurde ausgebeutet. Zu DDR-Zeiten hatte er mit der Gattin immer in Jugendherbergen übernachtet, für minimales Geld, mit reichlichem Frühstück. Jetzt kann man das alles nicht mehr bezahlen. (Für die Reise hatte er aber die Kohle) Ist dann auch der Taxifahrer oder der Pannendienst jemand, der Leute ausnutzt, quasi ihre Notlage? Wer nimmt schon freiwillig ein teures Taxi. Aber besser als früher, jetzt standen wenigstens Taxis und Pannendienste zur Verfügung. Aber das Paar hatte das auch schon zu DDR-Zeiten, dank ihrer Westmark. Die Zeiten waren vorbei, jetzt hatten alle die Kohle.
Es ging nach Kufstein zur ersten Zwischen-übernachtung und dann mit Schnee und Eis, sie hatten aber keine Verspätung, nach Florenz, Venedig, Rom, Neapel, Pompeji und Venedig. Er besuchte das Land, welches er als Kind schon etliche Male mit seinen Comichelden, den Digedags aus der Zeitschrift „Mosaik“, bereist hatte. Auch die Mosaik war nun keine Mangelware mehr und Willi konnte sich alle Sammelbände kaufen, nun das lesend, was er sich als Kind so gewünscht hatte. Die

Wende sei Dank. Diesmal machte keiner das Rollo runter, wie bei der letzten Italienreise nach Verona und er konnte den Brennerpass bewundern. Alles in allem eine spitzenmäßige Reise, wohl die schönste in Willis Leben. Bella Italia!
Es begann das Jahr 92. Und eigenartig, die Marie mit ihrer allgegenwärtigen Mutter war auf einmal verschwunden, ganz plötzlich, es war, als ob die Typen nie existiert hätten. Er atmete tief durch... Eine einzige Begegnung gab es noch, das war Mai 93. Sie schaute aus dem Fenster der Wohnung ihres Freundes, als er gerade vorbei ging. Sie sprach ihn an: Sie wollte bei ihm Klarinettenunterricht haben, um mal in einem Orchester mitzuspielen. Ob sie den bei ihm haben könne. Sie hatte auch sofort einen Terminvorschlag. In einer Woche, am Mittwoch. Willi wusste nicht, was das sollte. Warum kam sie denn zu ihm? Nun sie dachte wohl, er würde ihr ein Instrument besorgen und der Unterricht wäre gratis. Er sagte erst mal nicht nein: Am Wochenende vor dem geplanten Unterricht war er mit dem Jugendorchester unterwegs und als er am Sonntagabend nach Hause kam, schaute sie wieder aus dem Fenster: „Das wird nichts am Mittwoch, ich melde mich nochmal", sagte sie. Das war es dann, nie wieder hatte die sich gemeldet. Ein paar Wochen später zog sie mit ihrem Freund weg. Willi erfuhr nie, wohin. Von wem auch. Von der Mutter? Obwohl die noch viele Jahre in der alten Wohnung blieb und sie sich auch oft sahen, kam es zu keinerlei Gesprächen, nicht mal zu einem „Guten Tag." Auch Hohl grüßte die Alte nicht. Wozu auch.

Sie hatten, gleich Januar 91, mit dem Jugendorchester eine Aufnahme. Zwei Märsche für eine Kassette über das „Musikalische Erzgebirge." Das war jetzt überhaupt ganz groß Mode, alle machten Kassetten und Schallplatten, undenkbar zu DDR-Zeiten, bei den knappen Kapazitäten. Jetzt kam das Tonstudio nach Hause. Man mietete einen Saal und dann ging es los, je nach Geldbeutel, obwohl die Tonträger im Endeffekt niemand kaufte. Aber es war ganz groß Mode nach der Wende. Das Studio Forst aus Bayern, die waren die ersten und sicherten sich so ein großes Stück des Kuchens. Bei anderen Kapellen musste es eine Nummer größer sein. Denen erklärten die Wessis, dass ein eigenes Studio zum guten Ton gehört und die Kapellen kauften und als der große Boom vorbei war, da saßen sie fest auf ihren Investitionen, so die „Lärchenthaler" und die „Kräuterbergmusikanten" oder was von denen noch übrig war. Willi hatte mit der Bergkapelle schon Aufnahmen mitgemacht und er hasste es wie die Pest, stundenlang immer wieder von vorn: Mikro 1 und Mikro 2 und dann noch einmal alle und noch eine Wiederholung…und dann noch mal… Und jetzt saß er mit dem Jugendorchester da und als die Mikros eingestellt waren, sollte eigentlich schon die Rückfahrt sein. Sie waren mit dem Bus in einen 20 Kilometer entfernten Saal gefahren, der wohl für Aufnahmen besonders geeignet war. Das Tonstudio Forst hatte sich wohl verspätet, hatte vorher noch eine Aufnahme, man war halt gut im Geschäft. Und jetzt musste alles schnell gehen, morgen war Schule und die Eltern, die ihre Sprösslinge gegen 21.00 Uhr

erwarteten, konnte man auch nicht ewig stehen lassen. Also nicht ewig immer wieder von vorn. Die Dirigenten waren nervös. Eigentlich war das Studio schuld, aber die waren routiniert, sie kannten sich aus und wussten, wie man psychologisch vorgeht. Erstmal lobten sie das Orchester über den grünen Klee, die Dirigenten und die Klarinetten, und die Blechbläser und das Schlagzeug. Das freute die Dirigenten und das freute Willi und noch mehr freute er sich, dass dann tatsächlich, nachdem die ersten Eltern „Theater“ machten, sie waren nach einer Stunde warten mit dem Auto zum Aufnahmeort gekommen, die Sache schnell beendet wurde. Die zwei Titel auf der Kassette klangen nicht schlechter als die von der Bergkapelle und da hatten die Aufnahmen um Stunden länger gedauert. Wurde das Studio nach Zeit bezahlt oder taten die nur so wichtig, um sich als überaus kompetent weiterzuempfehlen? Jedenfalls war der Osten für die Wessis wie ein williges Schurschaf. Da war ordentlich was zu holen...
Das Jahr 92 begann also ganz gut. Aber, nach wie vor, wenig Auftritte nur, zwei Elternvorspiele im Monat, die er auf dem Klavier begleitete, Bergkapelle, ab und zu als Alleinunterhalter.
Doch was Spielmöglichkeiten betraf, ergaben sich Ende April ganz neue Perspektiven. Suk, der ehemalige Soloklarinettist des Polizeiorchesters, jetzt in unfreiwilliger Vorruhe, war bei ihm zu Hause gewesen, natürlich in seiner Abwesenheit und bat um einen Anruf. Geheimnisvoll wie schon früher (Du hast keine Freunde, nur ich habe für dich gesprochen) bat er um einen Besuch. Willi ging

hin. Was wollte der von ihm? Wie hatte er hinten rum erzählt: „Selbst nach dem Studium bläst jeder Laie dem Suk in den Sack rein und wieder raus. Eine ganz arme Sau, der den ganzen Tag auf der Bettkante hockt und wichst. So ein Mann hat selbst in dem jämmerlichsten Berufsorchester nichts zu suchen." Suks Freundin, eine sehr nette Frau, öffnete und bot Kaffee und Kuchen an. Suks richtige Frau lag seit Jahrzehnten bettlägerig im Pflegeheim, sie hatte Muskelschwund. Über seine Tochter mit dieser Frau redete er nicht mehr so oft wie früher. Die war als Solistin in einem Berliner Musiktheater bereits abgewickelt und hatte ihre Karriere quasi beendet. Da gab's nichts mehr zu prahlen. Umso mehr prahlte er jetzt mit den Kindern seiner Freundin. Das waren alles Anwälte und die verdienten sich dumm und dusselig. Aber bei deren Zeugung dieser Überfliege war Suk nicht dabei gewesen. Da hatte ein anderer gewirkt. Suk selbst erzählte von Schülern ohne Ende, die er hatte, die alle unbedingt zu ihm wollten. Aber Suk selbst wollte auch wieder Musik machen. Seine Kollegen und Freunde vom, auch mit der Wende eingegangenen, Orchester Fips Fleischer, zu DDR-Zeiten eine berühmte Formation, hatten das empfohlen. Immerhin hatte Suk ja dort ständig als Aushilfe mitgewirkt. Die alte Lüge, aber da war Suk skrupellos. Er wusste genau, dass Willi die Wahrheit kannte, aber er prahlte natürlich auch gern vor seiner Freundin, die ihm, wie sich noch rausstellen sollte, hörig war. Suk wollte auch Klarinette, Saxofon und Akkordeon besetzten und da brauchte er Willi. Der war baff. Ausgerechnet ihn. Er war misstrauisch. Sicher hatte Suk keine Muggen und brauchte erst mal einen dummen für zahlreiche Proben, um ihn dann auszutauschen. Aber er sagte erst mal zu. Eine Woche später war dann die erste Probe, im Saal einer Schule. Einer der Musiker der neuen Kapelle gab im schuleigenen Orchester, eines der wenigen, welches die Wende überlebt hatte, Unterricht und so durften sie hier kostenlos proben. Müller, ehemaliger Vogelbergmusik, mit der Wende wegrationalisiert, spielte mit und tatsächlich saßen zwei ehemalige vom Fips Fleischer auch mit da. Mit dabei ein weiterer Vorruheständler von der Polizei, genannt das Schaf, bis zum Schluss hatte der begeistert dem Orchesterleiter recht gegeben: „Ich bin stolz auf die DDR, den ersten Arbeiter und Bauernstaat auf deutschen Boden.“ Immerhin war er ein sehr guter Musikant und musste mit gerade 52 in Vorruhe. Aber nun sollte es ja wieder losgehen. Der Schlagzeuger und zugleich Sänger war in einer der fünf hauptberuflichen Tanzmusikkapellen beschäftigt gewesen, die alle paar Wochen immer der Reihe rum fünf Nachtbars bespielten. Mit der Währungsunion war Schluss und nun musste er nach acht wunderbaren Jahren wieder als Elektriker arbeiten und er verfluchte die Wende, zumal auch die Frau als Kellnerin kaum was verdiente. Später machte er dann mit der Frau eine eigene Kneipe auf, ging pleite, seine Alte fremd, dann die Scheidung, seine Karriere endete als Mitarbeiter eines Getränkeladens. Zusätzlich gab er noch Schlagzeugunterricht in einer Musikschule, die so schlecht zahlte, dass Hochschulabsolventen nicht zu bekommen waren. Der Bassist hatte auch das Pech, dass sein Orchester aufgelöst wurde. Er fiel aber nicht so weich wie die von der Polizei und jobbte in einem Gemüseladen. Musikalisch war er eine absolute Spitzenkraft und hatte in erstklassigen Orchestern gespielt. Der von den „Vogelbergern“ spielte zusammen mit den „Fips Fleischer“ Musikanten noch auf dem Friedhof, außerdem trug er Zeitungen aus. Seine Frau, eine ehemalige Sängerin, saß arbeitslos zu Hause. Da ging es Willi mit seiner Musikschule noch am besten: Die anderen wollten auch mit Musik ihr Geld verdienen, aber es gab halt zu viele Musiker. So gesehen hatte Willi gewaltiges Glück gehabt, sogar noch die Alternative Polizeiorchester. Natürlich gönnten ihm die anderen das nicht. Es konnte nicht sein, dass sie als Familienväter in den Mond schauten und der als kinderloser Junggeselle in Lohn und Brot stand. Natürlich wollten sie auch das Schaaf nicht, der hatte doch seine Vorruhekohle, gegen Suk selbst konnten sie nicht hetzen, denn den brauchten sie noch. Der sollte die Verträge unterschreiben, die Anlage und die Noten kaufen. Recht geschah ihm, wenn er da auch mal auf die Schnauze fiel, er bekam eh zu viel Kohle fürs nichts tun. Dabei war er noch Täter, als ehemaliger Angehöriger der Staatsmacht der DDR. Täter war auch Willi, die anderen schäumten, weil der noch nicht aus der Schule geflogen war. Und sie, die Oppositionellen, die die Wende vorbereitet hatten, die mussten jetzt Gemüse verkaufen. Immerhin waren die beim „Fips“ auch privilegiert. Sie durften schon zu DDR-Zeiten in den Westen. Warum sind sie nicht drübengeblieben, wenn sie so gegen die DDR waren? Nein sie kamen als Westgeldbesitzer in der DDR bedeutend besser als in der BRD im Gemüsehandel. Die sollten das Maul halten. Eine explosive Mischung also. Demütigend für alle war, dass sie sich von einem Wichtigtuer wie dem Suk was sagen lassen mussten, aber was sollten sie machen. Der hatte den Knoten in der Hand. Natürlich machte Suk mit Noten und Anlage auch Gewinne. Die Investition holte er über eine zusätzliche Entschädigung, die alle akzeptieren mussten, wieder rein. Schließlich als zusätzlicher Musiker war noch ein Wessi mit. Er hieß Hagen Mundry, fuhr ein sündhaft teures Sportcoupé“ von BMW und war als Fahrlehrer in den Osten gekommen, um hier abzustauben. Er war geschieden, hatte eine Tochter aus erster Ehe und hier im Osten schon wieder eine neue, zwar auch mit Kind, aber hübsch und attraktiv. Immerhin hatte Hagen dadurch eine günstige Unterkunft. Gage verlangte er keine, er wolle nur Musik machen und er bekam auch kein Geld: „Nur so viel Musiker wie möglich, wir wollen hier unseren Lebensunterhalt verdienen“, sagte der Gemüsehändler.“ Als Hagen dann, wegen kurzfristiger Absage eines Trompeters, zur Mindestbesetzung gehörte, nahm er das Geld nicht: „Kauf Noten dafür“, sagte er zu Suk. In Wirklichkeit brauchte er das Geld wohl dringender als alle anderen, das ließ seine Freundin mal durchblicken, als er Hagen zur Mugge abholte. Aber der wollte den großen Max mimen, den Wessi, der es geschafft hatte. Typisch Wessi? Später ging seine Fahrschule

Pleite und er trennte sich wohl auch von der Freundin oder sie sich von ihm. Einmal spielten sie mit einer Tschechenband und Hagen bekam eine Autogrammadresse. Die fand sein Mäuschen dann in der Hemdtasche. In der Annahme, es sei von einer Nutte, die Adresse war Kometau, ein Grenzort mit regen Nuttengeschäft, haute sie ihm eine in die Fresse, sodass Willi ihn statt zur Mugge, die viel eh aus wegen Regen, zum Notarzt fahren musste. Später schmiss sie Hagen dann wohl endgültig raus. Peng! Dabei war Hagen ein brillanter Trompeter, hätte sicher eine Musikerkarriere in der DDR gemacht. Ging aber nicht im Westen, da war er nicht gut genug. Zur zweiten Probe kam dann noch eine weibliche Sängerin, Betti Bums mit Namen. Die war vor der Wende auch freiberuflich, jetzt Hausfrau, ca. 50 aber noch geil im Aussehen, verheiratet, vier Kinder. Sie hatte mit einem 25 Jahre jüngeren Trompeter des Polizeiorchesters, der auch verheiratet war, was gehabt und damit dessen Musikerkarriere gekippt. Die Frau von dem bekam das mit und stellte ein Ultimatum: „Wenn du nach Dresden gehst, ohne dass ich dich unter Kontrolle habe, lass ich mich scheiden.“ Also ging er nach vier Jahren Musikhochschule zur Schutzpolizei, da konnte seine Frau die Arbeitszeiten besser nachvollziehen als im Orchester. Logisch bei der langen Fahrzeit nach Dresden musste sie Zeit für Staus tolerieren und in Wirklichkeit: „Da bumste der Bock wohl eine andere.“ Der Polizeimusiker wohnte in einem kleinen Dorf. Jeder kannte jeden, der Vater herzkrank, die Scheidung wollte er nicht riskieren. Er machte sich selbst was vor, denn als

Willi ihn mal zehn Jahre später traf, sagte er: „Geil bei der Schutzpolizei, jeden Tag ne Klopperei." Dass er mit der Betti gebumste hatte, das erfuhr Willi nur durch Zufall. Der Trompeter prahlte: „ Ich hatte tolle Erlebnisse mit einer tollen Frau." Eigentlich aus Spaß, ironisch gemeint sagte Willi: „Du meinst die Bums." Und er hatte ins Schwarze getroffen. Der Trompeter war damals noch stocksauer auf seine Alte, die ihm das Ultimatum gestellt hatte und seine Musikerlaufbahn zerstört. „Ich habe zu meiner Alten gesagt, was ich mit der Betti erlebt habe, das wirst du mir nie geben können. Das war meine Rache."
Nun ja, gute Vorrausetzungen für eine prima Ehe. Willi fand das amüsant. Nach 20 Jahren, erfuhr Willi Hohl, dass der Trompeter sich dann doch hatte scheiden lassen oder die Gattin sich von ihm.
Immerhin, der Suk wollte bestimmt auch mal auf die Betti drauf, das vermuteten alle. Es war bekannt, dass die Betti locker drauf war und Suk schon früher scharf auf die war, wegen dem besagten jüngeren Trompeter aber nicht zum Zuge kam. Wie er um sie herum scharwenzelte und sie immer mit dem Auto mitnahm, das fiel schon deutlich auf. Die Truppe, die jetzt unter „Original Buchwaldmusikanten" spielen sollte, war also bunt und explosiv. Warum eigentlich original? Blöder Zusatz... Sicher, sie waren so gut, dass es schon Nachahmer gab!! Ganz unfähig war Suk nicht, denn im Mai 92 waren schon die ersten Muggen. Stolz fuhr Suk mit seinem BMW vor, am Hänger ganz groß der Kapellenname. „Das Auto ist nagelneu, da ist alles dran", prahlte Suk. Warum war der TÜV

dann nur noch zwei Jahre gültig? Das sah Willi am Nummernschild. Neue Autos mussten erst nach drei Jahren zum TÜV. Immerhin fuhr Suk freiwillig zu allen Veranstaltungen. Die anderen versuchten, sich da zu drücken wo sie nur konnten, auch Willi, denn so Suk: „Wir wollen die Musiker bezahlen, nicht die Fahrer.“ Umgedreht wäre es richtig gewesen, erst die Fahrer, was übrigbleibt, kann dann auf die Musiker aufgeteilt werden. So bekam der Musiker für sechs Stunden Blasmusik im Zoo Dresden 100 Mark, der Fahrer 20 Mark Fahrgeld zusätzlich, das war nicht mal der Sprit. Obendrein taten auch die Nichtfahrer so, als ob sie fuhren und gaben die Kilometer beim Finanzamt an, so ihren zu versteuernden Gewinn minimierend. Natürlich forderten die Gemüsehändler und Friedhofsmusikanten, dass Willi und das Schaaf fuhren, denn die hatten ja ordentlich Lohn bzw. Rente und Brot. Frech, die hatten alle große Einfamilienhäuser. Mussten sie eben verkaufen, wenn sie nicht flüssig waren. Anderseits, Willi hatte den Wartburg und der machte keinen zuverlässigen Eindruck. Einmal explodierte das Kühlwasser und die ganze Scheibe war voll mit einer braunen Flüssigkeit. Ein Glück, dass ein Bach in der Nähe war. Man konnte die Scheibe reinigen und neues Kühlwasser einfüllen. Ein andermal war ein Batteriekabel gebrochen und der Wagen musste angeschoben werden. Das Schaaf hatte einen neuen Audi und jammerte ständig. „Mein Auspuff, meine Batterie.“ Alle staunten: „Wie kann ein neuer Audi so oft defekt sein“ Aber es war klar: das Schaaf wollte unter diesen finanziellen Bedingungen nicht fahren.

Müller, der von den Kräuterbergern, flippte aus, wenn das Schaaf mit solchen Ausreden kam. Der Schlagzeuger musste immer fahren, wegen Transport des Instrumentes. Suk nahm generell nur die Bums mit. Die „Fipstrompeter“, also ehemals Orchester Fips Fleischer, fuhren nie, also musste zwangsweise Hagen, das Schaaf oder Willi fahren. Sie hatten tatsächlich ab Juni 92 auch schön zu tun und verdienten gut, die Masse machte es. Aber der Aufwand. Fast alle Veranstaltungen gingen vier mindesten, aber meistens sechs Stunden, oft auch acht, Weinfest, Wohngebietsfest, Eröffnung eines Supermarktes. Solche Veranstaltungen machte keine Laienkapelle, sie gingen den ganzen Tag, da konnte man nicht noch in eine Fabrik arbeiten gehen. Gerade Supermarkteröffnungen waren sehr oft. 80 Mark gab es pro Veranstaltung, mal 100, aber meist nur 80. Aber, wie gesagt, die Masse machte es. Ab August 92 hatten sie ca. zwei Veranstaltungen die Woche im Durchschnitt, im Winter weniger, im Sommer mehr. Das machte immerhin so 600 Mark Verdienst im Monat. 1993 waren es schon 10000 Mark im Jahr, 1994 12000 Mark. Ganz schöne Summen. Mitunter spielte er auch mit Suk zu zweit. Er Keyboard und Suk Saxofon, aber eher selten, nur wenn das Geld bei den Veranstaltern ganz knapp war. Suk bevorzugte die große Kapelle, da war er Chef und konnte den großen Max markieren. Außerdem war da sein Mäuschen, die Betti Bums mit von der Partie. Und die Qualität? Durchwachsen. In der ersten Zeit hatte jeder ein Mikro vor der Nase, der Sänger und gleichzeitig Schlagzeuger sollte auch noch die

Technik machen und war total überfordert. Es quietschte, schrecklich... Später wurden dann nur noch Sänger und Bassgitarre verstärkt und dann ging es. Sie spielten Bass, Schlagzeug, zwei Trompeten, zwei Saxofone, Willi Tenor oder zwei Klarinetten oder Willi Akkordeon und eine Klarinette (Oberkrainersound) und zwei Posaunen oder Tenorhorn, Bariton, dazu die Bums, also neun Mann, dazu freiwillig der Hagen. Die Trompeter waren natürlich schon perfekt, aber der eine hörte schon nach drei Monaten wieder auf. Er war beim Fips andere Gagen gewohnt und kürzere Spielzeiten. Er war Russe und clever, er wurde zum Tauschhändler, alte Autoreifen aus Deutschland gegen Krimsekt. Der Rubel lag danieder, Tauschhandel war bei den Russen wohl Mode geworden. Jedenfalls war der Russe nach acht Jahren ein gemachter Mann. Er betrieb als Hobby einen noblen Tennisklub, von seinen Ersparnissen erworben, das heißt, der lief über die Frau und er spielte jetzt wieder bei Suk mit und gab, ebenfalls als Hobby, etwas Unterricht. Auch der zweite Fipstrompeter war schnell weg vom Fenster. Er trank sich gerne einen an und blies dann besoffen nur noch falsche Töne, peinlich und auch dem Publikum blieb das ab einem gewissen Alkoholpegel nicht verborgen. Hagen verließ eines Tages die Bühne und fuhr nach Hause: „Das muss ich mir nicht antun, mich wegen diesem Suffkopp derart zu blamieren.“ Ein Eklat. Suk schmiss den Trompeter raus und holte zwei Musikstudenten, einer konnte immer nicht und jetzt war Hagen mit drin im Geld. Der eine Musikstudent hörte bald auf. Er hatte

ausstudiert und keine Stelle, sattelte um als Elektriker. Jetzt kam ein ebenfalls Studierter und Stellenloser, der hauptamtlich in einer Sauna arbeitete. Der Staat war eigentlich zu blöde, um Geld zu sparen. Er hätte nur zwei Drittel seiner Musikhochschulen schließen müssen. „Dort wird für einen Bedarf, der nicht vorhanden ist, völlig sinnlos ausgebildet.", sagte der Sauna-Mann. „Natürlich erzählen die Lehrer der Hochschulen ihren Studenten: „Keine Stelle bekommen die anderen." Und den Politikern: „Das kulturelle Leben verarmt, wenn die Hochschule zugemacht wird." Und die Politiker glauben das wohl. Gewinner sind nur die Lehrer der Schule. Wäre es für den Staat nicht günstiger, denen Arbeitslosengeld zu geben als quasi das Schöpfen von Wasser in ein Fass ohne Boden zu vergüten und dann die Unterhaltung der Immobilie wo die Schule drin ist und die Energiekosten und und und..."
Jedenfalls war Suk bei den Studenten in seinem Element. Er kehrte den großen erfahrenen Bandleder raus: „Immer schon, ein Leben lang, war ich Chef." Natürlich eher früher als später, je nach Intelligenzgrad, lachten alle über den Kerl, wie schon früher im Polizeiorchester. Nur das Schaaf nickte respektvoll, der schnallte nix, bewunderte Suk, ganz im Gegensatz zu den Bassisten. Dem wurde das ganze bald zu dumm und er hörte auf. Wieder kam ein Student, der war eigentlich Klarinettist, spielte aber auch perfekt Tuba, Bassgitarre, Gitarre und Saxofon. Auch er hatte keine feste Stelle bekommen, war erst mal auf Suk angewiesen und der köderte ihn mit Versprechen:

„Wir sind alles junge Leute, das Schaaf fliegt raus, dem Hohl sage ich: Entweder raus aus der Musikschule oder es kommt ein neuer Mann. Der ist eh nur eine Alternative für den Anfang, der kann nichts.“ Da war es wieder, die alte Melodei. Aber das war dann erst später, als es sich in diese Richtung zu spitzte.
1992 wurden Willis Fertigkeiten noch nicht in Frage gestellt. Da flog erst mal der Trompeter. Eigentlich hätte auch die Bums fliegen müssen, die trank zwar nicht viel, war aber nach einem Bier schon besoffen. Ihr Gesang war nüchtern schon nicht toll, aber besoffen ging es gar nicht, sie lachte und kicherte. Den Gesang übernahm jetzt der Schlagzeuger und die Alte sang ebenso ein bisschen mit ihm, wie bei einer Karaoke-Show. Aber Suk stieg natürlich schon lange mit der Bums in die Kiste. Das fiel allen auf, selbst seiner Freundin. Eines Tages, nach einer 2 Mann Mugge, musste Willi noch mal mit hoch zu dem in die Wohnung, einen Kaffee trinken und da fing Suk an. Er beklagte sich über die Schlechtigkeit der Menschen. Alle erzählen, er hätte was mit der Betti. Suks Freundin schüttelte mit dem Kopf. „Willi sag doch mal, bestätige doch mal: Da ist nichts dran.“ Natürlich hätte Willi bestätigen können: „Das läuft super mit der Bums, jeder weiß das.“ Aber Suks Freundin war so nett und er wollte auch noch bisschen musizieren. Der Terminkalender war voll, also bestätigte er Suks Lügen. Bei dem Mann von der Bums, kam Suk nicht so billig weg. Silvester 92 fuhr Suk schon gegen Mittag los, natürlich mit der Bums. Er fuhr nicht direkt zum Auftrittsort,

sondern in ein Wirtshaus. Den Besitzer, auch ein ehemaliger Musiker, der die Wende nicht geschafft hatte, also Pech hatte, kannte Suk. Er bat um ein Tageszimmer. „Die Betti hat Kopfschmerzen." Der Mann von der Bums war aber nachgefahren, erwischte Suk beim „Hoppe Reiter" und vermöbelte ihn ordentlich. Außerdem haute er ihm noch die Heckscheibe des Autos kaputt. Abends ließ sich Suk nichts anmerken, die kaputte Scheibe begründete er mit Spannungen im Glas. Hagen der Fahrlehrer lachte laut auf: „Ist sicher kalt im Winter ohne Heckscheibe." Suk knirschte mit den Zähnen. Bezeichnend für Suks Feigheit ist die Tatsache, dass er die Bums nicht mehr bis nach Hause fuhr, sondern schon ein paar Straßen vorher absetzte, samt Stöckelschuhe und Handtäschlein: „Und da steht nicht drauf, dass sie singt", lästerte Hagen wieder. Suk verklagte den Mann der Bums wegen Körperverletzung und Sachbeschädigung. Als Willi die Bums mal zur Mugge abholte, las er zufällig das Schriftstück vom Gericht. 20 Schläge mit der zusammengerollten Zeitung hätte er auf den Oberarm bekommen. Hagen lästerte wieder: „Hoffentlich hat der Alte eine dicke Illustrierte genommen und keine Tageszeitung." Wie dem auch sei, der alte Bums verlor den Prozess und musste noch ein schönes Sümmchen an Suk bezahlen. Als Zeuge hatte Suk schlauerweise das Schaaf genommen. Der bestätigte naiv und gutgläubig, dass sich Suk nie der Betti genähert hat und da er das wirklich glaubte, kam es auch überzeugend rüber. Der alte Bums ließ sich dann von seiner Frau scheiden, sie blieben aber zusammen im gemeinsamen Haus. Es wurde gemunkelt: „Die legen auch nach der Trennung noch ordentlich los.“ Eigentlich hat den Bums das Treiben seiner Frau nie gestört, wenn sie nur im Bett die gewohnten Standards bringt. Aber Suk war zu frech, da ging es auch um die Ehre. „Die eigene Alte zum Bumsen noch von zu Hause abholen. So was.“ Nach dieser Affäre sang und soff die Alte weiter und knutschte in der Pause mit Suk, nur abholen und nach Hause bringen tat er sie nicht mehr. Und die Qualität, wenn die Alte besoffen war? Immer grauenvoller, die riss die ganze Kapelle in den Keller. Aber Sachsen ist groß und sie spielten überall nur einmal. Ein zweites Mal, nahm sie kaum ein Veranstalter. Es gab allerdings auch wenige Kapellen, die für so wenig Geld sechs Stunden spielten. Die Wochenenden waren, besonders dann 93, 94 und 95 extrem. Von 08.00 Uhr bis 16.00 Uhr, Familientag Plusmarkt. Schnell einpacken, dann 18.00 Uhr bis 19.30 Uhr Hartenstein Wohngebiets-fest Konzert, immerhin nicht mal zwei Stunden, dann in Stollberg 21.00 Uhr bis 02.00 Uhr Tanz abwechselnd mit einer Disco. Am nächsten Tag dann 10.00 Uhr bis 18.00 Uhr "Pinguinbar" im Dresdner Zoo. Natürlich gab es für Hartenstein nur 40 Mark, aber insgesamt brachte das Wochenende 250 Mark, wie gesagt für sich gesehen eine schöne Summe aufs Jahr gerechnet 10 000 Mark, aber der Aufwand. Dazu kamen noch Aufbau und Abbau, eine üble Schinderei mit klobigen schweren uralten Boxen, Pulten, die umständlich zusammen-geschraubt werden mussten und so weiter. Viele Pausen machten sie nicht. Der Titel war noch nicht zu Ende, da suchte Suk schon den nächsten. Vier Stunden, höchstens mal 15 Minuten Pause. Ein Glück das Willi in der Woche ausschlafen konnte. Belastend war die Probe immer am Donnerstag drei Stunden. Die Proben waren gar nicht notwendig, aber Suk leitete gern Proben, den großen Max markierend und er war nicht kleinlich und spendete gern eine halbe Stunde Zugabe. Sie probten im Kinoraum der Kaserne, in der Willi seinen Wehrdienst ableisten durfte. In dem gleichen Saal, in dem schon die Combo damals geprobt hatte. Immer noch ein eigenartiges beklemmendes Gefühl. Auch wenn das zehn Jahre her war. Suk baute jedes Mal die komplette Anlage auf, die dann noch von und zum Auto geschleppt werden musste. Erst wenn abgebaut war, zahlte er das Geld aus und nur in den Proben. Also wer Kohle wollte, musste ab und zu mal kommen. Für die Freundlichkeit, dass sie hier proben durften, ließ sie die Bereitschaft zweimal im Jahr umsonst spielen. Sechs Stunden zum Grillen der Belegschaft und acht Stunden zum „Tag der offenen Tür."

1992 im Sommer waren noch nicht so viele Geschäfte und Willi konnte nochmal in den Urlaub fahren. Allerdings, Musik wäre vorgegangen, er hätte in jedem Fall auf die neuen Möglichkeiten des Reisens verzichtet, wenn er eine Mugge gehabt hätte. Da aber keine war, buchte er wieder bei Studiosus eine Griechenlandrundreise, acht Tage, seine zweite Flugreise nach Ungarn vor einigen Jahren. Diesmal mit "Condor" von Berlin Schönefeld, die DDR-Interflug existierte ja schon nicht mehr. Da war es wieder, das geile Gefühl, in einem völlig fremden Land zu sein. Griechenland konnte Italien und Frankreich natürlich nicht das Wasser reichen. Zu alt waren die zu besichtigenden Sehenswürdigkeiten in Sparta und Olympia. Willi kam sich ein bisschen verarscht vor. Ebenso könnte er bei sich zu Hause ein paar Steine in den Kreis legen und sagen: „Das war mal eine alte germanische Opferstelle." Auch Athen hatte, außer der allerdings nun sehr gut erhaltenen und interessanten Akropolis, nichts groß zu bieten, abgesehen natürlich von den Eindrücken über Land und Leute. Die Überlandfahrten, mit der Besichtigung eines orthodoxen Klosters waren schon fesselnd. Ansonsten war die Reiseleiterin eher der in Frankreich ähnlich. Sie war allerdings nicht so ausufernd, sondern kurz und knapp, zu kurz und zu knapp. In der Regel waren sie aber schon 15.00 Uhr mit dem Programm fertig und dann sich selbst überlassen. Hinweise was man noch unternehmen könne, gab sie nicht. Auffällig war, dass sie die Mitarbeiter der Lokalitäten, in der sie zu Mittag aßen, alle kannte. Da sprang bestimmt eine ordentliche Provision heraus. Willi hatte wieder aus dem Katalog für die neuen Bundesländer gebucht, aber diesmal waren die Hotels wenigstens zentral gelegen, sodass sie noch was unternehmen konnten. Einfach nur durch die City von Athen zu spazieren konnte schon interessant sein. Auffällig war der riesige Personalbestand in den Hotels. Unfreundlich standen mehrere Kellner hinter den Buffets, die nichts taten als grimmig gucken und nur ganz selten mal ihren Platz verließen, um einen Tisch abzuräumen. Dann musste es sich allerdings lohnen, wegen einem verschmutzten Teller liefen die nicht los. „Das sind staatliche Hotels“, erklärte die Reiseleiterin. „Die bekommen ihr Geld, auch wenn sie nichts tun und sind im Prinzip unkündbar. Dem Umstand schob sie auch die Schuld zu, dass sie in der einen Woche drei Mal früh eine Stunde zu spät zur Abfahrt kam. Die vom Hotel hatten sie nicht geweckt. Nimmt man da nicht als Reiseleiter mal einen privaten Wecker mit, wenn das, wie die sagte, schon Jahre lang immer wieder passiert? Wahrscheinlich war, dass das Unternehmen, welches die Reiseleiterin vermittelte, auch staatlich war und die unkündbaren Mitarbeiter zu den gleichen Konditionen wie die Hotels bezahlte. Letztlich kaufte Studiosus ja auch nur das Programm bei einer örtlichen Agentur ein. Es war schon ärgerlich, wenn sie Stunde um Stunde im Bus herumgammelten und die Reiseleiterin kam um zehn, statt um 8. Willi hatte kein Einzelzimmer. Die Reisegruppe war vom Alter her gemischt, eher jünger im Schnitt, vielleicht um die 30. Ein so herzliches Verhältnis wie in Italien hatten sie aber nicht. Sein Zimmernachbar, so alt wie er, hatte ein kleines Kind. Erst fuhr er und die Frau passte aufs Kind auf, dann machten sie es umgedreht. Immer noch besser als eine andere Familie, die ein Kleinstkind mit auf die Studienreise in die extremste Augusthitze genommen hatte. Klar, dass das Kind mit seinem durchdringenden Geplärre pausenlos nervte. Die Eltern waren aber ganz stolz über ihren überniedlichen Nachwuchs und schauten immer beifallsheischend in die Runde. Willi sah zu, dass die zum Beispiel beim Essen

immer weit weg von denen waren. Ein Kleinstkind war für ihn nichts Besonderes, tausende wurden pro Tag geboren und hunderte verreckten wieder vor Hunger und Durst in der Welt. Er war jetzt hier, um die Reise für sich zu genießen und nicht um ein beliebiges Kleinstkind auszuhalten und zu bewundern. Das musste er natürlich für sich behalten, denn die anderen waren ganz angetan von dem Niedling, der die Reise quasi versüßte. Wenigstens taten die so, um dann hintenrum anders zu sprechen: Wie Willi fanden sie es eine Frechheit von den Eltern, dem Kind die Strapazen der Reise und des Fluges im heißen August zuzumuten.
Dennoch, die Reise war interessant, so war es richtig. Unterricht, viele Muggen und jedes Jahr eine Reise. Sicher die Muggen gingen vor und drei Wochen Mexiko waren nicht drin, aber die ganze Welt würde er sowieso nicht schaffen und so fing er eben erst mal klein an.
Was den Unterricht betraf, also in Muthdorf, lief es nicht so gut, warum auch immer.
Dezember 92 leitete er vertretungsweise eine Probe des Kinderorchesters und drei seiner Schülerinnen, die schon da waren für die sich anschließende Probe des Jugendorchesters, dirigierten zum Gaudi der anderen mit Linealen hinter seinem Rücken mit, ihn damit lächerlich machend. Als Willi sie vertreiben wollte, da lachten die nur und nannten ihn „Schnitzel“. Das hieß so viel wie beidseitig bekloppt. Eine Schülerin vergaß mal ihre Notenmappe inkl. Tagebuch. Willi konnte nicht widerstehen und las mal ein Stück. „Wir alle

können den Hohl nicht leiden, weil der so eklig ist", stand drin. Mit der Zeit entwickelte Hohl nach solchen Aktionen auch einen Hass auf die Leute. Nicht gutaussehend, in Ordnung, aber er war immer sauber und geduscht, eklig war dann doch zu viel. Als er dann das Nachwuchsorchester mal zum Weihnachtsauftritt dirigierte, das erste und einzige Mal, motzten die Bälger ständig rum: „Herr Rothenberg und vor allem Herr Eler machen das anders. Die Titelauswahl ist schlecht und das Tempo zu schnell." Das war der Nachteil in Muhtdorf. Die Bälger, die bei ihm im Unterricht waren, kannten sich alle durch das Orchester und da sie auch noch in die gleiche Schule gingen, konnten sie sich schön austauschen. In Chemnitz war das alles anonymer. Es gab kein Orchester, wo alle spielten und jeder stammte aus einem anderen Stadtteil, in der Regel. Er gab seinem ehemaligen Klarinettenlehrer Montag fast recht, als der bei einer Mugge zu ihm sagte: „Du hättest in Chemnitz anfangen können..." Hätte, aber da wurden ja bekanntlich dann alle Hauptamtler entlassen, das hätte auch Willi getroffen. Also musste er in Muhtdorf weitermachen. Eklig hin, eklig her, er hatte immer noch genug Nachfragen nach Unterricht, zusätzlich zu seinen inzwischen von 24 auf 28 gestiegen Pflichtstunden, um die 15 Privatschüler: Klarinette, Saxofon, Klavier und Keyboard. Sehr zu seinem Nachteil war auch sein Wirken als Korrepetitor. Natürlich war er nicht so perfekt wie die hauptamtlich studierten und eine Prüfung war ja auch keine öffentliche Veranstaltung. Aber anstatt zu sagen: „Wir sind froh, dass der sich hinstellt“, sagte vor allem jetzt Eler: „Lieber ohne Klavierbegleitung als so.“ Sicher war Willi als Korrepetitor tatsächlich schlechter als er sich selbst einschätzte. Überhaupt Eler: Sicher war, dass er seinen Anteil hatte an seinem schlechten Ansehen. Er musste einfach der größte sein und das ging auch, wenn man andere klein machte. Auch Lehrer Sadelmann, mit dem er sich manchmal austauschte da ein Lied singen. Er war so alt wie Eler, kurz vor der 60. Hohl beobachte mal eine Probe des Jugendorchesters, die Eler leitete, heimlich und siehe da, Eler: „Jetzt soll ich wohl auch noch Klarinettenunterricht geben.“ Das war „EINE“ Bemerkung, die der Allwissende und alles Könnende von sich gab, ihn damit diskriminierend. Und viele Bemerkungen im Laufe der Zeit, auch über Sadelmann: „Da ist nix da bei dem seinen Schülern, der kann nichts“, brachten im Laufe der Jahre den gewünschten Effekt. Sadelmann und Hohl galten als musikalische Blinsen. Der minderjährige Schüler, solche Bemerkungen im Ohr, besonders wenn Hohl denjenigen mal kritisierte, nutzte das natürlich aus: „Hohl und Sadelmann sind doch musikalische Nieten, da muss ich nicht reagieren, wenn die was sagen.“ Der Effekt, so Sadelmann: „Die Schüler lernen weniger, entwickeln sich musikalisch nicht wie gewünscht und Eler hat wieder eine Steilvorlage für fiese Bemerkungen. Diesmal gerechtfertigt, die Schüler waren ja tatsächlich musikalisch zurückgeblieben.“ Da Sadelmann und Hohl mit dem Orchester, in dem die Schüler mitspielten, nichts zu tun hatten, konnten sie sich auch nicht ihrerseits mit fiesen

Bemerkungen was Eler betraf rächen. Einmal hatte Sadelmann solche Wut auf Eler, dass er einen Bierkasten nach ihm warf, nur ein schneller Sprung zur Seite rettete ihn. Das gab ein Geschepper. Hohl rieb sich genüsslich die Hände. Eler hatte gesagt: „Die Schüler von den beiden sogenannten „Pädagogen“ sind nur deshalb gerade noch so im Orchester zu gebrauchen, weil sie in meinen Proben erstmal die allerprimitivsten Grundlagen, man muss es so sagen, vermittelt bekommen.“ Willi hielt sich in Muthdorf aus allem raus. Auf dem letzten Pfiff kommen und dann gleich wieder abhauen, sobald der letzte Schüler raus war. Dennoch, er traute Rothenberg und Eler auch zu, ihn raus zu ekeln, irgendwas zu machen, was zu seiner Kündigung führen könnte.

Sehr zu seinem Nachteil war auch der Kauf des neuen Autos. August 92 war der Wartburg fertig. Er sprang nur an, wenn Willi vorher die Kerzen rausschraubte und einen Fingerhut Benzin dort reinschüttete. Das war gar nicht so einfach und jedes Mal ein Gemansche: Aus dem Kanister den Sprit in ein kleines Gefäß schütten und dann in dem Motor damit hantieren. Immer ging was daneben und Willi stank nach Benzin, das war wirklich eklig. Der Geruch ließ sich nur durch ewiges Händewaschen entfernen. Bereits nach zehn Kilometern kochte das Kühlwasser. Willi musste die Strecke nach Muhtdorf also in zwei Etappen bewältigen und den Berg runter immer den Motor ausschalten. Wenn das Auto ein paar Stunden stand, nutzte auch anrollen nichts. Er musste die schon beschriebene Prozedur durchführen.

Es musste also ein neuer Wagen her. Außerdem hätte Willi jetzt zum TÜV gemusst. Es sollte ein Neuwagen sein, denn bei „Gebrauchten“ hatte er Angst, übers Ohr gehauen zu werden. Er sollte groß genug sein, um ein Keyboard und eine Verstärkeranlage zu transportieren, also kein Kleinwagen. Er sollte einen Katalysator haben. Er sollte sich mit Normalbenzin begnügen, denn Willi hatte keine Lust, wie Rothenberg mit seinem Peugeot, immer zur Autobahn zum Tanken zu fahren. Die Großtankstellen an jeder Ecke gab es noch nicht und die kleinen noch aus DDR- Zeiten führten nur Normalbenzin, hatten aber auch schon rund um die Uhr auf. Dadurch fielen wenigstens die langen Wartezeiten weg. Um Muhtdorf gab es deshalb vor allem Autohäuser mit Fahrzeugen, die sich mit Normal begnügten. Daihatsu, Renault, Lada. Koreaner gab es noch nicht. Willi suchte sich also nach Autozeitungen vier Fahrzeuge raus. Renault 19, Daihatsu Applaus, Lada nova und Subaru Libero. Letzterer ein eigentlich stockhässlicher hochbeiniger Minibus, aber mit Allrad und das fand Willi für den Winter geil. Schon damals waren die Gemeinden pleite und Winterdienst war nur sehr eingeschränkt. Der Lada hatte zwar nicht den Ruf der Zuverlässigkeit, aber der kostet nur 10000 und hatte zwei Jahre Vollgarantie. Wenn er den nach zwei Jahren für 5000 in Zahlung gab und dann einen neuen nahm, hätte er in acht Jahren 20000 ausgegeben. Allerdings war der Benzinverbrauch höher als bei den anderen Modellen, dafür kosteten die auch knapp 20 000, also das Doppelte, hatten in acht

Jahren nach der Garantie aber auch sicher teure Reparaturen. Allerdings war die Russenkarre nicht der Traum, abgesehen vom Preis. Russland war pleite, wie sah das mit künftig mit Ersatzteilen aus? Das waren alles so Überlegungen. Italienische Wagen fielen weg. „Die rosten schon im Prospekt", hatte Hagen der Fahrlehrer gesagt, den Willi um Rat fragte. Ansonsten sagte der: „Kauf BMW, da hast du was solides." Kein guter Rat, denn deutsche Autos waren zu teuer, mehr als 20 000 hatte Willi nicht. Also machte er sich auf Tour, mit öffentlichen Verkehrsmitteln in Chemnitz. Rund um Muhtdorf gab es die Marken zwar auch, aber da wäre er zu den Autohäusern nur mit selten fahrenden Überlandbussen und langen Fußmärschen gekommen. Freunde, die Willi helfen konnten, hatte er auch nicht und Hagen weigerte sich, den Kauf von Franzmännern, Japsern und Russen zu unterstützen. Per Telefon hatte sich Willi schon erkundigt: Das gewünschte Basismodell stand bei allen zum Kauf und zur Probefahrt bereit.
Zuerst war er bei Daihatsu. Das von Willi gewünschte Fahrzeug war da, aber nur der Chef hatte die Autoschlüssel. Eigentlich wollte er in einer Stunde wieder da sein, wenn er warten wolle.... Willi wollte nicht. Bei Lada war der Wagenschlüssel weg, man bedauerte es unendlich. In Luft konnten sie sich ja nicht aufgelöst haben, noch vor einer Stunde hatten die hier gelegen. Er könnte am Nachmittag nochmal kommen. Mal sehen.... Bei Renault waren die Schlüssel wie auch der Chef da. Der machte dann auch die Probefahrt, aber Willi durfte nicht ans Steuer: Erst, wenn sie den Wagen bezahlt

haben. Machte Willi so einen schlechten Eindruck oder machten die das immer so? Dankeschön. Bei Subaru durfte Willi ans Steuer, alles in Ordnung. Aber am Telefon hatten sie nicht die Wahrheit gesagt. Die Basis gibt es nur auf dem Papier, er müsste die gehobene Ausstattung nehmen, mit Schiebedach, für 1200 Mark mehr. Dann kämen noch die Überführungskosten dazu. So viel Geld hatte Willi nicht. Man empfahl ihm, einen Kredit aufzunehmen. Danke, vielleicht hatten die jetzt bei Lada die Autoschlüssel. Immerhin bekam Willi jetzt einen Hauch der neuen Zeit zu spüren. Er wolle bar bezahlen? Da wäre ein Rabatt drin. Willi rechnete. Wenn er das Fahrzeug nahm hatte er noch 100 Mark, am Donnerstag zur Probe wollte Suk auszahlen, 160 Mark und am Samstag hatte er die ersten Privatschüler im neuen Schuljahr, 50 Mark. Willi könnte gerade so hinkommen. Immerhin würde die Versicherung die ja auch noch abbuchen und die Steuer. Erst das nächste Gehalt würde die Sache entschärfen. Oder doch nochmal zu Daihatsu? Wer weiß, was da wieder sein würde. Willi hatte es auch satt. Die Autohäuser waren alle an anderen Ecken der Stadt. Immer rein in Bus und Bahn und wieder raus. Er hatte schon vier Stunden in öffentlichen Verkehrsmitteln verbracht. Also nahm er den Subaru. Wenigstens wollten sie den Wartburg kostenlos entgegennehmen. Willi zögerte, die Winterräder waren erst ein halbes Jahr alt. Aber die ließen sich auf nichts ein. Also kratzte er seine Moneten zusammen und bezahlte bar. Der Verkäufer war so frei, noch Fußmatten ins Auto zu legen, für 25 Mark. Willi getraute sich nicht, die abzulehnen und hatte, nachdem er getankt hatte, noch 25 Mark. Er war jetzt stolzer Besitzer eines neuen Wagens, ein Minibus, Platz für sechs Personen, mit zuschaltbarem Allrad, kleinem Wendekreis, handlich, in jede Parklücke passend, wenig Verbrauch. Hier lernte Willi bald das Prospekt und Wahrheit weit auseinanderklafften. Acht Liter wurden es immer, also wie der Lada, aber der würde dann wohl zehn konsumieren. Der Wagen roch noch ganz neu, nach Leim und Klebstoff wohl. Willi wurde leicht übel, ihm war wie brechen aber das große Schiebedach erwies sich als günstig. Das Fahrzeug hatte einen Vergasermotor mit ungeregeltem Katalysator. „Ein Konzept von vorgestern, längst überholt“, sagte Hagen. Wäre der mal lieber mitgekommen. „Ich habe doch gesagt, nimm BMW.“ Hagen sollte Recht behalten, denn der Gesetzgeber unterschied schon bald zwischen geregeltem und ungeregeltem Kat und Willi bezahlte ein paar 100 Mark mehr Steuern. Als dann ein paar Jahre später Fahrverbote bei Smokalarm im Gespräch waren, hätte Willi das auch getroffen. Er bekam die „Freie Fahrt Plakette“ mit seinem Kat nicht. Immerhin kam es nie zum Fahrverbot, aber das wusste er damals nicht, ein zusätzlicher Angst- und Stressfaktor. Das Fahrzeug war praktisch, aber stockhässlich. Eine Zumutung, manche drückten es höflich aus: „So ein Auto zu kaufen, da gehört Mut dazu.“ Andere waren direkter: „Wir haben gedacht, wir sehen nicht recht.“ Für Willis eh schon ramponiertes Ansehen in der Musikschule war das Auto nicht gut. Er bewies einmal mehr, dass er von nichts eine Ahnung hatte. Willis Argumente. „Wenn die Musikschule mal zu macht, wie die Orchester und damals war das nicht unwahrscheinlich, muss ich mich als Allein-unterhalter behaupten. Soll ich da mit Autokauf von vorn beginnen?“ Willi war eigentlich zufrieden. Die schon genannten Vorteile, vor allem Allrad im Winter, waren enorm. Man konnte auch mal in eine nicht geräumte Parklücke fahren und kam wieder raus. Immerhin fuhr er etwas mehr als 20000 Kilometer im Jahr mit knappen Terminen. Das war auch so eine Sache mit dem Winterdienst. Willi fand, dass es eine der Grundaufgaben der Gemeinden ist, im Winter für ordentliche Straßen zu sorgen. Diese Aufgabe wurde nicht erfüllt, da die Gemeinden kein Geld hatten. Einmal fuhr Willi in Schrittgeschwindigkeit auf ungeräumter Fahrbahn, die auch noch vereist war. Er drehte sich und landete auf der Hauptstraße, ohne bremsen zu können. Ein Glück, dass niemand kam. Hinter ihm der Paketdienst hatte Pech und krachte in ein anderes Auto. „Unangepasste Fahrweise“, sagte die Polizei ungerührt zu dem Paketdienstfahrer. „Dann hätte ich das Auto gleich stehenlassen sollen“, sagte der. Die Polizei drohte, das Maul zu halten: „Alles was er sage könne gegen ihn verwendet werden und vor allem keine Beleidigungen.“ Im Prinzip war die Stadt schuld, die so schlecht wirtschaftete, dass sie keinen Winterdienst bezahlen konnten. Später gab es dann in Muhtdorf ab 23.00 Uhr aus Kosten-gründen auch keine Straßenbeleuchtung mehr. Willi war fassungslos. So musste es im Krieg bei Verdunklung ausgesehen haben. Wie sollte hier der Notdienst eine Hausnummer finden? Eigentlich müssten die Verantwortlichen eine Anzeige wegen des Inkaufnehmens einer fahrlässigen Tötung bekommen. Willi fuhr am 1. Januar nach der Mugge durch die unbeleuchteten Straßen. Nur mit viel Glück und einer Vollbremsung konnte er es verhindern, dass er einen Besoffenen, der plötzlich auf die Straße rannte, nicht unter die Räder bekam. Nur durch Zufall entkam er einer Anklage wegen fahrlässiger Tötung. Ein Mitbürger hatte weniger Glück. Die Stadt hatte natürlich auch kein Geld, eventuelle Schneemassen zu räumen, also türmten die sich, die Sicht der Autofahrer besonders in Kurven stark einschränkend, bis das Tauwetter einsetzte. Ein Fußgänger bekam einen epileptischen Anfall. Er hatte Alkohol getrunken, damit die Möglichkeit eines solchen verstärkend und fiel unglücklich über eine Schneewehe, mit dem Kopf auf der Straße hängend. Der erste Autofahrer, der kam, erwischte ihn mit der Stoßstange und tötete ihn. Jedem wäre das passiert, die Kurve, keine Straßenbeleuchtung, es wäre auch mit Straßenbeleuchtung passiert. Willi fuhr die Strecke selbst ab, dazu die hohen Schneeberge am Rand der Straße. Der Autofahrer bekam eine Verurteilung wegen fahrlässiger Tötung und als Zugabe ein lebenslanges schlechtes Gewissen. Er konnte nichts dafür, auch Willi hätte den Mann getötet. Eigentlich hätten die Verantwortlichen der Stadt auf die Anklagebank gehört. So empfand Willi, so empfand die Bevölkerung. Aber es wird wohl nie Gerechtigkeit geben, auch Willi war nur durch viele Zufälle noch auf freiem Fuß. Später stand dann mal in der örtlichen Presse: „Die Gelder für Winterdienst sind, ohne dass sie Werte schaffen, in den Wind geblasen.“ Ist ein gerettetes Leben etwa kein Wert? Wie soll ein Kranker ohne beräumte Straßen zum Krankenhaus kommen? Abgesehen von den Sachwerten, die auf nicht mehr vereisten Straßen eine längere Lebensdauer haben. Oder ist „Lebensqualität“ etwa auch kein Wert? Also froh sein über jede einigermaßen unbeschwerte Stunde.

Was sagten nun die Erzeuger zu Willis neuem Fahrzeug? Sie verurteilten das Design: „So ein Auto kauft kein Mensch. Statt neue Autos zu kaufen, solle er lieber seinen Eltern Geschenke machen. Jeder bringt was mit, wenn er nach Hause kommt.“ Bei den Erzeugern war eh dicke Luft, denn seine Mutter ging fremd, und zwar mit einem 15 Jahre älteren Witwer, der im gleichen Haus wohnte. Er hatte vor kurzem einen Schlaganfall gehabt und hinkte. Schon als sie 1977 einzogen, waren der und seine Alte Invalidenrentner (Herz). Die Frau starb dann auch schon bald. Früher hatten sie bei der Staatssicherheit gearbeitet. Die Alte ging mit ihrem neuen Freund hausieren und machte gar keinen Hel draus. Im Bett wird wohl nichts gewesen sein, aber immerhin brüllte der neue Macker nicht den ganzen Tag herum. Den empfand der neue Lover als der letzte Typ. Immerhin waren jetzt mit Willi schon zwei der Meinung. Willis Erzeuger war jetzt Rentner, seine tolle DDR war untergegangen und er lebte jetzt im bösen Kapitalismus. Da er, wenn auch nicht aus Opposition, vor 83 aus der Armee raus war, bekam er eine tolle Rente, aber nicht gleich. Erstmal nur paar Jahre die Strafrente von 800 Mark. Immerhin seine Wohnung hatte er für konspirative Treffen der Stasi bis zur Wende zur Verfügung gestellt. Also konnte er nicht gleich wie der Onkel und Neffe Gerhard einen tollen Westschlitten kaufen und musste weiter, zum Hohn der Verwandten, seinen inzwischen über zehn Jahre alten Lada fahren, bei dem der Lack schon nicht mehr glänzte. Er schämte sich also und fuhr zu Familienfeiern nach Leipzig nicht mehr mit. Willi hatte damals auch nur den schrottreifen Wartburg und fuhr mit dem Zug. Das gefiel seiner Mutter gar nicht und sie sagte ganz ungeniert, dass sie zur nächsten Feier mit dem neuen Freund kommen würde. Der könnte dann auch fotografieren, denn das wäre sein Hobby. Es war also dicke Luft und nur Geschrei. Der Alte las täglich seine linke Parteizeitung, das „Neue Deutschland“, arbeitete aktiv im Verein für Rentenansprüche für DDR Täter mit, also Stasi und hohe Militärs, erfolgreich übrigens, denn schon bald bekam er nicht nur besagte überaus üppige Rente, sondern auch eine saftige Nachzahlung. Ansonsten ging er zur linken Parteiversammlung und zu Demos der PDS und sagte Willi: „Wer nicht den Linken Oberbürgermeisterkandidaten wählt, ist doof, denn nur die dümmsten Kälber wählen ihre Schlachter selber.“ Auch Willi fiel bald in Ungnade bei dem neuen Lover von der Alten. Er spielte als Alleinunterhalter in einer Gaststätte. Da kam das neue Traumpaar herein, Willi hatte sich unvorsichtigerweise verplappert und gesagt, wo er spielt. Willi nickte zur Begrüßung von seinem Keyboard aus und das Paar nahm Platz. Noch bevor der Kellner kam, stand der Lover fünf Minuten später wieder auf, zog sich an und ging wutentbrannt mit der Freundin wieder. Später dann, als er Willi bei einem der Pflichtbesuche sah, sagte er auch warum: „Ich habe noch nie erlebt, dass ein Sohn seine Mutter so herablassend und demütigend behandelt, nicht mal zum Tisch kommt und „Guten Tag“ sagt. So was Freches und Unverfrorenes ist unfassbar, ein ganz normaler Lump. Sein Vater hat Recht, wenn er ihn als asoziale menschenverachtende Missgeburt bezeichnete. Seine eigenen Kinder (die kannte Willi nicht, hatte sie nie gesehen) seien nicht so.“ Nun hätte Willi sagen können, dass er einen Vertrag hatte, dass er nicht gleich mitten im Stück hinrennen konnte und dass er schon noch gekommen wäre. Alles sinnlos, denn Willi war tatsächlich nicht begeistert, als die auftauchten. Sicher wäre er nach einer Viertelstunde mal zum Tisch gegangen und hätte „Guten Tag“ gesagt, aber er hätte sich nicht mit drangesetzt. Das hätte er auch nicht gewollt, er war engagiert, zwei Stunden zu spielen und das tat er auch. Es war sein Plus, dass er nicht wie viele andere ständig Pausen machte, sondern durchspielte. Willi zog es vor, als menschenverachtender Lump grußlos abzuhauen. Der Lover keuchte, tobte, schwer atmend, immerhin war er herzkrank. Die Reaktion schien Willi in keinem Verhältnis zur Schwere des Deliktes zu stehen. Willi ging runter in die Wohnung des Erzeugers, um „Guten Tag“ zu sagen. Der sagte, dass seine Gattin einkaufen sei. „Einkaufen, die ist oben beim Freund“, sagte Willi. Der Alte brüllte auf und stiefelte hoch: „Die bringe ich jetzt endgültig auf Kurs.“ Willi lauschte, hörte es schreien und toben. „Du bist nicht besser als dein verkommener Sohn“, tobte der Lover. Nachbarn kamen und wurden aufmerksam. Willi haute ab. Sollten die sich doch gegenseitig die Kehle zudrücken, umso besser, die Rentenkassen würden es begrüßen. Wieder mal rieb er, die Szene genießend, die Hände.

Das Problem löste sich biologisch. Ein paar Tage später starb der Lover an Herzversagen. Als Willi dann seinen nächsten Pflichtbesuch bei seinen Erzeugern machte, war alles in Ordnung, der Lover kein Thema mehr. Er hatte quasi nie existiert, denn sie gingen auch nicht zur Beerdigung. Die Ehe hatte die Krise also überwunden. Wenig später starb dann auch der Großvater. Er bekam einen Schlaganfall und Willi besuchte ihn im Krankenhaus. Der Großvater war in einem Mehrbettzimmer im Krankenhaus mit anderen ältern, die alle wussten, dass die letzte Etappe bevorsteht. Das erste Mal war der Großvater noch geistig fit, er konnte halbgelähmt aber nur schlecht reden, war auch bettlägerig. Das zweite Mal, da war seine Mutter mit, redete er gar nicht, spazierte aber im Krankenhaus umher. Er war körperlich topfit, erkannte aber niemanden. Plötzlich fing er an, sich auszuziehen und ging duschen. Den langen Blick auf das Geschlechtsteil des Großvaters von seiner Erzeugerin bildete sich Willi wohl nur ein oder doch nicht? Jedenfalls empfand er vor der Alten einen unbeschreiblichen Ekel.
Es war wohl das letzte Aufbäumen des Großvaters, denn wenige Tage später starb er, mit 85 Jahren.

Willi fuhr nicht mit zur Beerdigung. Auch er fand das unverzeihlich. Aber er konnte sich einfach nicht dazu überwinden, mitzufahren. Er hatte keinen Unterricht, keine Mugge, nichts. Er fuhr einfach nicht mit, so wie ein Pädophiler es nicht schafft, den Blick von Kindern zu nehmen, schaffte er es nicht, sich aufzuraffen, um zur Beerdigung zu fahren. Natürlich war das Theater beim nächsten Pflichtbesuch recht groß. Eigentlich war immer Theater, aber diesmal war es auch zu Recht. Man bescheinigte ihm Gewissenlosigkeit, Herzlosigkeit. Er war ein Lump, wie es ihn selten gibt, eine ganz üble Kreatur, der nicht im Ansatz weiß, was sich gehört. Alle waren der Meinung, der Onkel und auch Neffe Gerhard, der es zu was gebracht hatte, die waren schon immer der Meinung, dass Willi ein Schwein ist und das hat sich nun einmal mehr bestätigt.
Eben, das war es, sie waren schon immer der Meinung, schon vor der Beerdigung und die Begegnung mit einem Schwein hatte er denen erspart. Eigentlich war er da ja ein Menschenfreund, ein Humanist.
Willi stand auf und ging, einfach so. Er meldete sich nicht mehr und brach den Kontakt ab. Er atmete tief durch. Die würde er nie wiedersehen. Er würde nicht mal zu deren Beerdigung gehen. Strafbar war das nicht. Erstmal abwarten, was die Zukunft bringen würde. Er war mächtig erleichtert, traute den Alten aber auch irgendeine Schweinerei zu, dass sie sich in der Schule melden, um eine Szene zu machen. Abwarten und tatsächlich, um es vorwegzunehmen, von Mitte 93 bis 2001 passierte

gar nichts. So lange hatte er seine Ruhe vor denen, keine Pflichtbesuche, nichts. Heilig Abend 93, war noch ein letztes Aufbäumen. Er hatte gerade sein Mittagessen gemacht, wollte in Ruhe essen und fernsehen. Über ihm war niemand da. Die gruslige Alte war bis abends bei ihren Kindern. Da klingelte es und die Erzeugerin kam. Er solle sofort mitkommen nach Hause, der Alte würde sie totschlagen, wenn sie ihn nicht mitbrächte. Da war sie wieder, die alte Melodei. Willi fasste eine Entscheidung. Er fuhr die Alte zur elterlichen Wohnung zurück, zum Schein mit aussteigend, aber bei der Haustür nochmal kehrt machend. Er hatte quasi was vergessen, stieg ins Auto und haute wieder ab. Sollte er sie erschlagen, hätte er dann wohl eine moralische Mitschuld, aber in den Knast würde dann der Alte gehen. Dann hätte er Ruhe. Vor Gericht würde er aussagen, dass er zu Hause was vergessen hatte und wiederkommen wollte. Möglicherweise bekam das nicht mal jemand mit in der Musikschule und wenn, er war jetzt so gut im Muggengeschäft, dass er auch freiberuflich durchkommen würde. Sicher die neuen Skandalblätter, „Bild und Morgenpost“ waren gefährlich. Aber er musste es darauf ankommen lassen. Er lauerte die nächsten Tage aber nichts passierte, nichts geschah. Acht Jahre Ruhe.
Aber das war 1992 noch nicht abzusehen. Es ergab sich eine weitere positive Wendung: Suk hatte ein Telefon und man fragte ihn, ob er in einem Chemnitzer Hotel mehrere Muggen spielen könne, zum Bockbierfest zum Beispiel. Nun wollten die keine Blaskapelle, Suk hätte mit Willi Akkordeon

und Klarinette spielen müssen. Da waren sie nicht darauf vorbereitet, sie hatten auch keine Noten für die Besetzung, also spielte Willi allein. Das Ganze fand in der „Erzgebirgsstube“ des Hotels statt. Willi zog die Bergmannsuniform der Bergkapelle an und musizierte. Die Bude war gerammelt voll. Es war die Zeit, als die Entwicklungshelfer aus dem Westen noch in den Hotels als Dauergast logierten, vernünftige Wohnungen mit Weststandard noch nicht zu bekommen waren, auch die Abwanderung in den Westen, die auch Wohnungen freimachte, in den Anfängen steckte. Eine tolle Stimmung, ein Westchef, der die Belegschaft eingeladen hatte. Geld spielte bei denen keine Rolle. Willi musizierte, Stimmungslieder, Erzgebirgslieder, alle sangen mit, er war in seinem Element. Da das Hotel inzwischen von Wessis geleitet wurde, bekam er auch Westgagen. 250 Mark, er hätte auch für 50 gespielt. Allerdings bekamen die schnell mit, dass sie zu viel zahlten und bald gab es nur noch 125. Immer noch eine Menge. Da die Bockbierfeste gut liefen, engagierten sie ihn zum Frühschoppen, jeden Sonntag von 11.00 Uhr bis 14.00 Uhr in der Mittagszeit, zu besagten Konditionen. Bis April 93 liefen die Veranstaltungen und Willi kam nach dem Autokauf auch finanziell jetzt schnell wieder auf die Beine. Das neue Auto war schon toll, keine Angst mehr vor Pannen, keine Ersatzteilengpässe. Er fuhr zum Frühschoppen ins Hotel in der Stadt dann auch nicht mehr mit der Straßenbahn. Er spielte seine drei Stunden und genoss die Tatsache, dass er jetzt endlich Musik machen konnte, so viel, wie er wollte. Gerade Sonntag am Vormittag waren nie

Veranstaltungen und da kam das gerade recht. Zu Weihnachten an den Feiertagen spielte er auch für sagenhafte 700 Mark zweimal um die Mittagszeit Klavier. Dass sie ihn im Jahr darauf nicht wiederholten, war auch seine Schuld. Ab März liefen die Sonntagsveranstaltungen nicht mehr gut, wenig Publikum auf einmal, warum auch immer. Die Preise waren aber auch gesalzen.
Ein Ende war also abzusehen. Wie gesagt, Willi spielte in der Bergmannsuniform. Er besaß zwei und in bewusster Woche war eine zur Reinigung in Thum. Freitag am Abend kam einer von der Kapelle, um eine Uniform zu holen. Es ging nicht an, dass er zwei hat. Schön und gut. Willi fuhr am nächsten Tag nach Muhtdorf die andere aus der Reinigung holen. Es wurde 09.00 Uhr, niemand kam, die machten einfach nicht auf, obwohl hier stand: Samstag 09-12 geöffnet. Er fuhr in die Wohnung der Ladeninhaberin, niemand da. „Die sind früh weggefahren“, sagten die Nachbarn. Das konnte nicht wahr sein. In der nächsten Woche erfuhr er, dass die schon seit Monaten Samstag nicht mehr aufmachten. Es lohne sich nicht, kaum ein Kunde, das Schild mit den Öffnungszeiten, man bedauere unendlich. Willi konnte auch keine Berguniform borgen. Es war verboten, sie zu anderen Veranstaltungen als die der Bergkapelle zu nehmen. Und die Uniform musste auch passen. Sicher gab es welche, die ihm eine geborgt hätten, aber die hatten nicht seine Figur. Was jetzt tun. Willi konnte gar nichts tun und spielte in Zivil im weißen Hemd. Eine sehr unpassende Kleidung. „Das war die letzte Veranstaltung“, murmelte der Restaurantchef. Willi

wurde sein eigenes Opfer. Niemand hatte je verlangt, dass er in Erzgebirgsuniform spielt. Er hatte es getan und selbst einen Maßstab gesetzt, dem er nun nicht entsprach. Zugegeben, es waren auch wenig Besucher da, eigentlich lohnte die Sache nicht. Aber über ein halbes Jahr hatte er gespielt und sich damit auch finanziell, nach dem Autokauf, ganz gut saniert. Jetzt begann die warme Jahreszeit und Willi hatte ordentlich bei den „Buchwaldmusikanten“ zu tun, da störten die fehlenden Akkordeonmuggen nicht. Sicher, der Verdienst war mit dem Akkordeon besser, aber Willi ging es auch und vor allem um das Spielen überhaupt. Sicher, Geld musste sein. Er fühlte sich durchaus als Profi. Er hätte umsonst jeden Tag bei irgendwelchen Musikvereinen spielen können. April 93 hatte er dann einen runden Geburtstag. Eigentlich feiert man ja sowas ganz groß. Beim 20. war er gerade bei der Armee. Zum 25. hatte er ja immerhin Götz eingeladen. Aber der wollte diesmal nicht kommen, erstmal den Kontakt aussetzen. Er war arbeitslos und seine den ganzen Tag „Fernsehserien“ schauende Frau riss ihn, wenn er zu Hause war, jedes Mal in den Abgrund. Im Prinzip fiel der Geburtstag ganz aus, es war ein normaler Unterrichtstag. In der Musikschule war es nicht üblich, dass sich die Kollegen untereinander gratulierten und bei den „Buchwaldmusikanten“ wusste niemand von seinem Geburtstag. Dennoch zog Willi ein positives Resümee. Er hatte alles erreicht, was er wollte, natürlich mit kleinen Abstrichen. Er hatte eine eigene Wohnung, wenn auch das Wohnzimmer nicht nutzbar war. Er verdiente sein Geld mit Musik, war hauptamtlich angestellt, bekam auch in den Ferien Kohle, war nicht wie die meisten auf Honorarbasis beschäftigt. Gut und das war der Wehrmutstropfen, er kam mit den Bälgern nicht klar. Er war jetzt nicht mehr der „Schöne". Dieser Jahrgang hatte die Schule verlassen. Er war jetzt das „Ekelpaket" oder das „Schnitzel". Willi hatte noch in Erinnerung, wie er lächerlich gemacht wurde und die hinter seinem Rücken mit dem Lineal mitdirigiert hatten. Er vermied es immer noch, in den Pausen durch die Schule zu gehen und jetzt auch den Kontakt zum Orchester, soweit es ging, wo er vor allem Schnitzel genannt wurde. Da er nicht reagierte, wurde dann noch das „Beidseitig bekloppt" hinzugefügt, um zu provozieren. Willi ließ sich nicht provozieren und lief einfach weiter. Im Unterricht wechselte er mit den Bälgern kein Wort. Er zog durch, ob sie übten oder nicht, das war ihm egal, er gab dann eben neue Sachen auf. Natürlich waren seine Schüler nicht die besten. Aber für Willi war der Unterricht Nebenschauplatz. Die Mugge war wichtiger. Es lief und private Keyboardschüler hatte er massenweise. Erstaunlich war das nicht, die kamen aus anderen Orten und kannten die Schüler, die Klarinette und Saxofon für das dortige Orchester lernten, nicht., Wenn Schüler von diesem Ort sich bei ihm anmeldeten und in der Schule erzählten: „Ich bin bei Hohl", wurden sie in der Regel so geimpft, dass sie bald wieder aufhörten. Das war auffällig, die Schüler anderer Orte blieben in der Regel mehrere Jahre.

Willi war mobil, er hatte ein richtiges Auto und

musste nicht ständig Angst haben, stehen zu bleiben. Er konnte reisen und ganz wichtig, er hatte seine Gemütsruhe. Vor allem noch einmal in eine Situation wie mit der Marie zu gelangen, davor hatte er gewaltige Angst. Die Sache mit der Wohnung und dem schlechten Ansehen in der Musikschule nahm er gelassen. Sicher, irgendwann würde das mal einen Knall geben, aber dann müsste er eben privat wirtschaften, freiberuflich, wie viele andere. Das war auch der Grund, warum er die Wohnung nicht wechselte. Die jetzige, mit dem alten DDR-Mietvertrag, war unerreicht billig, aber dennoch komfortabel. Er heizte längst mit Ölradiatoren. Und nach Muhtdorf ziehen, niemals, wenn kein Unterricht war, wollte er raus aus dem Nest. Willi hatte sich selbst ein festliches Essen bereitet, saß in der Küche und ließ die vergangenen 30 Jahre vorbeiziehen. Er war bescheiden. Für die Zukunft hoffte er keine Beseitigung der Mängel, sondern wenigstens einen Erhalt des derzeitigen Standes.

Alle Gestalten dieses Buches sind Geschichten der freien Fantasie. Nirgendwo soll auf reale Personen auch nur angespielt werden. Der Verfasser hat lediglich Geschehnisse, wie sie in den modernen Medien aufgezeichnet stehen, als Grundstoff benutzt.

Tom Lobok

Feindbild Ich II

Einmal Pack, immer Pack
Die Geschichte eines Menschenfeindes

Bibliografische Information der Deutschen Nationalbibliothek:
Die Deutsche Nationalbibliothek verzeichnet diese Publikation in der Deutschen Nationalbibliografie; detaillierte bibliografische Daten sind im Internet über http://dnb.dnb.de abrufbar.

Herstellung und Verlag: BoD – Books on Demand, Norderstedt

ISBN: 978-3-7519-0563-3